Åsa Larsson
WEISSE NACHT

ÅSA LARSSON

WEISSE NACHT

ROMAN

Aus dem Schwedischen
von Gabriele Haefs

C. Bertelsmann

Die Originalausgabe erschien 2004 unter dem Titel
»Det blod som spillts«
bei Albert Bonniers Förlag, Stockholm.

FSC
Mix
Produktgruppe aus vorbildlich
bewirtschafteten Wäldern und
anderen kontrollierten Herkünften
Zert.-Nr. SGS-COC-1940
www.fsc.org
© 1996 Forest Stewardship Council

Verlagsgruppe Random House FSC-DEU-0100
Das für dieses Buch verwendete FSC-zertifizierte Papier *EOS*
liefert Salzer, St. Pölten.

1. Auflage
Copyright © 2004 by Åsa Larsson
Copyright © der deutschsprachigen Ausgabe 2006
beim C. Bertelsmann Verlag, München,
in der Verlagsgruppe Random House GmbH
Satz: Uhl+Massopust, Aalen
Druck und Bindung: GGP Media GmbH, Pößneck
Printed in Germany
ISBN-10: 3-570-00873-8
ISBN-13: 978-3-570-00873-7

www.bertelsmann-verlag.de

Denn siehe, der Herr wird ausgehen von seinem Ort, heimzusuchen die Bosheit der Einwohner des Landes über sie, dass das Land wird offenbaren ihr Blut und nicht weiter verhehlen, die darin erwürgt sind.

Jesaja 26:21

Dass euer Bund mit dem Tode los werde und euer Vertrag in der Hölle nicht bestehe. Und wenn eine Flut dahergeht, wird sie euch zertreten; sobald sie dahergeht, wird sie euch wegnehmen.

Kommt sie des Morgens, so geschieht's des Morgens; also auch, sie komme des Tags oder des Nachts. Denn allein die Anfechtung lehrt aufs Wort merken.

Jesaja, 28:18-19

Freitag, 21. Juni

ICH LIEGE SEITLICH auf dem Küchensofa. Kann einfach nicht schlafen. Jetzt, mitten im Sommer, sind die Nächte blassblau und lassen mir keine Ruhe. Bald wird die Wanduhr über mir einmal schlagen. In der Stille wird das Ticken des Pendels immer lauter. Zerhackt jeglichen Sinn. Jeglichen Versuch, vernünftig zu denken. Auf dem Tisch liegt der Brief dieser Frau.

Ganz stillliegen, sage ich mir. Jetzt liegst du still und schläfst. Ich muss an Traja denken, eine Pointerhündin, die ich als Kind hatte. Traja fand niemals Ruhe, sie wanderte durch die Küche wie ein unseliger Geist, und ihre Krallen scharrten über den lackierten Holzboden. In den ersten Monaten musste sie im Haus in einem Käfig schlafen, damit sie nicht immer herumlief. Die Befehle »sitz«, »Platz«, »bleib« füllten die ganze Zeit das Haus.

Jetzt ist es genauso. In meiner Brust liegt ein Hund auf der Lauer, der bei jedem Ticken der Uhr aufspringen will. Es ist aber nicht Traja, die da in meiner Brust auf dem Sprung liegt. Traja wollte nur herumwandern. Diese Hündin hier wendet den Kopf von mir ab, wenn ich versuche, sie anzusehen. Und sie hegt lauter böse Absichten.

Ich will versuchen zu schlafen. Irgendwer müsste mich einschließen. Ich müsste einen Käfig in der Küche aufstellen.

Ich stehe auf und schaue aus dem Fenster. Es ist Viertel nach eins und hell wie bei Tag. Die Schatten der alten Kiefer an der Grundstücksgrenze ziehen sich zum Haus hin. Ich finde, sie sehen aus wie Arme. Wie Hände, die sich aus ihren unruhigen Gräbern strecken und nach mir greifen. Der Brief liegt auf dem Küchentisch.

Ich bin im Keller. Es ist fünf nach halb zwei. Die Hündin, die nicht Traja ist, ist auf den Beinen. Sie springt in den Außenbezirken meines Verstandes hin und her. Ich versuche, sie zu rufen. Will ihr nicht in ihre zertrampelten Spuren folgen. Mein Kopf ist von innen blank. Die Hand macht sich an der Wand zu schaffen. An allerlei Gegenständen. Was soll ich damit? Hammer. Brecheisen. Kette. Noch ein Hammer.

Meine Hände legen alles in den Kofferraum. Es ist wie ein Puzzlespiel. Ich kann nicht erkennen, was es darstellt. Ich setze mich ins Auto und warte. Ich denke an die Frau und den Brief. Sie ist schuld. Sie hat mich aus meinem Verstand verjagt.

Ich fahre los. Im Armaturenbrett gibt es eine Uhr. Eckige Striche ohne Sinn. Die Straße führt in die Zeit hinaus. Die Hände halten das Lenkrad so fest, dass die Finger schmerzen. Wenn ich mich jetzt totfahre, müssen sie das Lenkrad absägen und mich damit begraben. Aber ich werde mich nicht totfahren.

Ich halte hundert Meter vom Ufer entfernt, wo ihr Boot liegt. Ich gehe zum Fluss hinunter. Er liegt blank und still da und wartet. Die Sonne tanzt auf den Kräuseln, die eine Bachforelle beim Larvenfressen hinterlassen hat. Die Mücken sammeln sich um mich. Landen neben meinen Augen und in meinem Nacken und saugen mein Blut. Mir ist das egal. Ein Geräusch lässt mich herumfahren. Da ist sie. Sie steht nur zehn Meter von mir entfernt.

Ihr Mund öffnet sich und formt Wörter. Aber ich höre nichts. Meine Ohren sind verriegelt. Sie kneift die Augen zusammen. Verärgerung flammt darin auf. Ich mache zwei unschlüssige Schritte vorwärts. Ich weiß noch nicht, was ich will. Ich halte mich außerhalb von Sinn und Verstand auf.

Jetzt entdeckt sie das Brecheisen in meiner Hand. Meine Hand, die den Stahl umklammert, wird weiß. Und plötzlich ist die Hündin wieder da. Riesengroß. Die Pfoten sehen aus wie Hufe. Das Fell sträubt sich vom Nacken bis zum Schwanz. Sie entblößt ihre

Eckzähne. Sie wird zuerst mich mit Haut und Haaren verschlingen. Und dann die Frau.

Ich habe sie erreicht. Wie verhext starrt sie das Brecheisen in meiner Hand an, und deshalb trifft der erste Schlag sie dicht über der Schläfe. Ich knie neben ihr und schmiege die Wange an ihren Mund. Ein warmer Hauch an der Haut. Ich bin noch nicht fertig mit ihr. Die Hündin springt wie wahnsinnig alles an, was sich ihr in den Weg stellt. Die Krallen reißen tiefe Furchen in den Boden. Ich wüte. Ich tobe in den Randbereichen des Wahnsinns. Und jetzt mache ich den letzten Schritt.

DIE KÜSTERIN PIA SVONNI steht im Garten ihres Reihenhauses und raucht. Normalerweise hält sie die Zigarette damenhaft zwischen Zeige- und Mittelfinger. Aber jetzt klemmt die Zigarette zwischen Daumen und Zeige- und Mittelfinger. Das ist ein riesengroßer Unterschied. Es geht auf Mittsommer zu, daran liegt es. Dann gerät man eben außer sich. Will nicht schlafen. Braucht auch nicht zu schlafen. Die Nacht flüstert und lockt und zieht, und man muss einfach nach draußen.

Die Feen des Waldes ziehen neue Schuhe aus allerweichster Birkenrinde an. Es ist die reinste Prinzessinnenkür. Sie verstecken sich und tanzen und schwänzeln auf den Wiesen herum, obwohl ja ein Auto vorbeikommen kann. Sie zertanzen ihre Schuhe, während die Wichtel sich zwischen den Bäumen verstecken und mit großen Augen zusehen.

Pia Svonni drückt die Zigarette in dem umgedrehten Blumentopf aus, der als Aschenbecher dient, und lässt die Kippe im Loch verschwinden. Plötzlich hat sie Lust, mit dem Rad zur Kirche von Jukkasjärvi zu fahren. Am nächsten Tag soll dort eine Trauung stattfinden. Sie hat schon geputzt und alles vorbereitet, aber jetzt möchte sie noch einen großen Blumenstrauß für den Altar pflücken. Sie will über die Wiese hinter dem Friedhof wandern. Dort wachsen Trollblumen, Butterblumen und purpurrote Mittsommerblumen in Wolken aus weißem Wiesenkerbel. Und am Wegesrand wispert das Vergissmeinnicht. Sie steckt ihr Telefon in die Tasche und zieht ihre Turnschuhe an.

Die Mitternachtssonne leuchtet über dem Grundstück. Das milde Licht fällt durch den Zaun, und die langen Schatten der Latten lassen die Rasenfläche aussehen wie einen selbst gewebten Flickenteppich mit gelbgrünen und dunkelgrünen Streifen. Eine Drosselbande tobt in einer Birke herum.

Der Weg nach Jukkasjärvi führt die ganze Zeit bergab. Pia strampelt und schaltet. Sie erreicht ein lebensgefährliches Tempo. Und trägt keinen Helm. Ihre Haare wehen im Wind. Sie kommt sich vor wie mit vier Jahren, als sie auf den alten Reifen im Hof auf- und absprang, bis sie das Gefühl hatte, sich jeden Moment überschlagen zu können.

Sie fährt durch Kauppinnen, wo einige Pferde sie von der Koppel aus anglotzen. Als sie die Brücke über den Torneälv überquert, sieht sie zwei kleine Jungen mitten im Fluss mit Fliegen fischen.

Die Straße führt am Fluss entlang. Pia kommt am Tourismuszentrum und am Gasthaus vorbei, an dem alten Konsumladen und dem scheußlichen Bürgerhaus. An den silbrigen Holzwänden des Heimatmuseums und den weißen Dunstschleiern über der Wiese hinter dem Holzzaun.

Ganz am Ende der Stadt, am Ende der Straße, steht die falunrote Holzkirche. Die Dachsparren riechen frisch geteert.

Der Glockenturm ist an den Zaun angebaut. Um die Kirche zu betreten, muss man den Turm durchqueren und über einen Weg aus Steinplatten zur Kirchentreppe gehen.

Die eine der blauen Türen des Glockenturms steht weit offen. Pia steigt von ihrem Rad und lehnt es an den Zaun.

Hier müsste doch geschlossen sein, denkt sie und geht langsam auf die Tür zu.

Etwas raschelt in den kleinen Birken auf der rechten Seite des Weges, der zum Pfarrhaus führt. Ihr Herz hämmert, und sie bleibt stehen und horcht. Es war nur ein kurzes Rascheln. Sicher ein Eichhörnchen oder eine Wühlmaus.

Auch die hintere Tür des Glockenturms steht offen. Sie kann durch den Turm hindurchblicken. Die Kirchentür ist ebenfalls geöffnet.

Jetzt hämmert ihr Herz wirklich. Es kommt vor, dass Sune den Glockenturm vergisst, wenn er am Abend vor Mittsommer gefeiert hat. Aber nicht die Kirchentür. Sie muss an die Jugendlichen denken, die die Fensterscheiben der Kirche in der Stadt eingeschlagen und brennende Lumpen hineingeworfen haben. Das ist zwei Jahre her. Was mag hier geschehen sein? Sie sieht immer neue Bilder vor sich. Das Altarbild besprayt und bepinkelt. Lange Messerkratzer auf den frisch angestrichenen Kirchenbänken. Vermutlich sind sie durch ein Fenster eingestiegen und haben dann von innen die Tür geöffnet.

Sie bewegt sich auf die Kirchentür zu. Geht langsam. Lauscht aufmerksam in alle Richtungen. Wie konnte es nur so weit kommen? Jungen, die doch an Mädchen denken und ihre Mopeds frisieren sollten. Wie konnten sie zu Kirchenanzündern und Schwulenklatschern werden?

Als sie den Laubengang hinter sich gebracht hat, bleibt sie stehen. Steht unter der Empore, die so niedrig ist, dass höher gewachsene Menschen den Kopf einziehen müssen. Es ist still und dunkel in der Kirche, aber alles scheint in Ordnung zu sein. Christus, der Prediger Laestadius und das Lappenmädchen Maria, durch das Laestadius erst zum Prediger wurde, leuchten unbesudelt vom Altarbild. Und doch lässt irgendetwas sie zögern. Etwas, das nicht so ist, wie es sein sollte.

Unter dem Kirchenboden liegen sechsundachtzig Tote. Meistens denkt sie nicht an sie. Sie ruhen in Frieden in ihren Gräbern. Aber jetzt spürt sie, wie die Unruhe der Toten durch den Boden aufsteigt und sie wie Nadeln in die Fußsohlen sticht.

Was ist los mit euch, denkt sie.

Der Mittelgang der Kirche ist mit einem roten Teppich bedeckt. Dort, wo die Empore endet und das Dach sich öffnet, liegt etwas auf dem Teppich. Sie bückt sich.

Ein Stein, denkt sie zuerst. Ein kleiner weißer Stein.

Sie hebt ihn mit Daumen und Zeigefinger hoch und geht zur Sakristei weiter.

Aber die Tür zur Sakristei ist abgeschlossen, und sie macht kehrt, um wieder durch den Mittelgang zu gehen.

Als sie den Altar erreicht hat, sieht sie den unteren Teil der Orgel. Er ist fast vollständig von einer Absperrung aus Holz verdeckt, die sich zwei Drittel der Deckenhöhe hoch quer durch das Kirchenschiff zieht. Aber den unteren Teil der Orgel sieht sie. Und sie sieht zwei Füße, die von der Empore herunterhängen.

Ihr erster, sekundenschneller Gedanke ist, dass jemand sich in die Kirche geschlichen und dort erhängt hat. Und genau in dieser ersten Sekunde wird sie wütend. Findet es rücksichtslos. Danach denkt sie gar nichts mehr. Rennt durch den Mittelgang, vorbei an der Holzsperre, und dann sieht sie den Leichnam, der vor den Orgelpfeifen und dem samischen Sonnensymbol hängt.

Der Leichnam hängt an einem Strick, nein, es ist kein Strick, es ist eine Kette. Eine lange Eisenkette.

Und jetzt sieht sie die dunklen Flecken auf dem Teppich, dort, wo der Stein gelegen hat.

Blut. Kann das Blut sein? Sie bückt sich.

Und dann begreift sie. Der kleine Stein, den sie zwischen Daumen und Zeigefinger hält, ist kein Stein. Sondern ein Stück eines Zahns.

Sie richtet sich mit einem Ruck auf. Ihre Finger lassen den weißen Zahn fallen, werfen ihn fast weg.

Die Hand zieht das Telefon aus der Tasche, wählt eins, eins, zwei.

Da meldet sich am anderen Ende ein Typ, der entsetzlich jung klingt. Während sie seine Fragen beantwortet, reißt sie an der Tür zur Empore. Die ist verschlossen.

»Die ist verschlossen«, sagt sie zu ihm. »Ich kann nicht nach oben gehen.«

Sie stürzt zurück in die Sakristei. Kein Schlüssel für die Empore. Kann sie die Tür aufbrechen? Womit?

Der Junge am anderen Ende der Leitung verlangt ihre Aufmerksamkeit. Er bittet sie, draußen zu warten. Hilfe sei unterwegs, verspricht er.

»Es ist Mildred«, ruft sie. »Die, die hier hängt, ist Mildred Nilsson. Die Pastorin hier. Gott, wie sie aussieht!«

»Sind Sie jetzt draußen?«, fragt der Junge. »Ist irgendwer in der Nähe?«

Der Junge am Telefon schickt sie hinaus auf die Kirchentreppe. Sie sagt ihm, dass dort kein Mensch zu sehen ist.

»Nicht auflegen«, sagt er. »Bleiben Sie dran. Hilfe ist unterwegs. Gehen Sie nicht wieder in die Kirche.«

»Darf ich eine rauchen?«

Das darf sie. Sie darf auch für einen Moment das Telefon weglegen.

Pia setzt sich auf die Kirchentreppe, neben das Telefon. Raucht und registriert, wie ruhig und gelassen sie doch ist. Aber die Zigarette will nicht richtig brennen. Am Ende sieht sie, dass sie sie am Filter angezündet hat. Nach sieben Minuten hört sie in der Ferne das Martinshorn.

Sie haben sie fertig gemacht, denkt sie.

Und jetzt fangen ihre Hände an zu zittern. Die Zigarette fällt zu Boden.

Diese Teufel. Sie haben sie fertig gemacht.

Freitag, 1. September

REBECKA MARTINSSON VERLIESS das Wassertaxi und schaute zum alten Herrenhaus Lidö hoch: die Nachmittagssonne auf der hellgelben Fassade mit den weißen Schnitzereien. Jede Menge Menschen auf der riesigen Rasenfläche. Lachmöwen, die über ihrem Kopf herumjagten. Eifrig und nervig.

Wie bringt ihr das über euch, dachte sie.

Sie gab dem Fahrer zu viel Trinkgeld. Als Ausgleich dafür, dass sie während der Fahrt auf seine Gesprächsversuche nur einsilbig geantwortet hatte.

»Ach, jetzt gibt's also ein großes Fest«, sagte er und nickte zum Hotel hoch.

Ihre gesamte Anwaltskanzlei war dort oben angetreten. Fast zweihundert Personen wimmelten umher. Unterhielten sich in Grüppchen. Trennten sich von einer Gruppe und wanderten weiter. Händeschütteln und Wangenküssen. Eine Reihe großer Grills war aufgestellt worden. Personen in Weiß tischten auf einer mit Leinen bedeckten langen Tafel das Büfett auf. Sie liefen zwischen der Hotelküche und dem Tisch hin und her wie weiße Mäuse mit albern hohen Kochmützen.

»Ja«, antwortete Rebecka und zog die Tasche aus Krokoleder über ihre Schulter. »Aber man hat schon Schlimmeres überlebt.«

Der Fahrer lachte und jagte los, dass die Gischt nur so aufspritzte. Eine schwarze Katze sprang lautlos vom Steg und verschwand im hohen Gras.

Rebecka ging los. Die Insel sah nach dem Sommer müde aus. Zertrampelt, ausgetrocknet und erschöpft.

Hier sind sie gewandert, dachte sie. Alle kinderreichen Familien mit Picknickdecken, alle beschwipsten eleganten Bootsmenschen.

Das Gras war brüchig und gelb. Die Bäume wirkten staubig und durstig. Sie konnte sich vorstellen, wie es im Wald aussah. Unter Blaubeersträuchern und Farnwedeln lagen massenhaft Flaschen, Dosen, benutzte Kondome und menschliche Fäkalien. Der Weg hinauf zum Hotel war hart wie Beton. Wie der geborstene Rücken einer Urzeitechse. Sie selbst war ebenfalls eine Echse. Frisch gelandet mit ihrem eigenen Raumschiff. Gewandet in ein Menschenkostüm, war sie unterwegs zu ihrer Feuertaufe. Und sollte menschliches Verhalten imitieren. Sich die Umstehenden ansehen und sich ungefähr genauso benehmen. Hoffen, dass ihre Verkleidung nicht am Hals auseinander fiel.

Jetzt hatte sie die Rasenfläche fast erreicht.

Na los, sagte sie sich. Du schaffst das.

Nachdem sie diese Männer in Kiruna getötet hatte, hatte sie ihre Arbeit in der Kanzlei Meijer & Ditzinger ganz normal wieder aufgenommen. Alles ging gut – hatte sie gedacht. Aber in Wirklichkeit war es die Hölle gewesen. Sie hatte nicht an Blut und Leichen gedacht. Wenn sie sich jetzt an die Zeit vor ihrer Krankschreibung zurückerinnerte, konnte sie nicht einmal sagen, ob sie überhaupt gedacht hatte. Sie hatte geglaubt zu arbeiten. Aber am Ende hatte sie nur noch Papiere von einem Stapel auf den anderen gelegt. Natürlich hatte sie schlecht geschlafen. Und war irgendwie abwesend gewesen. Sie hatte manchmal ewig gebraucht, um sich morgens zurechtzumachen und zur Arbeit zu fahren. Die Katastrophe hatte sie von hinten eingeholt. Sie bemerkte sie erst, als sie schon über sie hereingebrochen war. Es war eigentlich ein einfacher Fall gewesen. Der Mandant hatte die Kündigungsfrist eines Mietvertrages in Frage gestellt. Und Rebecka hatte eine absolut unmögliche Antwort gegeben. Trotz des Ordners mit allen Verträgen vor der Nase, aber sie hatte nicht erfasst, was dort stand. Der Mandant, ein französischer Postversand, hatte die Kanzlei auf Schadensersatz verklagt.

Sie wusste noch, wie Måns Wenngren, ihr Chef, sie angesehen hatte. Blutrot im Gesicht, hinter seinem Schreibtisch. Sie hatte kündigen wollen, aber damit war er nicht einverstanden gewesen. »Das würde einen ungeheuer schlechten Eindruck von unserer Kanzlei erwecken«, hatte er gesagt. »Alle würden glauben, wir hätten dir die Kündigung nahe gelegt. Dass wir eine Mitarbeiterin im Stich lassen, weil sie psychi ... weil es ihr nicht gut geht.«

An diesem Nachmittag war sie aus der Kanzlei gewankt. Und als sie im Herbstdunkel auf der Birger Jarlsgata stand, im Licht der vorüberjagenden Luxuskarossen und der geschmackvoll eingerichteten Schaufenster und der Gaststätten unten am Stureplan, war sie von dem starken Gefühl überwältigt worden, dass sie nie wieder zu Meijer & Ditzinger zurückkehren könnte. Sie hatte das Gefühl gehabt, sich so weit wie überhaupt nur möglich von der Kanzlei entfernen zu wollen. Aber so war es nicht gekommen.

Sie wurde krankgeschrieben. Zuerst immer für eine Woche. Danach monatsweise. Der Arzt hatte ihr geraten zu tun, worauf sie Lust hatte. Wenn es bei ihrer Arbeit etwas gab, das ihr zusagte, dann sollte sie sich damit beschäftigen.

Die Kanzlei hatte nach der Mordserie in Kiruna sehr viele neue Aufträge bekommen. Rebeckas Name und Bild waren den Zeitungen zwar vorenthalten worden, aber die Kanzlei war dort immer wieder genannt worden. Und das hatte Früchte getragen. Interessenten erkundigten sich bei der Kanzlei und wollten von »der Frau, die da oben in Kiruna war«, vertreten werden. Sie erhielten die Standardantwort, dass man ihnen einen erfahreneren Strafrechtsexperten anbieten, diese Frau aber als Assistentin dabei sein könne. Auf diese Weise hatten sie bei den großen Prozessen, denen das Interesse der Medien galt, einen Fuß in der Tür. In dieser Zeit gab es zwei Gruppenvergewaltigungen, einen Raubmord und eine Bestechungsaffäre.

Die Teilhaber schlugen vor, dass sie auch während ihrer Krankschreibung bei den Verhandlungen anwesend sein solle. Es handele sich ja nicht um viele Termine. Und es sei nur gut für sie, den Kontakt zur Arbeit nicht zu verlieren. Sie brauche sich auch nicht vorzubereiten. Sondern nur dabei zu sein. Aber nur, wenn sie wolle, natürlich.

Sie hatte sich darauf eingelassen, weil sie nicht glaubte, irgendeine Wahl zu haben. Sie hatte die Kanzlei blamiert, hatte ihr eine Schadensersatzklage beschert und einen Mandanten vergrault. Es war unmöglich, nein zu sagen. Sie stand in der Schuld der Kanzlei, und deshalb lächelte sie.

An den Tagen, an denen sie mit ins Gericht musste, kam sie immerhin aus dem Bett. Normalerweise waren es die Angeklagten, die die ersten Blicke von Jury und Richter auf sich zogen, aber jetzt war Rebecka die große Attraktion im Zirkus. Sie starrte die Tischplatte an und ließ die anderen glotzen. Verbrecher, Geschworene, Staatsanwalt, Richter. Sie konnte ihre Gedanken fast hören: Ach, das ist sie also…

Jetzt hatte sie die Rasenfläche vor dem Herrenhaus erreicht. Hier war das Gras plötzlich grün und frisch. Sicher hatten sie in diesem Dürresommer wie besessen gesprengt. Die letzten Heckenrosen des Jahres sandten einen Duft aus, der der Abendbrise zum Land hin folgte. Die Luft war angenehm warm. Die jüngeren Frauen trugen ärmellose Leinenkleider. Die etwas älteren versteckten ihre Oberarme in dünnen Baumwolljacken von Iblues und Max Mara. Die Männer hatten die Schlipse zu Hause gelassen. Sie liefen in ihren Hosen von Grant mit Drinks für die Damen hin und her. Warfen einen Blick auf die Glutbetten der Grills und plauderten leutselig mit dem Küchenpersonal.

Rebecka hielt in der Menge Ausschau. Keine Maria Taube. Kein Måns Wenngren.

Und da kam einer der Teilhaber auf sie zu, Erik Rydén. Sofort das Lächeln aufgesetzt.

»Ist sie das?«

Petra Wilhelmsson sah Rebecka Martinsson den Weg zum Herrenhaus hochkommen. Petra war neu in der Kanzlei. Sie lehnte am Geländer vor dem Eingang. Auf ihrer einen Seite stand Johan Grill, ebenfalls frisch eingestellt, auf ihrer anderen Krister Ahlberg, Strafrechtsexperte und Mitte dreißig.

»Ja, das ist sie«, bestätigte Krister Ahlberg. »Die kanzleieigene kleine Modesty Blaise.«

Er leerte sein Glas und stellte es mit einem kleinen Knall auf das Geländer. Petra schüttelte langsam den Kopf.

»Dass sie wirklich einen Menschen getötet hat«, sagte sie.

»Drei sogar«, sagte Krister.

»Himmel, da krieg ich doch eine Gänsehaut. Seht nur!«, sagte Petra und hielt ihren Arm hoch.

Krister Ahlberg und Johan Grill musterten ihn aufmerksam. Er war schmal und braun. Überaus feiner Flaum war von der Sommersonne fast weiß gebleicht worden.

»Also, nicht weil sie eine Frau ist«, erklärte Petra, »aber sie sieht nicht aus wie der Typ, der…«

»Das ist sie ja auch nicht. Sie hatte am Ende einen psychischen Zusammenbruch. Und sie schafft die Arbeit nicht. Sitzt manchmal bei den medienwirksamen Verhandlungen mit im Gericht. Und man selbst macht die Arbeit und sitzt im Büro am Telefon parat, falls etwas sein sollte. Sie dagegen ist ein Promi.«

»Ein Promi?«, fragte Johan Grill. »Aber ihr Name ist doch wohl nie genannt worden?«

»Nein, aber unter den Juristen kennen sie doch alle. Das juristische Schweden ist so klein, das wirst du auch bald lernen.«

Krister Ahlberg zeigte mit Daumen und Zeigefinger der rechten Hand einen Zentimeter. Er sah, dass Petras Glas leer war, und spielte mit dem Gedanken, ihr das Nachfüllen anzubieten. Aber dann müsste er Petra mit Johan allein lassen.

»Gott«, sagte Petra, »was mag es wohl für ein Gefühl sein, einen Menschen zu töten?«

»Ich werde euch vorstellen«, sagte Krister. »Wir arbeiten nicht in derselben Abteilung, aber wir haben zusammen einen Kurs für

Handelsrecht gemacht. Wir müssen nur warten, bis Erik Rydén sie aus seinen Armen gelassen hat.«

Erik Rydén umarmte Rebecka und hieß sie willkommen. Er war ein untersetzter Mann, der durch seine Gastgeberpflichten leicht ins Schwitzen geriet. Sein Körper dampfte wie ein Ameisenhaufen im August. Ein Dunst aus Chanel Pour Monsieur und Alkohol. Ihre rechte Hand klopfte ihm etliche Male den Rücken.

»Schön, dass du kommen konntest«, sagte er mit seinem aller-breitesten Lächeln.

Er nahm ihre Tasche und gab ihr im Gegenzug ein Glas Sekt und einen Zimmerschlüssel. Rebecka musterte den Schlüsselan-hänger. Es war ein weißrotes Stück Holz, das mit einem See-mannsknoten an dem Schlüssel befestigt war.

Wenn die Gäste zu viel intus haben und er ihnen ins Wasser fällt, dachte sie.

Sie wechselten einige Gemeinplätze. Was für schönes Wetter. Für dich bestellt, Rebecka. Sie lachte, fragte, wie es laufe. Ja, erst vorige Woche hatte Erik einen großen Mandanten aus der Biotech-Bran-che an Land gezogen. Und sie wollten eine Fusion mit einer Firma in den USA in die Wege leiten, also hatten sie alle Hände voll zu tun. Sie hörte zu und lächelte. Dann traf noch ein Nachzügler ein, und Erik war wieder mit seinen Gastgeberpflichten beschäftigt.

Ein Kollege aus der Strafrechtsabteilung kam auf sie zu. Er be-grüßte sie wie eine alte Bekannte. Sie durchforstete fieberhaft ihr Gedächtnis nach seinem Namen, aber der war wie weggeweht. Er hatte zwei Neueingestellte im Schlepptau, eine Frau und einen Mann. Der Mann hatte eine blonde Mähne, die ein extrem brau-nes Gesicht umrahmte, wie man es nur vom Segeln bekommt. Er war ein wenig klein geraten und hatte breite Schultern. Viereckig-es vorgeschobenes Kinn, und aus dem hochgekrempelten teuren Pullover ragten zwei muskulöse Unterarme heraus.

Wie ein gestylter Popeye, dachte sie.

Die Frau war ebenfalls blond. In ihrer Mähne hatte sie eine

teure Sonnenbrille festgesteckt. Lachgrübchen in den Wangen. Eine Jacke, die zu ihrem kurzärmligen Oberteil passte, hing über Popeyes Arm. Sie reichten einander die Hand. Die Frau zwitscherte wie eine Amsel. Sie hieß Petra. Popeye hieß Johan und hatte einen vornehmen Nachnamen, den sich Rebecka aber nicht merken konnte. So war es seit dem vergangenen Jahr bei ihr. Früher hatte sie im Kopf Fächer gehabt, in die sie diese Informationen einsortieren konnte. Jetzt gab es keine Fächer mehr. Alles fiel wild durcheinander, und das meiste fiel daneben. Sie lächelte und drückte die Hände der anderen gerade herzlich genug. Fragte, für wen in der Kanzlei sie arbeiteten. Wie es ihnen gefalle. Was ihre Spezialgebiete seien und wo sie ihr Referendariat gemacht hätten. Niemand stellte ihr irgendeine Frage.

Sie wanderte weiter zwischen den Gruppen umher. Alle hielten den Zollstock in der Tasche bereit. Maßen einander. Verglichen sich mit dem Gegenüber. Gehalt. Wohnung. Name. Wen man kannte. Was man während des Sommers gemacht hatte. Jemand baute ein Haus in Nacka. Ein anderer suchte eine größere Wohnung, jetzt, wo das zweite Kind da war, am liebsten auf der richtigen Seite von Östermalm.

»Ich bin ein Wrack«, rief der Häuslebauer mit glücklichem Lächeln.

Ein frischgebackener Single wandte sich Rebecka zu. »Im Mai war ich in deiner Heimat«, sagte er. »Bin zwischen Abisko und Kebnekaise Ski gelaufen, man musste um drei Uhr nachts aufstehen, um den Harsch zu nutzen. Tagsüber war der Schnee so weich, dass man einsank. Und dann konnte man nur im Liegestuhl sitzen und die Frühlingssonne genießen.«

Plötzlich war die Stimmung gedrückt. Musste er ihre Heimat erwähnen? Kiruna drängte sich wie ein Gespenst zwischen sie. Alle zählten plötzlich die Namen von tausend anderen Orten auf, die sie besucht hatten. Italien, Toskana, Eltern in Jönköping und Legoland, aber Kiruna wollte nicht verschwinden. Rebecka ging weiter, und alle atmeten erleichtert auf.

Die älteren Juristen waren in ihren Sommerhäusern an der West-
küste, in Schonen oder auf den Schäreninseln gewesen. Arne Eklöf
hatte seine Mutter verloren und erzählte Rebecka ganz offen, dass
er den Sommer mit Erbstreitereien verbracht hatte.

»Ja, Mist«, sagte er. »Wenn Gott der Herr den Tod bringt,
bringt der Teufel die Erben. Willst du?«

Er nickte zu ihrem Glas hinüber. Sie lehnte dankend ab. Er sah
sie fast wütend an. Als habe sie sich weitere Vertraulichkeiten ver-
beten. Vermutlich hatte sie das ja auch. Er stapfte zum Tisch mit
den Getränken. Rebecka blieb stehen und sah hinter ihm her. Es
war anstrengend, mit Leuten zu reden, aber es war ein Albtraum,
allein mit einem leeren Glas hier zu stehen. Wie eine armselige
Topfblume, die nicht einmal um Wasser bitten kann.

Ich kann auf die Toilette gehen, dachte sie und schaute auf die
Uhr. Und da kann ich sieben Minuten bleiben, wenn es keine
Schlange gibt. Drei, wenn draußen jemand wartet.

Sie schaute sich nach einer Stelle um, wo sie ihr Glas abstellen
konnte. In diesem Moment trat Maria Taube neben sie. Sie hielt
ihr eine kleine Schüssel mit Waldorfsalat hin.

»Iss«, sagte sie. »Man kriegt ja Angst, wenn man dich sieht.«

Rebecka nahm den Salat. Die Erinnerungen an das Frühjahr
jagten durch ihren Kopf, wenn sie Maria ansah.

Scharfe Frühlingssonne vor Rebeckas verschmutztem Fenster.
Aber die hat die Jalousien heruntergelassen. Mitten in der Woche,
an einem Werktagsvormittag, kommt Maria zu Besuch. Nachher
fragt Rebecka sich, wieso sie überhaupt die Tür aufgemacht hat.
Sie hätte sich unter ihrer Decke verstecken sollen.

Aber egal. Sie geht zur Wohnungstür. Hat das Klingeln eigentlich
kaum registriert. Wie abwesend öffnet sie das Sicherheitsschloss.
Dann dreht sie das Schloss mit der linken Hand um, während die
Rechte die Klinke nach unten drückt. Ihr Kopf ist ausgeschaltet.
Genau wie dann, wenn man sich vor der offenen Kühlschranktür
ertappt und sich fragt, was man denn überhaupt in der Küche will.

Später denkt sie, dass vielleicht irgendwo in ihr ein kluges kleines Wesen steckt. Ein Mädchen in roten Gummistiefeln und Schwimmweste. Die einzige Überlebende. Und dass dieses kleine Mädchen die leichten, raschen Absätze erkannt hat.

Das Mädchen sagt zu Rebeckas Händen und Füßen:»Psst, das ist Maria. Sagt ihr nichts. Bringt sie nur zum Aufstehen, und sorgt dafür, dass sie die Tür aufmacht.«

Maria und Rebecka sitzen in der Küche. Sie trinken Kaffee, Gebäck gibt es nicht. Maria sagt nicht viel. Die Stapel aus schmutzigem Geschirr in der Spüle, die Haufen von Post und Reklame und Zeitungen auf dem Dielenboden, die zerknitterten und schmutzigen Kleidungsstücke, die sie am Leib hat, verraten genug.

Und mittendrin fangen Rebeckas Hände an zu zittern. Sie muss die Kaffeetasse auf den Tisch stellen. Ihre Hände flattern ziellos umher wie zwei Hühner ohne Kopf.

»Keinen Kaffee mehr für mich«, versucht sie zu scherzen.

Sie lacht auf, aber das Lachen wird zu einem tonlosen Lärm.

Maria schaut ihr in die Augen. Rebecka bildet sich ein, dass Maria weiß, dass Rebecka manchmal auf dem Balkon steht und auf den harten Asphalt hinunterschaut. Und dass sie manchmal nicht einmal in den Laden gehen kann. Sondern von dem leben muss, was sie in der Wohnung hat. Tee und Essiggurken.

»Ich bin keine Psychologin«, sagt Maria, »aber ich weiß, dass alles schlimmer wird, wenn man nicht isst und schläft. Und du musst dich morgens anziehen und aus dem Haus gehen.«

Rebecka versteckt die Hände unter dem Küchentisch.

»Du meinst wohl, ich bin verrückt geworden.«

»Aber meine Liebe, in meiner Familie wimmelt es nur so von Frauen mit Nervenproblemen. Sie fallen in Ohnmacht, haben panische Angst und sind die totalen Hypochonderinnen. Und meine Tante, hab ich schon mal von der erzählt? Heute sitzt sie in der Psychiatrie und kann sich nicht mal alleine anziehen. Und am nächsten Tag eröffnet sie einen Montessori-Kindergarten. Ich kenn mich da aus.«

Am nächsten Tag bietet ein Sozius, Torsten Karlsson, Rebecka seine Kate an. Maria hat für Torsten in der Abteilung für Handelsrecht gearbeitet, ehe sie zu Rebecka und Måns Wenngren übergewechselt ist.

»Du tust mir einen Gefallen«, sagt Torsten. »Dann brauche ich mir keine Sorgen wegen Einbrechern zu machen und muss nur zum Gießen hinfahren. Eigentlich sollte ich die Bude ja verkaufen. Aber auch das macht so verdammt viele Scherereien.«

Sie hätte natürlich ablehnen müssen. Das lag doch auf der Hand. Aber dieses Mädchen in den roten Gummistiefeln hatte schon ja gesagt, ehe Rebecka auch nur den Mund aufmachen konnte.

BRAV ASS REBECKA ihren Waldorfsalat. Sie fing mit der halben Walnuss an. Kaum hatte sie die im Mund, da wurde sie auch schon so groß wie eine Pflaume. Sie kaute und kaute. Bereitete sich auf das Schlucken vor. Maria musterte sie.

»Wie geht es dir?«, fragte sie.

Rebecka lächelte. Ihre Zunge fühlte sich steif an.

»Ich habe wirklich keine Ahnung.«

»Aber es ist okay, heute Abend hier zu sein?«

Rebecka zuckte mit den Schultern.

Nein, dachte sie. Aber was soll man machen? Man zwingt sich. Sonst sitzt man bald irgendwo in einer Bude, verfolgt von den Behörden, voller Angst vor Menschen, mit Stromallergie und jeder Menge Katzen, die das Haus voll kacken.

»Ich weiß nicht«, sagte sie. »Ich habe das Gefühl, dass die Leute mich anstarren, wenn ich in eine andere Richtung blicke. Sie reden über mich, wenn ich nicht dabei bin. Verstehst du? Und sie scheinen voller Panik ›Tennis, anyone‹ zu fragen, sowie ich mich nähere.«

»So ist das eben«, lachte Maria. »Du bist doch die kanzleieigene Modesty Blaise. Und jetzt haust du draußen in Torstens Kate und wirst immer isolierter und verschrobener. Natürlich reden sie über dich.«

Rebecka lachte.

»Danke, jetzt fühle ich mich gleich besser.«

»Ich habe gesehen, dass du mit Johan Grill und Petra Wilhelmsson geredet hast. Was hältst du von der Ranschmeißnummer? Sie ist sicher ungeheuer sympathisch, aber ich kann keine Leute leiden, die den Hintern zwischen den Schulterblättern haben. Mein Hinterteil ist wie ein Teenie. Es hat sich sozusagen von mir frei gemacht und will auf eigenen Füßen stehen.«

»Ja, ich hatte den Eindruck, dass etwas durch das Gras schleifte, als du eben gekommen bist.«

Sie verstummten und schauten hinaus auf die Fahrrinne, wo ein alter Fingal seinen Motor anwarf.

»Mach dir keine Sorgen«, sagte Maria. »Bald werden die Leute richtig betrunken sein. Und dann kommen sie angewackelt und wollen reden.«

Sie drehte sich zu Rebecka um, beugte sich ganz dicht zu ihr vor und nuschelte: »Was ist es für ein Gefühl, einen Menschen umzubringen?«

Rebeckas und Marias Chef, Måns Wenngren, stand ein Stück von ihnen entfernt und musterte sie.

Gut, dachte er. Gute Arbeit.

Er sah, wie Maria Taube Rebecka Martinsson zum Lachen brachte. Marias Hände flogen durch die Luft, drehten und wendeten sich. Ihre Schultern hoben und senkten sich. Es war ein Wunder, dass sie ihr Glas noch im Griff hatte. Jahrelanges Training in der vornehmen Familie, vermutlich. Und Rebeckas Haltung wurde weniger schroff. Sie sah braun und stark aus, das registrierte er. Klapperdürr, aber das war sie ja immer schon gewesen.

Torsten Karlsson stand schräg hinter Måns und betrachtete das Grillbuffet. Sein Magen krampfte sich sehnsüchtig zusammen. Indonesische Lammspieße, Spieße mit Schweinefilet oder Scampi nach Cajunart, karibische Fischspieße mit Ingwer und Ananas, Geflügelspieße mit Salbei und Zitrone oder asiatisch, in Joghurt mariniert und mit Ingwer, Garam Masala und Kurkuma, allerlei Soßen und Salate als Zubehör. Weißwein und Rotwein, Bier und Cidre. Er wusste schon, dass er in der Kanzlei Karlsson vom Dach genannt wurde. Kurz und kompakt, mit den schwarzen Haaren wie einer Bürste auf dem Kopf. Måns dagegen, an ihm saßen die

Kleider lässig. Ihm sagten die Frauen zumindest nicht, dass er lustig sei oder dass er sie zum Lachen bringe.

»Ich habe gehört, du hast dir einen neuen Jag zugelegt«, sagte er und schnappte sich eine Olive aus dem Bulgursalat.

»Mhm, ein E-Type-Cabriolet, mint condition«, antwortete Måns mechanisch. »Wie geht es ihr?«

Torsten Karlsson überlegte eine halbe Sekunde, ob Måns sich nach Torstens eigenem Jaguar erkundigte. Er schaute auf, folgte Måns' Blick und landete bei Rebecka Martinsson und Maria Taube.

»Sie bewohnt doch deine Kate«, sagte Måns.

»Sie konnte ja nicht länger eingesperrt in ihrer kleinen Einzimmerwohnung sitzen. Sie schien nirgendwohin zu können. Warum fragst du sie nicht selbst? Sie arbeitet doch für dich.«

»Weil ich jetzt eben dich frage«, fauchte Måns.

Torsten Karlsson hob die Hände zu einer Nicht-schießen-ich-ergebe-mich-Geste.

»Du, ich weiß wirklich nicht«, sagte er. »Ich bin ja nie da draußen. Und wenn ich doch da bin, dann reden wir über andere Dinge.«

»Und die wären?«

»Tja, ob die Treppe geteert werden muss, über falunroten Anstrich, ob sie die Fenster kitten soll. Sie ist die ganze Zeit an der Arbeit. Eine Zeit lang war sie vom Kompost wie besessen.«

Måns' Blick forderte ihn zum Weiterreden auf. Interessiert, fast belustigt. Torsten Karlsson fuhr sich mit den Fingern durch die schwarzen Borsten auf seinem Kopf.

»Ja, Himmel«, sagte er. »Zuerst hat sie gebaut. Dreischichtenkompost für Garten- und Hausabfälle. Danach hat sie einen Schnellkompost angelegt. Du, sie hat mich fast dazu gezwungen aufzuschreiben, wie man Gras und Sand durch die Mühle dreht – die reinste Wissenschaft. Und danach, als sie zu diesem Kurs für Konzernbesteuerung nach Malmö fahren sollte, weißt du das noch?«

»Ja, ja.«

»Ja, da hat sie mich angerufen und gesagt, sie könnte nicht fahren, denn der Kompost war, ja, was war das noch gleich, irgendwas stimmte nicht damit, er hatte zu wenig Stickstoff. Und dann hatte sie Haushaltsabfall von irgendeinem Kindergarten in der Nähe geholt, und der war jetzt zu feucht. Also musste sie zu Hause bleiben und streuen und bohren.«

»Bohren?«

»Ja, ich musste hinfahren und mit einem alten Eisbohrer im Kompost bohren, in der Woche, in der sie bei dem Kurs war. Und noch später hat sie dann den Kompost der früheren Besitzer im Wald gefunden.«

»Ja?«

»Darin lag doch alles Mögliche. Alte Katzenskelette und Glasscherben und jede Menge Scheiß... den wollte sie also reinigen. Sie fand hinter der Scheune ein altes Bett mit einem Drahtrost. Den hat sie als großes Sieb benutzt. Hat Erde auf den Rost geschaufelt und ihn geschüttelt, damit die saubere Erde durchfiel. Da hätte man doch ein paar Mandanten hinschaffen und ihnen eine unserer jungen aufstrebenden Juristinnen zeigen sollen.«

Måns starrte Torsten Karlsson an. Vor sich sah er Rebecka mit rosigen Wangen und zerzausten Haaren, wie sie auf einem Erdhügel wild einen Drahtrost schüttelte. Darunter Torsten, zusammen mit Mandanten mit großen Augen und dunklen Anzügen.

Sie prusteten gleichzeitig los und konnten sich fast nicht wieder beruhigen. Torsten wischte sich mit dem Handrücken die Augenwinkel.

»Aber jetzt hat sie sich beruhigt«, sagte er. »Sie ist nicht mehr so... ich weiß nicht... Bei meinem letzten Besuch saß sie mit einem Buch und einer Tasse Kaffee auf der Treppe.«

»Was war das für ein Buch?«, fragte Måns.

Torsten Karlsson bedachte ihn mit einem seltsamen Blick.

»Hab ich sie nicht gefragt«, sagte er. »Sprich doch selbst mit ihr.«

28

Måns leerte sein Rotweinglas.

»Ich werde ihr guten Tag sagen«, sagte er. »Aber du weißt ja. Mit Leuten reden liegt mir nicht. Und mit Frauen schon gar nicht.« Er versuchte zu lachen, aber jetzt verzog Torsten nicht einmal den Mund.

»Du musst sie fragen, wie es ihr geht.«

Måns schnaubte.

»Ja, ja, ich weiß.«

Ich bin besser bei Kurzzeitbeziehungen, dachte er. Mandanten. Taxifahrer. Kassiererinnen im Supermarkt. Aber nicht bei alten Konflikten und Enttäuschungen, die sich ineinander verfilzen wie Seegras unter der Meeresoberfläche.

Spätsommernachmittag auf Lidö. Rote Abendsonne legt sich wie eine goldene Schale über die sanften Felsen. Eine Fähre stiehlt sich in der Fahrrinne vorbei. Die Schilfhalme unten am Ufer stecken die Köpfe zusammen und wispern und tuscheln miteinander. Das Plaudern und Lachen der Gäste wird über das Wasser getragen.

Das Essen ist so weit fortgeschritten, dass jetzt die Zigarettenpäckchen auf dem Tisch liegen. Es ist angenehm, sich vor dem Nachtisch die Beine zu vertreten, deshalb sind die Tische spärlicher besetzt. Pullover und Jacken, die um Taillen und über Schultern gehangen haben, werden jetzt über abendfröstelnde Arme gezogen. Manche haben einen dritten oder vierten Gang zum Büfett unternommen und plaudern mit den Köchen, die die zischenden Spieße über den Glutbetten drehen. Manche Gäste sind schon reichlich betrunken. Müssen sich am Geländer festhalten, wenn sie die Treppe zu den Toiletten hochgehen. Gestikulieren und lassen Zigarettenasche auf ihre Kleidung fallen. Einer will einer Kellnerin unbedingt beim Servieren des Nachtisches helfen. Er befreit sie energisch und kavaliersmäßig von einem großen Tablett mit Törtchen mit Vanillecreme und glasierten roten Johannisbeeren. Die Törtchen rutschen besorgniserregend an den Tablettrand. Die Kellnerin lächelt verkrampft und wechselt einen Blick mit den

29

Köchen am Grill. Einer lässt alles fallen und rennt in die Küche, um die übrigen Tabletts zu holen.

Rebecka und Maria saßen unten bei den Felsen. Die Steine gaben die Wärme ab, die sie während des Tages gespeichert hatten. Maria kratzte an einem Mückenstich an ihrem Handgelenk herum.

»Torsten fährt nächste Woche nach Kiruna«, sagte sie. »Hat er das erzählt?«

»Nein.«

»Wegen dieser Zusammenarbeit mit der Janssongruppe Revision AB. Jetzt, wo in Schweden die Trennung von Kirche und Staat durchgeführt worden ist, ist die Kirche ja eine interessante Mandantengruppe. Es geht darum, den Kirchengemeinden überall im Land ein juristisches Paket mit Beratung und Buchführung zu verkaufen. Hilfe bei allem anzubieten, so in der Art von ›wie werde ich meine Fibromyalgie los‹, ›wie schließen wir finanziell vorteilhafte Verträge mit Unternehmern‹, der ganze Kram. Ich weiß nicht, aber ich glaube, es gibt so einen langfristigen Plan, eine Zusammenarbeit mit Maklern in die Wege zu leiten und die ganze Kapitalverwaltung an sich zu ziehen. Jedenfalls soll Torsten hinfahren und uns an die Kirche in Kiruna verkaufen.«

»Ja?«

»Du kannst ihn doch begleiten. Du kennst ihn ja. Er hätte bestimmt gern Gesellschaft.«

»Ich kann nicht nach Kiruna fahren«, rief Rebecka.

»Ich weiß, dass du das glaubst. Aber ich wüsste gern, wieso.«

»Ich weiß nicht, ich ...«

»Was ist das Schlimmste, das passieren kann? Ich meine, falls dir jemand begegnet, der weiß, wer du bist? Und das Haus deiner Großmutter, danach hast du doch Heimweh, oder?«

Rebecka biss die Zähne zusammen.

Ich kann nicht hinfahren, so ist das einfach, dachte sie.

Maria sagte, als ob sie ihre Gedanken gelesen hätte: »Ich werde jedenfalls Torsten bitten, dich zu fragen. Wenn man Gespenster unter dem Bett hat, ist es besser, die Lampe anzuknipsen, sich auf den Bauch zu legen und nachzusehen.«

Tanz auf der Steinterrasse des Herrenhauses. Abba und Niklas Strömstedt aus den Lautsprechern. Durch die offenen Fenster der Hotelküche ist das Geklirr von Porzellan und das Rauschen von Wasser zu hören, wenn jemand die Teller abspült, ehe sie in der Spülmaschine landen. Die Sonne hat ihre roten Schleier mit ins Wasser gezogen. Lampions hängen in den Bäumen. Vor der Bar am Rand der Terrasse herrscht Gedränge.

Rebecka ging zu den Felsen hinunter. Sie hatte mit ihrem Tischherrn getanzt und sich dann weggeschlichen. Jetzt legte die Dunkelheit den Arm um sie und zog sie mit sich.

Das ging doch gut, sagte sie sich. Mehr hätte man nicht verlangen können.

Sie setzte sich auf eine Holzbank am Wasser. Die Wellen platschten gegen den Betonsteg. Der Geruch von fauligem Tang, salzigem Meer und Diesel. Eine Lampe spiegelte sich in der schwarzen blanken Fläche.

Måns war zu ihr gekommen und hatte sie begrüßt, als sich gerade alle zu Tisch setzen wollten.

»Wie geht's, Martinsson«, hatte er gefragt.

Was, zum Teufel, soll man darauf antworten, überlegte sie.

Sein Wolfsgrinsen und seine Angewohnheit, sie mit Nachnamen anzureden, waren wie ein großes Stoppschild: Vertraulichkeiten, Tränen und Aufrichtigkeit verbitten wir uns.

Also hieß es Kopf hoch, Füße runter und Bericht darüber erstatten, wie sie in Torstens Kate die Fenster mit Leinöl angestrichen hatte. Nach den Vorfällen in Kiruna hatte sie das Gefühl gehabt, ihm wichtig zu sein. Aber als sie nicht mehr arbeiten konnte, war dieses Gefühl verschwunden.

Dann ist man nichts, dachte sie. Wenn man nicht arbeiten kann.

Schritte auf dem Kiesweg ließen sie aufblicken. Zuerst konnte sie kein Gesicht erkennen, aber dann kam die helle Stimme ihr bekannt vor. Es war die neue Blondine. Wie hieß sie doch noch gleich? Petra.

»Hallo, Rebecka«, sagte Petra wie zu einer alten Bekannten. Sie trat viel zu dicht an Rebecka heran. Rebecka unterdrückte ihren Impuls aufzuspringen, die andere beiseite zu stoßen und wegzustürzen. Das wäre nun wirklich nicht gegangen. Also blieb sie sitzen. Der Fuß ihres übergeschlagenen Beins verriet sie. Er bewegte sich vor Unbehagen auf und nieder. Wollte weglaufen. Petra atmete auf und ließ sich neben sie sinken.

»Gott, jetzt hat Åke drei Tänze am Stück mit mir getanzt. Du weißt doch, wie sie sind. Nur weil man für sie arbeitet, halten sie eine wie mich für ihr persönliches Eigentum. Ich musste mich einfach verdrücken.«

Rebecka grunzte eine Art Zustimmung. Bald würde sie sagen, sie müsse zur Toilette.

Petra drehte Rebecka den Oberkörper zu und legte den Kopf auf die Seite.

»Ich habe gehört, was du voriges Jahr durchgemacht hast. Das muss entsetzlich gewesen sein.«

Rebecka gab keine Antwort.

Mal sehen, dachte sie hämisch. Wenn die Beute nicht aus dem Bau kommen will, muss man sie eben herauslocken. Vielleicht mit einer kleinen eigenen Vertraulichkeit. Man hält ihr das kleine Geständnis hin und tauscht es wie ein Glanzbild gegen das des Gegenübers ein.

»Meine Schwester hatte vor fünf Jahren so ein grauenhaftes Erlebnis«, sagte Petra, als Rebecka schwieg. »Sie hat den Sohn der Nachbarn ertrunken im Graben gefunden. Er war erst vier Jahre alt. Und danach war sie...«

Sie beendete diesen Satz mit einer vagen Handbewegung.

»Ach, hier sitzt ihr also.«

Das war Popeye. Er kam mit einem Gin Tonic in jeder Hand auf sie zu. Den einen reichte er Petra, und nach einem winzig kleinen Zögern den anderen Rebecka. Eigentlich war der Drink für ihn selbst bestimmt gewesen.

Ein Mann von Welt, dachte Rebecka müde und stellte das Glas neben sich ab.

Sie schaute Popeye an. Popeye schaute Petra lüstern an. Petra schaute Rebecka lüstern an. Popeye und Petra würden sich mit Rebecka verlustieren. Und sich danach paaren.

Petra musste gespürt haben, dass Rebecka zur Flucht ansetzte. Dass die Gelegenheit bald verpasst sein würde. Normalerweise hätte sie Rebecka laufen lassen und gedacht, es wird sich schon noch eine Gelegenheit bieten. Aber jetzt hatten zu viele Drinks und ein Glas Wein zum Essen ihr Urteilsvermögen getrübt.

Sie beugte sich zu Rebecka vor. Ihre Wangen waren blank und rosig, als sie fragte: »Also, was ist es für ein Gefühl, einen Menschen zu töten?«

Rebecka marschierte zielstrebig durch die vielen berauschten Menschen. Nein, sie wollte nicht tanzen. Nein, danke, sie wollte nichts von der Bar. Sie hatte ihre Tasche über der Schulter hängen und war unterwegs zum Anleger.

Sie hatte Petra und Popeye abgeschüttelt. Hatte ein nachdenkliches Gesicht gemacht, ihren Blick auf die dunkle Fahrrinne gerichtet und gesagt: »Das war natürlich ganz entsetzlich.«

Was sonst? Die Wahrheit? »Ich habe keine Ahnung. Ich kann mich an nichts erinnern.«

Sie hätte vielleicht von den erbärmlichen Gesprächen mit dem Therapeuten erzählen sollen. Rebecka, die bei jeder Sitzung lacht und lacht und sich am Ende fast ausschüttet vor Lachen. Was soll sie machen? Sie erinnert sich doch nicht. Der Therapeut, der das Lachen nun wirklich nicht erwidert, sagt, es gebe hier keinen Grund zu lachen. Und am Ende beschließen sie, eine Pause einzulegen. Rebecka sei ihm aber jederzeit willkommen.

Als sie nicht mehr arbeiten kann, wendet sie sich trotzdem nicht an ihn. Bringt es nicht über sich. Stellt sich vor, wie sie dasitzt und weint, weil sie ihr Leben nicht in den Griff bekommt, und dazu sein Gesicht, gerade genug Mitgefühl zu dieser Na-was-hab-ich-gesagt-Miene.

Nein, Rebecka hatte Petra wie ein normaler Mensch geantwortet, dass es entsetzlich sei, dass das Leben aber weitergehen müsse, so banal sich das vielleicht anhöre. Danach hatte sie sich entschuldigt und war aufgestanden. Es war gut gegangen, aber fünf Minuten später stellte sich die Wut ein, und jetzt... jetzt war sie so zornig, dass sie am liebsten einen Baum mitsamt den Wurzeln ausgerissen hätte. Oder vielleicht sollte sie sich an die Wand des Herrenhauses lehnen und das Haus wie einen Pappkarton umwerfen. Die beiden Blondschöpfe täten gut daran, nicht mehr beim Anleger zu sitzen, denn sonst würde sie sie mit einem Tritt ins Wasser befördern.

Plötzlich stand Måns dicht hinter ihr. Neben ihr.

»Was ist los? Ist etwas passiert?«

Rebecka wurde nicht langsamer.

»Ich haue ab. Einer von den Köchen hat gesagt, ich könne das Plastikboot leihen. Ich rudere rüber.«

Måns stieß ein ungläubiges Lachen aus.

»Spinnst du? In der Dunkelheit kannst du doch nicht rudern! Und wie willst du danach weiterkommen? Bleib gefälligst hier. Was ist denn bloß in dich gefahren?«

Sie blieb dicht vor dem Anleger stehen. Fuhr herum und knurrte.

»Ja, was glaubst du wohl? Die Leute fragen mich, was es für ein Gefühl ist, einen Menschen zu töten. Woher, zum Teufel, soll ich das wissen? Ich hab dabei ja kein Gedicht über meine Empfindungen geschrieben. Ich – es ist einfach passiert!«

»Und weshalb bist du sauer auf mich? Ich hab das doch nicht gefragt.«

Rebecka sprach plötzlich sehr langsam.

»Nein, Måns, du fragst nichts. Den Vorwurf kann dir wirklich niemand machen.«

»Was, zum Teufel«, sagte er darauf, aber Rebecka hatte bereits auf dem Absatz kehrtgemacht und war auf den Steg hinausgelaufen.

Er rannte hinter ihr her. Sie hatte ihre Tasche ins Boot geworfen und löste jetzt die Vertäuung. Måns suchte nach Worten.

»Ich habe mit Torsten gesprochen«, sagte er. »Der hat erzählt, dass er dich bitten will, ihn nach Kiruna zu begleiten. Aber ich habe gesagt, dass er das lassen soll.«

»Wieso denn?«

»Wieso? Ich dachte, das wäre das Letzte, was du jetzt brauchst.«

Rebecka sah ihn nicht an, als sie antwortete: »Ich darf vielleicht immer noch selber entscheiden, was ich brauche und was nicht.«

Vage registrierte sie, dass die Leute in der Nähe jetzt alle in ihre und Måns' Richtung horchten. Alle schienen mit Tanzen und Plaudern beschäftigt zu sein, aber war das Stimmengewirr nicht leiser geworden? Jetzt würden sie in der nächsten Woche im Büro vielleicht Gesprächsstoff haben.

Måns schien das ebenfalls bemerkt zu haben und dämpfte seine Stimme.

»Es war ja nur gut gemeint, entschuldige.«

Rebecka sprang ins Boot.

»Ach, gut gemeint. Hast du deshalb veranlasst, dass ich wie ein Trottel vor Gericht dabeisitzen soll?«

»Jetzt hör aber auf«, fauchte Måns. »Du hast selbst gesagt, du hättest nichts dagegen. Ich habe es für eine gute Möglichkeit gehalten, den Kontakt zu deiner Arbeit nicht zu verlieren. Komm sofort aus dem Boot raus.«

»Als ob ich eine Wahl gehabt hätte. Da kommst du auch drauf, wenn du genauer nachdenkst.«

»Dann hör doch auf damit, verdammt noch mal! Komm jetzt aus dem Boot, und geh schlafen, dann reden wir morgen weiter, wenn du wieder nüchtern bist.«

Rebecka machte im Boot einen Schritt nach vorn. Das Boot

schaukelte. Einen Moment lang rechnete Måns damit, dass sie auf den Steg klettern und ihm eine scheuern würde. Das wäre ja reizend.

»Wenn ich wieder nüchtern bin? Du... du bist wirklich unglaublich!«

Sie stellte einen Fuß auf den Steg und stieß sich ab. Måns spielte mit dem Gedanken, das Boot zu packen, aber auch das wäre ein zu reizender Anblick gewesen. Wie er das Boot festhielt, bis er ins Wasser fiel. Der kanzleieigene Onkel Melcher. Das Boot glitt davon.

»Dann fahr doch nach Kiruna!«, rief er, ohne sich darum zu kümmern, wer es hören konnte. »Von mir aus kannst du machen, was du willst.«

Das Boot verschwand in der Dunkelheit. Er hörte die Ruder in den Krampen klappern und die Ruderblätter platschend auf das Wasser schlagen.

Aber Rebeckas Stimme war noch immer nah, und jetzt war sie lauter geworden.

»Erzähl mir mal, was schlimmer sein könnte als das hier!«

Er kannte diese Stimme von seinem Streitkarussell mit Madelene her. Zuerst Madelenes unterdrückter Zorn. Und er, der nicht einmal ahnte, was er diesmal verbrochen hatte. Dann der Streit, jedes Mal wie der Sturm des Jahrhunderts. Und dann diese Stimme, die ein wenig schriller wurde und bald in Weinen umschlagen würde. Dann konnte der Zeitpunkt der Versöhnung gekommen sein. Wenn man bereit war, den Preis zu bezahlen: den Kopf zu senken wie ein Hund. Bei Madelene hatte er einem alten Drehbuch folgen können: Er gab zu, ein totaler Scheißkerl zu sein, Madelene wie ein schluchzendes kleines Kind in seinem Arm, den Kopf an seine Brust geschmiegt.

Aber Rebecka... auf der Suche nach den richtigen Worten bewegte sich dieser Gedanke unsicher und alkoholschwer in seinem Kopf herum, aber es war schon zu spät. Das Geräusch der Ruderschläge entfernte sich immer weiter.

Aber nie im Leben würde er hinter ihr herrufen. Das konnte sie gleich vergessen.

Plötzlich stand Ulla Carle neben ihm, eine der beiden Teilhaberinnen, und fragte, was denn los sei.

»Schieß mich in den Kopf«, sagte er und ging zum Hotel hoch. Er steuerte die Bar unter den Girlanden aus bunten Lampions an.

Dienstag, 5. September

Polizeiinspektor Sven-Erik Stålnacke fuhr von Fjällnäs nach Kiruna. Der Kies stob gegen die Unterseite seines Autos, und hinter ihm wirbelte der Straßenstaub eine hohe Wolke auf. Als er in Richtung Nikkavägen abbog, ragte zu seiner Linken das eisblaue Kebnekajse-Massiv in den Himmel.

Seltsam, dass man das nie satt bekommt, dachte er.

Obwohl er schon über fünfzig war, war er noch immer vom Wechsel der Jahreszeiten fasziniert. Die kalte Bergluft des Herbstes, die aus dem Hochgebirge in die Täler strömt. Die Rückkehr der Sonne im Spätwinter. Das erste Tropfen von den Dächern. Und die Eisschmelze. Im Lauf der Jahre war diese Faszination fast noch gewachsen. Eigentlich hätte er eine Woche Urlaub gebraucht, einfach, um die Natur anzustarren.

Bei meinem Vater war das auch so, dachte er.

Sein Vater hatte in seinen letzten Lebensjahren, ach, sogar in seinen letzten fünfzehn Jahren, immer wieder dasselbe gesagt: »Das hier wird mein letzter Sommer. Das ist der letzte Herbst, den ich erleben darf.«

Offenbar hatte ihm gerade das die meiste Angst vor dem Tod beschert. Keinen Frühling erleben zu dürfen, keinen hellen Sommer, keinen glühenden Herbst. Dass die Jahreszeiten ohne ihn kommen und gehen würden.

Sven-Erik schaute auf die Uhr. Halb zwei. Noch eine halbe Stunde bis zu seinem Termin beim Staatsanwalt. Er könnte noch bei Annies Grill vorbeischauen und einen Burger essen.

Er wusste, was der Staatsanwalt auf dem Herzen hatte. Jetzt lag der Mord an der Pastorin Mildred Nilsson schon fast drei

Monate zurück, und sie waren noch immer nicht weitergekommen. Nun hatte der Staatsanwalt die Sache satt. Und wer konnte ihm da einen Vorwurf machen?

Unbewusst steigerte er den Druck aufs Gaspedal. Er hätte Anna-Maria um Rat bitten sollen, das war ihm jetzt klar. Anna-Maria Mella war seine Gruppenchefin. Sie war gerade im Mutterschaftsurlaub, und Sven-Erik war ihre Vertretung. Nur hatte er Skrupel, sie zu Hause zu stören. Das war seltsam. Bei der gemeinsamen Arbeit war er ihr so nahe. Aber außerhalb der Arbeit wusste er nicht, was er zu ihr sagen sollte. Sie fehlte ihm, aber trotzdem hatte er sie nur einmal besucht, ganz kurz nach der Geburt des Kleinen. Sie hatte einige Male auf der Wache vorbeigeschaut, aber da hatten die ganzen blöden Hühner aus dem Sekretariat gackernd um sie herumgestanden, und er hatte sich lieber zurückgehalten. Mitte Januar würde sie ihre Arbeit wieder aufnehmen.

Sie hatten doch die ganze Nachbarschaft ausgefragt. Irgendwer hätte etwas sehen müssen. In Jukkasjärvi, wo die Pastorin unter der Empore gegangen hatte, oder in Poikkijärvi, wo sie wohnte. Nichts. Sie hatten noch eine Befragungsrunde absolviert. Die einen Scheiß ergeben hatte.

Das war wirklich seltsam. Sie war ganz offen neben dem Heimatmuseum unten am Fluss ermordet worden. Ganz offen hatte der Mörder den Leichnam in die Kirche gebracht. Es war zwar mitten in der Nacht gewesen, aber eben doch taghell.

Sie hatten erfahren, dass die Pastorin durchaus umstritten gewesen war. Als Sven-Erik gefragt hatte, ob sie irgendwelche Feinde gehabt habe, hatte eine Mehrzahl der in der Gemeinde aktiven Frauen geantwortet: »Nehmen Sie jeden Kerl von hier.« Eine Frau im Pfarrhaus mit scharfen Falten auf beiden Seiten ihres verkniffenen Mundes hatte ziemlich unverblümt gesagt, die Pastorin sei selber schuld gewesen. Sie hatte schon zu ihren Lebzeiten für Schlagzeilen in der Lokalpresse gesorgt. Ärger mit dem Gemeindevorstand, als sie in den Räumlichkeiten der Gemeinde Selbstverteidigungskurse für Frauen veranstaltete. Ärger mit dem Ort, als ihre Bibelgruppe für Frauen, Magdalena, verlangt hatte, ein Drittel der Öffnungszeiten der lokalen Eislaufhallen für Mädcheneishockey und andere Frauensportgruppen zu reservieren. Und zuletzt hatte sie sich mit einigen Jägern und Rentierbesitzern angelegt. Es ging um die Wölfin, die sich in den Wäldern, die der Kirche gehörten, angesiedelt hatte. Mildred Nilsson hatte es als Pflicht der Kirche bezeichnet, diese Wölfin zu beschützen. Die Lokalpresse hatte in dieser Angelegenheit ein Bild von ihr und eines ihrer Gegner veröffentlicht, mit den Bildunterschriften »Wolfsfreundin« und »Wolfsfeinde«.

Und im Pfarrhaus von Poikkijärvi, am Flussufer gegenüber von Jukkasjärvi, saß ihr Ehemann. Krankgeschrieben und unfähig, Ordnung in ihre Hinterlassenschaft zu bringen. Sven-Erik empfand wieder das Unbehagen, das ihn bei seinen Gesprächen mit dem Mann erfüllt hatte. »Ihr schon wieder. Habt ihr denn nie genug?« Jedes Gespräch war ihm vorgekommen, als müsse er eine über Nacht entstandene Eisschicht zerschlagen. Die Trauer, die wieder aufwallte. Die verweinten Augen. Kein Kind, um den Kummer zu teilen.

Sven-Erik hatte ein Kind, eine Tochter, die in Luleå wohnte, aber dennoch kannte er diese verdammte Einsamkeit. Er lebte seit seiner Scheidung allein im Haus. Aber immerhin hatte er den Kater, und niemand hatte seine Frau ermordet und an einer Kette aufgehängt.

Alle Anrufe und Briefe von irgendwelchen Idioten, die sich des Mordes bezichtigt hatten, waren überprüft worden. Aber dabei war natürlich nichts herausgekommen. Es waren menschliche Wracks, die zufällig durch die Schlagzeilen in einen fieberähnlichen Brand geraten waren.

Denn Schlagzeilen hatte es gegeben. Fernsehen und Zeitungen waren geradezu ausgerastet. Mildred Nilsson war mitten im Sommerloch ermordet worden, und außerdem war es noch keine zwei Jahre her, dass in Kiruna ein anderer religiöser Führer umgebracht worden war, Viktor Strandgård, die wichtigste Person in der Gemeinde Kraftquelle. Es hatte Spekulationen über Parallelen zwischen beiden Fällen gegeben, obwohl Viktor Strandgårds Mörder nun ebenfalls tot war. Aber der Blickwinkel war sozusagen vorgegeben: ein Mann der Kirche, eine Frau der Kirche. Pastoren und Prediger durften sich in den landesweiten Zeitungen äußern. Fühlten sie sich bedroht? Wollten sie umziehen? War das feuerrote Kiruna für Geistliche ein gefährliches Pflaster? Die Sommeraushilfen der Zeitungen kamen angereist und fällten ihre Urteile über die Arbeit der Polizei. Sie waren jung und eifrig und gaben sich nicht zufrieden mit »aus ermittlungstechnischen Gründen... zu diesem Zeitpunkt kein Kommentar«. Zwei Wochen lang hatte das verbissene Interesse der Presse angehalten.

»Verdammt, man dreht und wendet und schüttelt ja schon die Schuhe«, hatte Sven-Erik zum Kriminaloberkommissar gesagt. »Denn möglicherweise schnappt sich sonst irgendein Scheißjournalist das, was daran geklebt hat.«

Aber da die Polizei eben nicht weitergekommen war, hatte der Medientross am Ende den Ort verlassen. Zwei Personen, die bei einem Festival totgetrampelt worden waren, füllten nun die Zeitungsspalten.

Den ganzen Sommer lang hatte die Polizei nach der Copy-Cat-Theorie gearbeitet: Jemand hatte sich vom Mord an Viktor Strandgård inspirieren lassen. Das Landeskriminalamt hatte anfangs sehr damit gezögert, ein Täterprofil zu erstellen. Man hatte es mit keinem Serienmörder zu tun, soviel man wusste. Und es stand durchaus nicht fest, dass es ein Nachahmer war. Aber die Parallelen zum Mord an Viktor Strandgård und das Medienaufgebot hatten doch dazu geführt, dass am Ende eine Psychiaterin von der Täterprofilgruppe des Landeskriminalamtes ihren Urlaub unterbrochen hatte und nach Kiruna gereist war.

Sie hatte sich an einem Vormittag Anfang Juli mit der lokalen Polizei getroffen. Ungefähr ein Dutzend Kollegen hatte im Besprechungszimmer gesessen. Sie wollten nicht riskieren, dass irgendwelche Außenstehenden das Gespräch belauschten, deshalb waren die Fenster geschlossen geblieben.

Die Gerichtspsychiaterin war Mitte vierzig. Sven-Erik hatte überrascht, dass sie über Verrückte, Massen- und Serienmörder mit so viel Ruhe und Verständnis gesprochen hatte, fast liebevoll. Wenn sie Beispiele aus der Wirklichkeit heranzog, sagte sie oft »der arme Mann« oder »wir hatten einen Jungen, der« oder »zu seinem Glück wurde er gefasst und verurteilt«. Und von einem anderen erzählte sie, dass er nach etlichen Jahren in der Gerichtspsychiatrie nun entlassen worden war, dass er Medikamente bekam, ein geordnetes Leben mit einer Halbtagsstelle bei einem Malerbetrieb führte und einen Hund hatte.

»Ich kann nicht genug betonen«, hatte sie gesagt, »dass die Polizei entscheiden muss, von welcher Theorie aus gearbeitet wird. Falls euer Mörder ein Nachahmer ist, dann kann ich ein wahrscheinliches Bild von ihm liefern, aber das steht ja nicht fest.«

Sie hatte eine Power-Point-Präsentation geliefert und um Fragen gebeten.

»Er ist ein Mann. Zwischen fünfzehn und fünfzig. Tut mir leid.«

Das Letzte fügte sie hinzu, als sie die Runde lächeln sah.

»Wir würden ja lieber hören, sechsundzwanzig Jahre und drei Monate, arbeitet als Zeitungsbote, wohnt bei seiner Mutter und fährt einen roten Volvo«, hatte jemand gescherzt.

Sie hatte hinzugefügt: »Und hat Schuhgröße 42. Also, Nachahmer sind insofern etwas Besonderes, als sie oft gleich mit schweren Gewaltverbrechen anfangen. Er braucht also nicht einschlägig vorbestraft zu sein. Und es ist ja auch so, dass ihr Fingerabdrücke gesichert habt, die jedoch im Register nicht vorhanden sind.«

Nicken in der Runde.

»Er kann irgendwann einmal als Tatverdächtiger registriert oder wegen kleiner Verbrechen verurteilt worden sein, die für eine grenzenlose Person typisch sind. Vergehen wie Stalking, Telefonterror oder vielleicht Ladendiebstahl. Aber wenn es ein Nachahmer ist, dann hat er in seinem Kämmerchen gesessen und anderthalb Jahre lang über den Mord an Viktor Strandgård gelesen. Das ist eine stille Beschäftigung. Es war der Mord eines anderen. Bisher hat ihm das gereicht. Aber von nun an will er über sich selber lesen.«

»Aber die Morde lassen sich doch eigentlich nicht vergleichen«, hatte jemand eingewandt. »Viktor Strandgård wurde niedergeschlagen und durch Messerstiche getötet, dann wurden ihm die Augen ausgestochen und die Hände abgehackt.«

Sie hatte genickt.

»Das schon. Aber das kann sich damit erklären lassen, dass es sein erster Mord war. Mit Messern stechen, bohren und schneiden bedeutet mehr, wie soll ich sagen, bedeutet engeren Kontakt als ein länglicher Gegenstand, der hier offenbar verwendet worden ist. Es ist eine höhere Schwelle, die da überschritten werden muss. Beim nächsten Mal ist er vielleicht so weit, dass er ein Messer benutzen kann. Er kann vielleicht physische Nähe nicht ertragen.«

»Er hat sie doch in die Kirche getragen.«

»Aber da war er schon fertig mit ihr. Da war sie nichts mehr, nur noch ein Stück Fleisch. Na gut, er wohnt allein oder hat Zugang zu einem abgeschlossenen Raum, einem Hobbykeller vielleicht, den sonst niemand betritt, einer Werkstatt oder, ja, einem abschließbaren Schuppen. Dort bewahrt er seine Zeitungsausschnitte auf. Die liegen oft offen herum, vielleicht sind sie sogar an der Wand befestigt. Er ist isoliert, hat kaum soziale Kontakte. Es wäre denkbar, dass er sich andere Menschen ganz konkret vom Leib hält. Durch schlechte Hygiene zum Beispiel. Die Frage ist, ob ihr einen Verdächtigen habt und, wenn ja, ob er Freunde hat, aber vermutlich hat er keine. Es braucht kein Nachahmer zu sein. Es kann auch jemand sein, der durch Zufall in Wut geraten ist. Wenn wir das Pech haben, dass noch ein Mord geschieht, reden wir weiter.«

Sven-Erik wurde aus seinen Gedanken gerissen, als er an einem Autofahrer vorbeikam, der seinen Hund ausführte, indem er die

Leine aus dem geöffneten Wagenfenster hängen und den Hund nebenherlaufen ließ. Es war eine Jämthundmischung. Der Hund rannte mit hängender Zunge neben dem Auto her.

»Verdammter Tierquäler«, murmelte Sven-Erik und schaute in den Rückspiegel.

Vermutlich ein Elchjäger, der den Hund für die Jagd in Form bringen wollte. Sven-Erik spielte einen Moment mit dem Gedanken, zu wenden und mit dem Hundebesitzer zu sprechen. Solche Leute dürften eigentlich gar keine Tiere haben. Für den Rest des Jahres war der Hund vermutlich im Zwinger eingesperrt.

Aber er wendete nicht. Erst kürzlich hatte er mit einem Mann gesprochen, der das Besuchsverbot bei seiner Exfrau gebrochen und sich geweigert hatte, zum Verhör auf der Wache zu erscheinen.

Man hat den ganzen Tag Ärger, dachte Sven-Erik. Vom Aufstehen bis zum Schlafengehen. Wo soll man die Grenze ziehen? Und eines schönen Tages macht man an seinem freien Tag Leute zur Schnecke, weil sie Bonbonpapier auf die Straße geworfen haben.

Aber das Bild des rennenden Hundes und der Gedanke an dessen zerfetzte Laufkissen machten ihm auf der ganzen Fahrt in die Stadt zu schaffen.

Fünfundzwanzig Minuten später betrat Sven-Erik Stålnacke das Büro des Oberstaatsanwalts Alf Björnfot. Der sechzigjährige Staatsanwalt saß mit einem kleinen Kind auf dem Arm auf der Schreibtischkante. Der Kleine zog glücklich an der Schnur der Leuchtröhre, die über dem Schreibtisch hing.

»Sieh mal«, rief der Staatsanwalt, als Sven-Erik hereinkam. »Da kommt Onkel Sven-Erik. Das ist Gustav, Anna-Marias Kleiner.«

Letzteres sagte er zu Sven-Erik und kniff kurzsichtig die Augen zusammen. Gustav hatte ihm die Brille abgenommen und schlug damit gegen die Lampenschnur, die dadurch hin und her schwang.

In diesem Moment kam Polizeiinspektorin Anna-Maria Mella herein. Sie begrüßte Sven-Erik mit dem Heben der Augenbrauen und dem Anflug eines Lächelns in ihrem Pferdegesicht. Als hätten sie sich wie üblich bei der Frühbesprechung gesehen. In Wirklichkeit war es mehrere Monate her.

Er war überrascht davon, wie klein sie war. Das war ihm schon früher passiert, wenn sie sich eine Weile nicht gesehen hatten, nach einem Urlaub zum Beispiel. In seiner Vorstellung war sie immer viel größer. Ihr war anzusehen, dass sie dienstfrei hatte. Sie wies eine tiefe Sonnenbräune auf, die erst weit im dunklen Winter verschwinden würde. Die Sommersprossen waren nicht mehr zu sehen, denn sie hatten jetzt dieselbe Farbe wie das übrige Gesicht. Der dicke Zopf war fast weiß. Ganz oben am Haaransatz war eine Reihe zerkratzter Mückenstiche, kleine braune Flecken aus getrocknetem Blut.

Sie setzten sich. Der Oberstaatsanwalt hinter seinem überladenen Schreibtisch, Anna-Maria und Sven-Erik auf seinem Besuchersofa. Der Oberstaatsanwalt fasste sich kurz. Die Ermittlungen im Mordfall Mildred Nilsson waren ins Stocken geraten. Im Sommer hatten sie fast alle Ressourcen der Polizei in Anspruch nehmen können, jetzt mussten andere Prioritäten gesetzt werden.

»Das muss so sein«, sagte er bedauernd zu Sven-Erik, der stur aus dem Fenster sah. »Wir können andere Ermittlungen und Voruntersuchungen nicht länger vernachlässigen. Am Ende kriegen wir sonst den Ombudsmann an den Hals.«

Er legte eine Pause ein und sah zu, wie Gustav seinen Papierkorb leerte und den Inhalt ordentlich auf dem Boden ausbreitete. Eine leere Kautabakdose. Eine Bananenschale. Eine leere Packung Halspastillen. Einige zusammengeknüllte Papiere. Als der Papierkorb leer war, zog Gustav seine Schuhe aus und warf sie hinein. Der Staatsanwalt lachte und redete weiter.

Er hatte Anna-Maria überreden können, in Teilzeit zurückzukommen, ehe sie dann nach Weihnachten wieder vollen Dienst machen würde. Sven-Erik sollte so lange Gruppenchef bleiben, während Anna-Maria sich der Mordermittlung widmen würde, bis ihr Mutterschaftsurlaub offiziell zu Ende ging.

Er schob sich die Brille sorgfältig an die Nasenwurzel hoch und ließ seinen Blick über den Tisch schweifen. Am Ende fand er die Unterlagen über Mildred Nilsson und schob sie Anna-Maria und Sven-Erik hin.

Anna-Maria blätterte ein wenig in der Akte. Sven-Erik schaute ihr über die Schulter. Sein Herz wurde schwer. Fast erfüllte ihn Trauer, als er die vielen Seiten sah.

Der Staatsanwalt bat ihn um eine Zusammenfassung der bisherigen Ermittlungen.

Sven-Erik fuhr mit den Fingern durch seinen struppigen Schnurrbart, um sich einige Sekunden Bedenkzeit zu geben, dann erzählte er ohne größere Abschweifungen, dass die Pastorin Mildred Nilsson in der Nacht vor Mittsommer umgebracht worden war. Sie hatte in der Kirche von Jukkasjärvi einen späten Gottesdienst abgehalten, der um Viertel vor zwölf beendet worden war. Elf Personen hatten diesen Gottesdienst besucht. Sechs davon waren Touristen, die im Vildmarkshotel wohnten. Sie waren schon gegen vier Uhr morgen von der Polizei aus den Betten geholt und vernommen worden. Die fünf übrigen Besucherinnen des Gottesdienstes gehörten zu Magdalena, der Tantenbande der Pastorin.

»Tantenbande?«, fragte Anna-Maria.

»Ja, sie hatte eine Bibelgruppe, die nur aus Frauen bestand. Sie nannten sich Magdalena. So ein Netzwerk, wie es heute so üblich ist. Sie haben die Kirche besucht, in der Mildred Nilsson die Gottesdienste abhielt. Sie haben in verschiedener Hinsicht für böses Blut gesorgt. Dieser Ausdruck ist von ihren Gegnern und auch von ihnen selbst verwendet worden.«

Anna-Maria nickte und schaute wieder in die Unterlagen. Sie kniff die Augen zusammen, als sie das Obduktionsprotokoll und die Aussagen von Oberarzt Pohjanen fand.

»Sie wurde ja wirklich zuschanden geschlagen«, sagte sie. »Brüche im Schädelknochen... Risse im Schädelknochen... Verletzungen im Gehirn, unter den Schlagstellen... Blutungen zwischen Gehirnrinde und Gehirnhaut...«

Sie nahm bei den Männern Grimassen des Unbehagens wahr und überflog den weiteren Text schweigend.

Typische Gewalteinwirkung mit einem stumpfen Gegenstand also. Die meisten Verletzungen drei Zentimeter lang, mit Bindegewebsverbindungen zwischen den Rändern. Das Gewebe war zerstoßen worden. Aber hier war eine größere Wunde: »Linke Schläfe bandförmiger rotblauer Bluterguss und Schwellung... drei Zentimeter unter und zwei Zentimeter vor dem Gehörgang auf linker Seite hinter Grenze des Stempelschadens...«

Stempelschaden? Was stand darüber im Protokoll? Sie blätterte weiter.

»Stempelschaden und die lang gestreckte seitenabgrenzende Verletzung über der linken Schläfe deuten auf eine brecheisenartige Waffe hin.«

Sven-Erik setzte seinen Bericht fort.

»Nach dem Gottesdienst hat die Pastorin sich in der Sakristei umgezogen, die Kirche abgeschlossen und ist zum Flussufer unterhalb des Heimatmuseums gegangen, wo ihr Boot lag. Dort wurde sie angegriffen. Der Mörder hat die Pastorin zur Kirche zurückgetragen. Hat das Tor aufgeschlossen, sie zur Empore gebracht und ihr eine Eisenkette um den Hals gelegt, die Kette an der Orgel befestigt und die Pastorin unter der Empore aufgehängt.

Sie wurde nicht viel später von der Küsterin gefunden, die aus einem Impuls heraus mit dem Rad zur Kirche gefahren war, um Blumen für den Altar zu pflücken.«

Anna-Maria warf einen Blick auf ihren Sohn. Er hatte den Karton mit den für den Reißwolf bestimmten Unterlagen gefunden und zerriss ein Blatt nach dem anderen. Eine unbeschreibliche Wonne.

Anna-Maria las eilig weiter. Jede Menge Brüche von Oberkiefer und Jochbein. Eine Pupille zerstört. Linke Pupille sechs Millimeter, rechte vier Millimeter. Das lag an der Schwellung im Gehirn. »Oberlippe stark geschwollen. Rechter Teil blauviolett verfärbt, Einschnitt zeigt kräftige schwarzrote Blutung...« Herrgott! Sämtliche Zähne des Oberkiefers eingeschlagen. »In der Mundhöhle viel Blut und Blutgerinnsel. In der Mundhöhle zwei Strümpfe hart gegen den Schlund gepresst.«

»Hat fast nur auf den Kopf geschlagen«, sagte sie.

»Zwei Verletzungen in der Brust«, sagte Sven-Erik.

»Brecheisenartiger Gegenstand.«

»Vermutlich ein Brecheisen.«

»Langgestreckte Verletzung linke Schläfe. War das der erste Schlag, was meinst du?«

»Ja. Also kann man annehmen, dass er Rechtshänder ist.«

»Woher wissen wir, dass er sie getragen hat? Er kann sie doch auch in eine Schubkarre gelegt haben oder so.«

»Was heißt schon wissen, du kennst doch Pohjanen. Er hat beschrieben, wie das Blut aus ihr herausgeflossen ist. Zuerst nach unten in Richtung Rücken.«

»Dann hat sie auf dem Rücken auf dem Boden gelegen.«

»Ja. Die Techniker haben die Stelle dann auch gefunden. Nur ein kleines Stück vom Ufer entfernt, wo immer ihr Boot lag. Sie ist ab und zu mit dem Boot gefahren. Hat doch am anderen Ufer gewohnt. In Poikkijärvi. Dort am Ufer beim Boot lagen auch ihre Schuhe.«

»Und dann? Das Blut, meine ich.«

»Dann gibt es weniger reichliche Absonderungen von den Verletzungen im Gesicht und im Kopf zur Schädelspitze hin.«

»Na gut«, sagte Anna-Maria. »Der Mörder hat sie über seiner Schulter getragen, so dass ihr Kopf nach unten hing.«

»Das dürfte die Erklärung sein. Und das ist ja nicht gerade Hausfrauengymnastik.«

»Ich hätte sie tragen können«, sagte Anna-Maria. »Ich hätte sie auch an die Orgel hängen können. Sie war doch ziemlich klein.«

Vor allem, wenn ich außer mir vor Wut gewesen wäre, dachte sie.

Sven-Erik sagte: »Die letzten Blutungen laufen zu den Füßen hinunter.«

»Als sie aufgehängt worden ist?«

Sven-Erik nickte.

»Da war sie also noch nicht tot?«

»Nicht ganz. Das steht im Protokoll.«

Anna-Maria überflog die Seiten. Es gab eine kleine Blutung in der Haut unter den Verletzungen am Hals. Laut Gerichtsmediziner Pohjanen war sie demnach noch nicht ganz tot, als sie aufgehängt wurde. Vermutlich aber nicht mehr bei Bewusstsein.

»Das habe ich schon häufiger gesehen«, sagte der Staatsanwalt. »Das kommt oft vor, wenn du jemanden auf diese Weise totschlägst. Das Opfer zuckt und röchelt. Das ist ziemlich unangenehm. Und um dieses Röcheln zum Verstummen zu bringen...«

Er unterbrach sich. Dachte an die Misshandlung einer Ehefrau, die mit einem Mord geendet hatte. Den halben Schlafzimmervorhang im Rachen.

Anna-Maria sah sich die Fotos an. Das zerschlagene Gesicht. Den Mund, der ohne Vorderzähne schwarz klaffte.

Und die Hände, überlegte sie. Die Kleinfingerkante der Hände? Die Arme?

»Keine Abwehrverletzungen«, sagte sie.

Der Staatsanwalt und Sven-Erik schüttelten die Köpfe.

»Und keine ganzen Fingerabdrücke?«, fragte Anna-Maria.

»Nein. Wir haben ein Stück Abdruck auf der einen Seite.«

Jetzt war Gustav dazu übergegangen, an allen erreichbaren Blättern eines großen Ficus zu ziehen, der in einem Topf mit Lecakugeln auf dem Boden stand. Als Anna-Maria ihn von dort wegzog, heulte er wütend los.

»Nein, und ich meine auch nein«, sagte Anna-Maria, als er versuchte, sich aus ihrem Griff zu winden und zum Gummibaum zurückzukehren.

Der Staatsanwalt wollte etwas sagen, aber Gustav heulte wie eine Sirene. Anna-Maria versuchte, ihn mit ihren Autoschlüsseln und ihrem Handy zu bestechen, aber alles fiel knallend zu Boden. Er hatte mit der Entlaubung des Ficus begonnen und wollte sein

Werk vollenden. Anna-Maria klemmte ihn unter den Arm und erhob sich. Die Besprechung war eindeutig zu Ende.

»Ich werde eine Anzeige in der Rubrik ›Zu verschenken‹ aufgeben«, sagte sie verbissen. »Oder unter ›Tauschen‹: ›Tausche gesunden anderthalbjährigen Jungen gegen Rasenmäher, alle Angebote von Interesse.‹«

Sven-Erik brachte Anna-Maria zum Auto. Noch immer der ramponierte Ford Escort, wie er sah. Gustav vergaß seinen Kummer, als sie ihn auf den Boden stellte und er selbst laufen durfte. Zuerst sprang er in schwankendem Übermut auf eine Taube zu, die Reste aus einem Papierkorb pickte. Der Vogel hob müde ab, und Gustav richtete seine Aufmerksamkeit auf den Papierkorb. Etwas Rosafarbenes war über den Rand geflossen, es sah aus wie eingetrocknete Kotze vom Samstag. Anna-Maria schnappte sich Gustav in dem Moment, als er den Korb erreichte. Er fing an zu heulen, als sei damit sein Leben beendet. Sie drückte ihn in den Kindersitz und schloss die Tür. Aus dem Auto war sein gedämpftes Geschrei zu hören.

Sie drehte sich grinsend zu Sven-Erik um.

»Ich lasse ihn da drin sitzen und gehe zu Fuß nach Hause«, sagte sie.

»Ist doch klar, dass er protestiert, wenn du ihn so kurz vor der Ziellinie wegholst«, sagte Sven-Erik und nickte zu dem widerlichen Papierkorb hinüber.

Anna-Maria hob in gespieltem Schaudern die Schultern. Sie schwiegen einige Sekunden.

»Ja, ja«, sagte Sven-Erik grinsend. »Dann muss man sich also wieder mit dir herumschlagen.«

»Ja, du Armer.« Sie lächelte. »Jetzt ist Schluss mit lustig.«

Dann wurde sie ernst.

»In den Zeitungen wird sie als Emanze beschrieben, die Selbstverteidigungskurse organisiert hat und so. Trotzdem keine Abwehrverletzungen.«

»Ich weiß«, sagte Sven-Erik.

Er bewegte seinen Schnurrbart zu einer nachdenklichen Miene.

»Vielleicht hat sie nicht mit einem Schlag gerechnet«, sagte er. »Vielleicht kannte sie ihn.«

Anna-Maria nickte langsam. Hinter ihr sah Sven-Erik das Windkraftwerk von Peuruvaara. Eins ihrer Lieblingsthemen. Er fand die Windmühlen schön. Sie fand sie hässlich wie die Sünde.

»Vielleicht«, sagte sie.

»Vielleicht hatte er einen Hund«, sagte Sven-Erik. »Die Techniker haben an ihrer Kleidung zwei Hundehaare gefunden, aber sie hatte keinen.«

»Was für eine Sorte Hund?«

»Keine Ahnung. Nach dem Helenemord in Hörby haben sie versucht, die Technik zu verbessern. Man kann nicht feststellen, welche Rasse es ist, aber wenn man einen Verdächtigen mit einem Hund hat, dann kann man vergleichen und sehen, ob das Haar von diesem Hund stammt.«

Das Geschrei im Auto wurde lauter. Anna-Maria stieg ein und ließ den Motor an. Offenbar war in der Auspuffröhre ein Loch, denn es hörte sich an wie eine gequälte Motorsäge. Sie fuhr mit einem Ruck los und bretterte hinaus auf den Hjalmar Londbohmsväg.

»Du fährst wie eine gesengte Sau«, rief er durch die ölige Abgaswolke hinter ihr her.

Im Rückfenster sah er ihre Hand, die sich zu einem Winken hob.

REBECKA MARTINSSON SASS IN dem gemieteten Saab und war unterwegs nach Jukkasjärvi. Neben ihr saß Torsten Karlsson, hatte den Kopf zurückgelehnt und döste vor sich hin. Er entspannte sich vor dem Termin mit dem Probst. Ab und zu schaute er aus dem Autofenster.

»Sag Bescheid, wenn wir etwas Sehenswertes passieren«, bat er.

Rebecka grinste.

Alles, dachte sie. Alles hier muss man sich ansehen. Die Abendsonne zwischen den Tannen. Die Insekten, die über dem Mohn am Straßenrand schwirren. Die Frostlöcher im Asphalt. Das, was tot und platt auf der Straße liegt.

Das Gespräch mit den Geistlichen in Kiruna war erst für den nächsten Morgen angesetzt. Aber ein Probst hatte Torsten angerufen.

»Wenn Sie schon am Dienstagabend kommen, dann melden Sie sich«, hatte er gesagt. »Dann kann ich Ihnen zwei der schönsten Kirchen Schwedens zeigen. In Kiruna und Jukkasjärvi.«

»Dann fahren wir am Dienstag«, hatte Torsten entschieden. »Es ist verdammt wichtig, dass wir ihn schon vor dem Mittwoch auf unserer Seite haben. Zieh dir war Nettes an.«

»Zieh selber was Nettes an«, hatte Rebecka geantwortet.

Im Flugzeug saßen sie neben einer Frau, die sofort mit Torsten ins Gespräch gekommen war. Sie war groß, trug eine lockere Leinenjacke und um den Hals einen gewaltigen folkloristischen Anhänger. Als Torsten erzählte, dass er zum ersten Mal nach Kiruna reiste, hatte sie entzückt in die Hände geklatscht. Und dann hatte sie ihm erzählt, was er sich alles ansehen sollte.

»Ich habe meine eigene Fremdenführerin«, sagte Torsten und nickte zu Rebecka hinüber.

Die Frau lächelte Rebecka an.

»Ach, Sie waren schon einmal hier?«

»Ich bin hier geboren.«

Die Frau musterte sie kurz von Kopf bis Fuß. Und sah ein wenig misstrauisch aus.

Rebecka schaute aus dem Fenster und überließ Torsten die Fortsetzung des Gesprächs. Es ärgerte sie, dass sie offenbar aussah wie eine Fremde. Ordentlich vermummt mit einem grauen Kostüm und Schuhen von Bruno Magli.

Das ist meine Stadt, dachte sie trotzig.

In diesem Moment machte das Flugzeug eine Drehung. Und unter ihr lag die Stadt. Diese Häuserklumpen, die sich so hartnäckig am Erzberg festklammerten. Drumherum Berge und Moore, niedriger Wald und Gewässer. Sie hatte nach Luft geschnappt.

Auch auf dem Flugplatz war sie sich vorgekommen wie eine Fremde. Auf dem Weg zum Mietwagen kam ihnen eine Touristengruppe entgegen. Die Leute hatten nach Mückenöl und Schweiß gerochen. Bergwind und Septembersonne hatten ihre Haut gegerbt. Sie waren braun gebrannt und hatten weiße Krähenfüße um die Augen, die sie so oft zusammengekniffen hatten.

Rebecka wusste, wie diesen Leuten zumute war. Wunde Füße und müde Muskeln nach einer Woche im Gebirge, zufrieden und ein wenig träge. Sie trugen bunte Anoraks und praktische Khakihosen. Sie selbst Mantel und Schal.

Torsten richtete sich gerade auf und schaute neugierig zu einigen Fliegenfischern hinüber, als sie am Fluss entlangfuhren.

»Wir können nur hoffen, dass wir die Kiste an Land ziehen«, sagte er.

»Wirst du schon«, sagte Rebecka. »Die werden dich lieben.«

»Meinst du? Es ist doch übel, dass ich noch nie hier war. Ich war noch nie weiter nördlich als Gävle.«

»Aber, aber, jetzt bist du jedenfalls überglücklich darüber, hier zu sein. Du wolltest doch immer schon mal herkommen und die großartige Gebirgswelt erleben und die Gruben besichtigen. Bei deinem nächsten Besuch wirst du Urlaub nehmen und dich hier genauer umsehen.«

»Na gut.«

»Und nichts von ›wie, zum Teufel, können Sie die langen dunklen Winter überleben, wenn die Sonne sich nie blicken lässt‹.«

»Natürlich nicht.«

»Auch wenn sie selber darüber Witze machen.«

»Ja, ja.«

Rebecka hielt vor dem Glockenturm. Kein Probst. Sie wanderten über den Kiesweg zum Pfarrhaus. Rotes Holz, weiß abgesetzt. Hinter dem Haus der Fluss. Septemberniedriges Wasser. Torsten tanzte den Mückentanz. Niemand öffnete auf ihr Klingeln. Sie klingelten noch einmal und warteten. Am Ende drehten sie sich um und wollten gehen.

Durch das Tor im Zaun kam ein Mann auf sie zu. Er winkte und rief. Als er näher kam, sahen sie seinen Pastorenkragen.

»Hallo«, sagte er, als er sie erreicht hatte. »Sie sind sicher von Meijer & Ditzinger.«

Er hielt zuerst Torsten die Hand hin. Rebecka nahm die Sekretärinnenposition einen halben Schritt hinter Torsten ein.

»Stefan Wikström«, sagte der Geistliche.

Rebecka stellte sich vor, ohne ihren Beruf zu nennen. Sollte er doch denken, was er wollte. Sie musterte den Pastor. Er war Mitte vierzig. Jeans, Turnschuhe, dunkles Hemd mit weißem Pastorenkragen. Er kam also nicht gerade vom Gottesdienst. Aber trotzdem der Kragen.

So ein Rund-um-die-Uhr-Pastor, dachte Rebecka.

»Sie hatten einen Termin mit dem Probst Bertil Stensson«, sagte der Geistliche. »Leider ist er heute Abend verhindert, deshalb hat er mich gebeten, Sie zu empfangen und Ihnen die Kirche zu zeigen.«

Rebecka und Torsten murmelten eine Höflichkeitsfloskel und

folgten ihm zu der kleinen roten Holzkirche. Das Dach roch nach Teer. Rebecka hielt sich im Kielwasser der beiden Männer. Der Pastor wandte sich beim Sprechen ausschließlich an Torsten. Torsten passte sich diesem Spiel an und sagte auch nichts zu Rebecka.

Es ist natürlich möglich, dass der Probst wirklich verhindert war, dachte Rebecka. Aber es kann auch heißen, dass er unser Angebot ablehnen will.

In der Kirche war es dunkel. Die Luft stand still. Torsten kratzte sich an zwanzig neuen Mückenstichen.

Stefan Wikström erzählte über die Holzkirche aus dem 18. Jahrhundert. Rebecka ließ ihren Gedanken freien Lauf. Sie kannte die Geschichte des schönen Altarbildes und der unter dem Boden ruhenden Toten. Dann ging ihr auf, dass die Männer ihr Gesprächsthema gewechselt hatten, und nun hörte sie zu.

»Das muss doch für alle hier ein Schock gewesen sein.«

»Was denn?«, fragte Rebecka.

Der Pastor sah sie an.

»Ja, hier hat sie gehangen«, sagte er. »Meine Kollegin, die vor einigen Monaten ermordet worden ist.«

Rebecka starrte ihn fragend an.

»Vor einigen Monaten ermordet?«

Eine verwirrte Pause folgte.

»Ja, vor einigen Monaten«, sagte Stefan Wikström dann.

Torsten Karlsson starrte Rebecka an.

»Hör doch auf«, sagte er.

Rebecka sah ihn an und schüttelte fast unmerklich den Kopf.

»Hier in Kiruna ist vor einigen Monaten eine Pastorin ermordet worden. Hier in dieser Kirche. Hast du das nicht gewusst?«

»Nein.«

Er musterte sie beunruhigt.

»Du musst die Einzige in ganz Schweden sein, die… ja, ich bin davon ausgegangen, dass du das weißt. Das stand doch in allen Zeitungen. Und alle Nachrichtensendungen…«

Stefan Wikström folgte ihrem Gespräch wie einer Tischtennispartie.

»Ich habe diesen Sommer keine Zeitungen gelesen«, sagte Rebecka. »Und auch nicht ferngesehen.«

Torsten hob in einer Hilfe suchenden Geste die Hände.

»Ich dachte wirklich...«, setzte er an. »Aber natürlich, kein Idiot...«

Er unterbrach sich und schaute beschämt den Geistlichen an, dann erhielt er ein Lächeln zum Zeichen dafür, dass diese Sünde vergeben war, und fügte hinzu: »Sicher hat niemand mit dir darüber zu reden gewagt. Vielleicht möchtest du draußen warten? Oder hättest du gern ein Glas Wasser?«

Rebecka hätte fast gelacht. Dann überlegte sie sich die Sache anders, sie konnte sich nicht entscheiden, welche Miene sie aufsetzen sollte.

»Schon gut. Aber ich warte gerne draußen.«

Sie verließ die Männer in der Kirche und ging hinaus. Blieb auf der Kirchtreppe stehen.

Natürlich müsste ich etwas empfinden, dachte sie. Und vielleicht in Ohnmacht fallen.

Die Nachmittagssonne wärmte die Wand des Glockenturms. Sie hätte sich gern daran angelehnt, ließ es aber ihrer Kleidung zuliebe sein. Der Geruch des warmen Asphalts mischte sich mit dem des frisch geteerten Daches.

Sie überlegte, ob Torsten jetzt wohl Stefan Wikström erzählte, dass sie Viktor Strandgårds Mörder erschossen hatte. Vielleicht servierte er irgendeine Lüge. Sicher tat er das, was er in geschäftlicher Hinsicht für das Beste hielt. Im Moment lag sie ja in der Pralinenschachtel für die gepflegte Konversation. Zwischen saftigen Anekdoten und würzigem Klatsch. Wenn Stefan Wikström Jurist gewesen wäre, hätte Torsten ihm die Wahrheit erzählt. Hätte die Pralinenschachtel geöffnet und eine Rebecka Martinsson angeboten. Aber Geistliche waren vielleicht keine so klatschsüchtige Rasse wie Juristen.

Nach zehn Minuten kamen die beiden zu ihr heraus. Der Pastor schüttelte ihnen beiden die Hand. Er wollte ihre Hände gar nicht loslassen, kam es ihr vor.

»Es ist ja schade, dass Bertil wegmusste. Es gab einen Autounfall, und da kann man nicht nein sagen. Aber warten Sie doch, dann versuche ich, ihn anzurufen.«

Während Stefan Wikström versuchte, den Probst zu erreichen, wechselten Rebecka und Torsten einen Blick. Der Probst war also wirklich verhindert. Rebecka hätte gern gewusst, warum Stefan Wikström es so wichtig fand, dass sie ihn schon vor der für den nächsten Tag angesetzten Besprechung trafen.

Er will etwas, dachte sie. Aber was?

Stefan Wikström steckte mit einem Lächeln des Bedauerns das Handy in die Tasche.

»Leider«, sagte er, »nur der Anrufbeantworter. Aber wir sehen uns ja morgen.«

Kurzer, gelassener Abschied, da sie sich ja nach der Nachtruhe wieder treffen würden. Torsten bat Rebecka um einen Kugelschreiber und notierte einen Buchtitel, den der Pastor ihm empfohlen hatte. Zeigte aufrichtiges Interesse.

Rebecka und Torsten fuhren zurück in Richtung Stadt. Rebecka erzählte von Jukkasjärvi. Über die Stadt vor der Tourismusexplosion. Wie sie am Fluss geschlummert hatte. Wie die Bevölkerung lautlos aus dem Ort herausströmte, wie Sand aus einem Stundenglas. Und Konsum war nichts anderes als ein Lebensmittelantiquariat. Ab und zu ein verirrter Tourist im Heimatmuseum mit verbranntem Kaffee und einem Staubsauger, der einen weißen Altersbelag aufwies. Die Häuser, die nicht zu verkaufen waren. Stumm und hohläugig hatten sie dagestanden, mit undichten Dächern und Mäusen in den Wänden. Die von Unkraut überwucherten Wiesen.

Und jetzt: Touristen aus aller Welt kamen her, um im Eishotel auf Rentierfellen zu schlafen, um bei dreißig Grad unter null

Schneemobil und Hundeschlitten zu fahren und in der Eiskirche getraut zu werden. Und wenn kein Winter war, ging man aufs Saunafloß oder betrieb Wildwasserrafting.

»Halt«, rief Torsten plötzlich. »Da können wir essen!« Er zeigte auf ein Schild am Straßenrand. Es bestand aus zwei handbeschriebenen übereinander angebrachten Brettern. Sie waren zu Pfeilen zurechtgesägt und zeigten nach links. Grüne Buchstaben auf weißem Grund verkündeten: ZIMMER und KÜCHE BIS 23 UHR.

»Können wir nicht«, sagte Rebecka. »Das ist die Straße nach Poikkijärvi. Da gibt es nichts.«

»Also echt, Martinsson«, sagte Torsten und schaute erwartungsvoll die Straße entlang. »Wo bleibt deine Abenteuerlust?«

Rebecka seufzte wie eine gestresste Mutter und bog auf die Straße nach Poikkijärvi ab.

»Hier gibt es nichts«, sagte sie. »Einen Friedhof, eine Kapelle und ein paar Häuser. Ich sag dir, dass der, der vor hundert Jahren das Schild aufgestellt hat, eine Woche später in Konkurs gegangen ist.«

»Wenn wir das sicher wissen, wenden wir und fahren zum Essen in die Stadt«, sagte Torsten sorglos.

Die Asphaltstraße ging in einen Kiesweg über. Auf der linken Seite floss der Fluss, und sie konnten Jukkasjärvi auf dem anderen Ufer sehen. Der Kies knirschte unter den Autoreifen. Auf beiden Straßenseiten standen Holzhäuser, die meisten waren rot angestrichen. Einige Gärten wurden von verblühten Blumen in Autoreifen und winzigen Windmühlen geschmückt, andere von Wippen und Sandkästen. Hunde rannten in ihren Zwingern, so weit sie nur konnten, und bellten heiser hinter dem vorüberfahrenden Auto her. Rebecka konnte die Blicke aus den Häusern spüren. Ein Auto, das man nicht kannte. Wer mochte das sein? Torsten schaute sich um wie ein glückliches Kind, er kommentierte die hässlichen Anbauten und winkte einem älteren Mann zu, der das Laubharken aufgab und hinter ihnen herstarrte. Sie kamen an kleinen Jungen auf Fahrrädern und einem großen auf einem Moped vorbei.

»Da«, Torsten streckte die Hand aus.

Das Restaurant lag auf der anderen Seite des Ortes. Es war eine umgebaute Autowerkstatt. Das Haus sah aus wie ein viereckiger Pappkarton, der schmutzig weiße Verputz blätterte an mehreren Stellen ab. Zwei große Garagentore auf der Längsseite schauten auf die Straße. In den Toren gab es längliche Fenster, um Licht hereinzulassen. Auf der einen Querseite gab es eine normal große Tür und ein vergittertes Fenster. Auf beiden Seiten der Tür standen Plastiktöpfe mit brandgelben Tagetes. Die Tore, die Tür und die Fensterrahmen waren mit abblätternder brauner Plastikfarbe angestrichen. Auf der anderen Querseite, der Rückseite des Lokals, standen einige bleichrote Schneepflüge im hohen trockenen Herbstgras.

Drei Hühner flatterten auf und verschwanden um die Ecke, als Rebecka auf den mit Kies bestreuten Hofplatz fuhr. Ein verstaubtes Neonschild mit dem Text LAST STOP DINER lehnte an der dem Fluss zugekehrten Längsseite. Ein zusammenklappbares Holzschild neben der Tür verkündete BAR GEÖFFNET. Auf dem Hof standen noch drei weitere Autos.

Auf der anderen Straßenseite standen fünf Campinghütten. Rebecka nahm an, dass sie vermietet wurden.

Sie stellte den Motor ab. In diesem Moment fuhr das Moped, das sie vorhin überholt hatten, auf den Hof und hielt vor der Wand. Ein sehr großer Junge saß auf dem Sitz. Er blieb eine Weile sitzen und schien sich nicht entscheiden zu können, ob er absteigen sollte. Er schielte unter seinem Helm zu Rebecka und Torsten in dem fremden Auto hinüber und wiegte sich auf dem Sitz einige Male hin und her. Sein kräftiger Kiefer bewegte sich ebenfalls. Am Ende stieg er vom Moped und ging zur Tür. Er ging leicht vornübergebeugt. Schaute zu Boden und hatte die Arme in einem Winkel von neunzig Grad gekrümmt.

»Jetzt kommt der Küchenchef zur Schicht«, scherzte Torsten.

Rebecka ließ ein »hm« hören, wie juristische Referendare das machen, wenn sie nicht über plumpe Witze lachen und trotzdem den Sozius oder Mandanten nicht vor den Kopf stoßen wollen.

Jetzt stand der große Junge vor der Tür.

Er hat durchaus Ähnlichkeit mit einem riesigen Bären in einer grünen Jacke, dachte Rebecka.

Er drehte sich um und ging zu seinem Moped zurück. Er knöpfte seine grüne Sportjacke auf, legte sie vorsichtig auf den Gepäckträger und faltete sie zusammen. Dann nahm er den Helm ab und legte ihn, behutsam, als sei er aus dünnem Glas, auf die zusammengefaltete Jacke. Er trat sogar noch einen Schritt zurück, sah sich die Sache an, trat wieder vor und verschob den Helm um einen Millimeter. Den Kopf noch immer gesenkt und ein wenig schräg gehalten. Er schielte zu Rebecka und Torsten hinüber und rieb sich sein breites Kinn. Rebecka hielt ihn für ungefähr zwanzig. Aber im Kopf war er ein kleiner Junge, das war klar.

»Was macht er?«, flüsterte Torsten.

Rebecka schüttelte den Kopf.

»Ich geh rein und frage, ob die Küche schon geöffnet ist«, sagte sie.

Sie stieg aus dem Auto. Durch das offene Fenster mit dem grünen Mückennetz kamen die Geräusche einer Sportsendung im Fernsehen, leise Gespräche und das Klirren von Porzellan. Vom Fluss her war ein Außenbordmotor zu hören. Es roch nach Essen. Es war kühler geworden. Die nachmittägliche Kühle streifte wie eine Hand über Moos und Blaubeergestrüpp.

Das ist wie zu Hause, dachte Rebecka und schaute in den Wald auf der anderen Straßenseite. Ein Säulensaal aus schmalen Tannen auf dem mageren Sandboden. Die Sonnenstrahlen kamen zwischen den kupferroten Stämmen über dem Unterholz und den bemoosten Steinen sehr weit.

Plötzlich konnte sie sich selbst sehen. Ein kleines Mädchen in gestricktem Kunstfaserpullover, der die Haare elektrisierte, wenn sie ihn über den Kopf zog. Cordhose, die unten mit einer Borte verlängert worden war. Sie kommt aus dem Wald heraus. In der

Hand hält sie ein Email-Eimerchen voller Blaubeeren, die sie gerade gepflückt hat. Sie ist auf dem Weg zum Sommerstall. Darin sitzt die Großmutter. Auf dem Zementboden brennt ein wenig Mückenrauch. Gerade genug, denn wenn man zu viel Gras nimmt, müssen die Kühe husten. Die Großmutter melkt Mansikka, klemmt den Kuhschwanz zwischen ihre Stirn und Mansikkas Seite. Die Milch spritzt in den Eimer. Die Ketten rasseln, wenn die Kühe sich nach mehr Heu recken.

»Ja, ja, Pikku-piika«, sagt die Großmutter, während ihre Hände rhythmisch an den Kuhzitzen ziehen. »Wo hast du denn den ganzen Tag gesteckt?«

»Im Wald«, antwortet die kleine Rebecka.

Sie stopft der Großmutter einige Blaubeeren in den Mund. Erst jetzt merkt sie, wie hungrig sie ist.

Torsten klopfte an die Fensterscheibe.

Ich will hier bleiben, dachte Rebecka und war überrascht von ihrer Heftigkeit.

Die Grasbüschel im Wald sahen aus wie Kissen. Bezogen mit blanken dunkelgrünen Himbeersträuchern und zartgrünen Blaubeersträuchern, die sich ganz vorsichtig ein wenig rot färbten.

Komm und leg dich hin, flüsterte der Wald. Leg deinen Kopf hin, und sieh zu, wie der Wind die Baumwipfel hin und her wiegt.

Wieder wurde an die Fensterscheibe geklopft. Sie nickte dem überdimensional großen Jungen zu. Er stand noch immer auf der Treppe, als sie ins Haus ging.

Die beiden Garagen der ehemaligen Werkstatt waren zu Restaurant und Bar umgebaut worden. Im Lokal standen sechs Tische aus dunkel gebeiztem lackiertem Kiefernholz an den Wänden. Sie boten jeweils sieben Personen Platz, wenn einer vor Kopf saß. Kunststoffböden aus korallenrotem Marmorimitat passten zu den rosa gestrichenen und sogar über den Schwingtüren zur Küche mit Schablone bemalten Textiltapeten. Um die außen liegenden, rosa angemalten Wasserrohre hatte jemand in dem Versuch, die Stimmung zu heben, künstliche grüne Lianen gewickelt. Hinter der dunkel gehaltenen Bar links im Raum stand ein Mann mit einer blauen Schürze und trocknete Gläser ab, um sie dann ins Regal zu stellen, wo sie mit dem Angebot an Getränken um den Platz streiten mussten. Er grüßte, als Rebecka hereinkam. Er hatte einen dunkelblauen kurzen Bart und einen Ring im rechten Ohr. Die Ärmel seines schwarzen T-Shirts wurden von kräftigen Muskeln hochgeschoben. An einem Tisch saßen drei Männer mit einem Spankorb voll Brot und warteten auf ihr Essen. Das Besteck war in weinrote Papierservietten gewickelt. Ihre Blicke folgten dem Fußball im Fernsehen. Die Fäuste lagen im Brotkorb. Arbeitsmützen auf einem freien Stuhl gehäuft. Sie trugen weiche, verwaschene Flanellhemden über T-Shirts mit Reklameaufdruck und verschlissenem Halsbund. Einer hatte einen Blaumann mit einem Firmenlogo an. Die beiden anderen hatten ihre blauen Overalls aufgeknöpft und die Oberteile abgestreift, die jetzt hinter ihnen auf den Boden hingen.

Eine allein sitzende Frau mittleren Alters tunkte ihr Brot in einen Suppenteller. Sie lächelte Rebecka kurz zu und steckte sich dann rasch das Stück Brot in den Mund, ehe es auseinander fiel. Zu ihren Füßen schlief ein schwarzer Labrador mit weißen Altersstreifen um die Nase. Über dem Stuhl neben ihr hing ein unbeschreiblich abgenutzter barbierosa Mantel. Ihre Haare waren sehr kurz geschnitten, eine Frisur, die man freundlich formuliert »praktisch« nennen konnte.

»Kann ich dir irgendwie behilflich sein?«, fragte Ohrring hinter dem Tresen.

Rebecka drehte sich zu ihm und konnte nur ja sagen, dann wurde die Schwingtür aufgestoßen, und eine Frau von Mitte zwanzig kam mit drei Tellern herausgeschossen. Ihre langen Haare waren mit blonden und unnatürlich roten und schwarzen Strähnen garniert. Ihre Augenbraue war gepierct, und zwei glitzernde Steine saßen in ihrem Nasenflügel.

Was für eine schöne Frau, dachte Rebecka.

»Ja?«, fragte die Frau und blickte Rebecka auffordernd an.

Sie wartete die Antwort nicht ab, sondern stellte die Teller auf den Tisch der wartenden Männer. Rebecka hatte fragen wollen, ob Essen serviert werde, aber das sah sie ja jetzt.

»Auf dem Schild steht ›Zimmer‹«, hörte sie sich stattdessen fragen. »Was kosten die?«

Ohrring schaute überrascht auf.

»Mimmi«, sagte er. »Sie fragt nach Zimmern.«

Die Frau mit den gestreiften Haaren drehte sich zu Rebecka um, wischte sich die Hände an der Schürze ab und strich sich eine schweißnasse Haarsträhne aus dem Gesicht.

»Wir haben Hütten«, sagte sie. »Campinghütten aus Holz. Die kosten 270 Kronen pro Nacht.«

Was mache ich eigentlich hier, fragte Rebecka sich.

Und gleich darauf dachte sie: Ich will hier bleiben. Allein.

»Na gut«, sagte sie leise. »Ich komme gleich mit einem Mann zurück, und dann essen wir. Wenn er auch nach Zimmern fragt, dann sagst du, dass du nur Platz für mich hast.«

Mimmi runzelte die Stirn.

»Warum sollte ich?«, fragte sie. »Das wäre doch ein sauschlechtes Geschäft für mich.«

»Durchaus nicht. Wenn du sagst, dass du auch für ihn Platz hast, dann überlege ich mir die Sache anders, und wir wohnen im Winterpalast in der Stadt. Also: ein Übernachtungsgast oder keiner.«

»Hast du sonst keine Ruhe vor dem Kerl oder was?«, fragte Ohrring grinsend.

Rebecka zuckte mit den Schultern. Sollten sie doch denken, was sie wollten. Und was hätte sie sagen sollen?

Mimmi zuckte ebenfalls mit den Schultern.

»Na gut«, sagte sie. »Aber ihr esst beide hier? Oder sollen wir sagen, dass das Essen nur für dich reicht?«

Torsten las die Speisekarte. Rebecka saß ihm gegenüber und sah ihn an. Seine runden Wangen hatten sich vor Glück rosa gefärbt. Die

Lesebrille saß gerade so niedrig, wie es nur ging, ohne die Nasenlöcher zuzudrücken. Seine Haare waren zerzaust. Mimmi beugte sich über seine Schulter und zeigte auf die Speisekarte, während sie gleichzeitig laut vorlas. Wie eine Lehrerin einem Schulkind.

Er findet das hier wunderbar, dachte Rebecka. Die Männer mit ihren groben Armen und den Messern am Gürtel. Die verlegen eine Antwort brummten, als Torsten in seinem grauen Anzug hereinkam und sie fröhlich grüßte. Die fesche Mimmi mit ihren großen Brüsten und der lauten Stimme. So ganz anders als die entgegenkommenden Mädels der Stockholmer Bars! Schon jetzt nahmen in seinem Kopf kleine Berichte Form an.

»Du kannst entweder das Tagesgericht nehmen«, sagte Mimmi und zeigte auf eine schwarze Schiefertafel an der Wand, auf der stand: Mariniertes Elchfleisch mit Pilz- und Gemüserisotto. »Oder es gibt etwas aus der Tiefkühltruhe. Und da hast du dazu die Wahl zwischen Kartoffeln, Reis oder Nudeln.«

Sie zeigte auf die Speisekarte, wo allerlei Gerichte unter der Überschrift »Aus der Tiefkühltruhe« aufgeführt waren: Lasagne, Frikadellen, Blutklöße, Kartoffelklöße mit Speck, Rentiergeschnetzeltes, geräuchertes Rentierfleisch und Klopse.«

»Man sollte vielleicht die Blutklöße probieren«, sagte Torsten hingerissen zu Rebecka.

Die Tür wurde geöffnet, und der hoch gewachsene Junge kam herein. Er blieb neben der Tür stehen. Sein riesiger Körper steckte in einem gestreiften, gut gebügelten und bis zum Hals zugeknöpften Baumwollhemd. Er wagte es nicht, die anderen Gäste wirklich anzusehen. Er hatte den Kopf schräg gelegt, so dass sein breites Kinn auf das längliche Fenster zeigte. Wie auf einen Fluchtweg.

»Aber Teddy!«, rief Mimmi und überließ Torsten seinen Essensüberlegungen. »Du bist aber fein!«

Der große Junge lächelte verschämt und schaute sie ganz schnell an.

»Komm rein, und lass dich ansehen«, rief die Frau mit dem Hund und schob ihren Suppenteller zurück.

Jetzt sah Rebecka, wie ähnlich Mimmi und die Frau mit dem Hund einander sahen. Bestimmt waren sie Mutter und Tochter.

Der Hund zu Füßen der Frau hob den Kopf und schlug zweimal träge mit dem Schwanz. Dann ließ er den Kopf sinken und schlief wieder ein.

Der Junge ging auf die Frau mit dem Hund zu. Sie klatschte in die Hände.

»Was bist du elegant!«, sagte sie. »Herzlichen Glückwunsch zum Geburtstag, Was für ein feines Hemd!«

Teddy lächelte geschmeichelt und hob das Kinn zur Decke, in einer seltsamen Pose, die Rebecka an Rudolf Valentino erinnerte.

»Neu«, sagte er.

»Ja, natürlich sehen wir, dass das neu ist«, sagte Mimmi.

»Willst du tanzen gehen, Teddy?«, rief einer der Männer. »Mimmi, nimm fünf Portionen aus der Tiefkühltruhe. Egal, was.«

Teddy zeigte auf seine Hose.

»Auch«, sagte er.

Er hob die Arme und hielt sie gerade von seinem Körper weg, damit alle die Hose richtig sehen konnten. Es waren graue Chinos, die er mit einem Militärgürtel festhielt.

»Die ist auch neu? Großartig«, versicherten die beiden bewundernden Frauen.

»Hier«, sagte Mimmi und zog den Stuhl gegenüber der Frau mit dem Hund hervor. »Dein Papa ist noch nicht da, aber du kannst dich zum Warten doch zu Lisa setzen.«

»Kuchen«, sagte Teddy und setzte sich.

»Natürlich kriegst du Kuchen. Meinst du, ich hätte das vergessen? Nach dem Essen!«

Mimmis Hand hob sich und strich ihm rasch über die Haare. Dann verschwand sie in der Küche.

Rebecka beugte sich über den Tisch zu Torsten vor.

»Ich möchte hier übernachten«, sagte sie. »Du weißt doch, ich bin ein paar Dutzend Kilometer flussaufwärts aufgewachsen, und da ist mir ein wenig nostalgisch. Aber ich fahr dich in die Stadt und hol dich morgen wieder ab.«

»Kein Problem«, sagte Torsten, und seine Abenteuerphantasie erreichte die volle Blüte. »Ich kann auch hier bleiben.«

»Aber das sind hier nicht gerade Himmelbetten, nehme ich an«, versuchte Rebecka ihn zu entmutigen.

Mimmi erschien, sie hatte fünf Aluminiumbehälter unter dem Arm geklemmt.

»Wir würden hier gern übernachten«, sagte Torsten. »Habt ihr freie Zimmer?«

»Tut mir leid«, antwortete Mimmi. »Nur noch eine Hütte. Mit einem Bett von neunzig Zentimetern.«

»Ist schon gut«, sagte Rebecka zu Torsten. »Ich fahr dich.«

Er lächelte sie an. Unter dem Lächeln des hoch bezahlten erfolgreichen Sozius saß ein dicker Junge, der nicht mitspielen durfte und vorzutäuschen versuchte, dass ihm das nichts ausmachte. Das versetzte ihr einen Stich.

Als Rebecka aus der Stadt zurückkkam, war es fast ganz dunkel. Der Wald zeichnete sich als Silhouette vor dem schwarzblauen Himmel ab. Sie hielt vor der Bar und schloss den Wagen ab. Vor dem Lokal standen jetzt noch weitere Autos. Von drinnen waren Männerstimmen zu hören, das Geräusch, wenn sie energisch ihre Gabeln durch das Fleisch drückten und darunter auf Porzellan stießen, der Fernseher als Grundton unter allem, vertraute Reklamejingles. Teddys Moped stand noch immer vor dem Haus. Sie hoffte, dass er einen schönen Geburtstag gehabt hatte.

Die Hütte, in der sie schlafen sollte, stand auf der anderen Straßenseite am Waldrand. Eine kleine Lampe über der Tür beleuchtete die Zahl 5.

Ich habe meinen Frieden, dachte sie.

Sie ging zur Tür der Hütte, machte aber plötzlich kehrt und lief einige Meter in den Wald hinein. Die Tannen standen still da und schauten zu den Sternen hoch, die gerade angezündet wurden. Ihre langen blaugrünen Samtumhänge bewegten sich vorsichtig auf dem Moos.

Rebecka legte sich auf den Boden. Die Tannen senkten ihre Köpfe und flüsterten ihr beruhigend zu. Die letzten Mücken des Sommers sangen ein sirrendes Lied und stachen Rebecka, wo sie nur konnten. Und das gönnte sie ihnen.

Sie merkte nicht, dass Mimmi aus dem Haus kam und Abfall wegwarf.

Mimmi ging zu Micke in die Küche.

»Okay«, sagte sie. »Und jetzt der echte Irrenalarm.«

Sie erzählte, dass ihr Übernachtungsgast sich hingelegt hatte, aber nicht ins Bett in der Hütte, sondern draußen auf den Boden.

»Man fragt sich doch«, sagte Micke.

Mimmi verdrehte die Augen.

»Bald wird ihr wohl einfallen, dass sie von Schamanen oder Hexen abstammt, und dann zieht sie in den Wald, kocht über offenem Feuer Kräutertränke und tanzt um einen Stein mit Zauberzeichen.«

GELBBEIN

OSTERN. Die Wölfin ist drei Jahre alt, als sie zum ersten Mal von einem Menschen gesehen wird. Das geschieht im nördlichen Karelien am Fluss Wodla. Sie selbst hat schon oft Menschen gesehen. Sie erkennt sie an ihrem stechenden Geruch. Und sie weiß, was diese Männer hier machen. Sie angeln. Als geschmeidige Einjährige hat sie sich oft in der Dämmerung zum Fluss geschlichen und das gefressen, was die Zweibeiner hinterlassen hatten, Fischreste, Innereien, Plötzen.

Wolodja legt zusammen mit seinem Bruder Eisnetze aus. Der Bruder hat vier Löcher gehackt, und sie wollen drei Netze legen. Wolodja kniet neben dem zweiten Loch, um die Schnur zu fassen, die sein Bruder ihm unter dem Eis durchschiebt. Seine Hände sind nass und schmerzen vor Kälte. Und er hat kein Vertrauen zu dem Eis. Die ganze Zeit sorgt er dafür, dass er die Skier zur Hand hat. Wenn das Eis nachgibt, kann er sich bäuchlings auf die Skier legen und sich zum Land ziehen. Alexander will die Netze gerade hier auslegen, weil es eine gute Stelle ist. Die Strömung ist stark, und Alexander hat den Eispickel dort gesetzt, wo der seichte Boden zur tiefen Flussmitte hin abfällt.

Aber es ist eine gefährliche Stelle. Wenn das Wasser steigt, frisst der Fluss von unten her das Eis auf. Das weiß Wolodja. Das Eis kann an einem Tag drei Handbreit dick sein, am nächsten zwei Finger.

Er hat keine Wahl. Er besucht über Ostern die Familie seines Bruders. Alexander wohnt mit Frau und zwei Töchtern im Erdgeschoss. Alexanders und Wolodjas Mutter lebt oben. Alexander hat die Verantwortung für die Frauen. Wolodja führt ein Wanderleben für die Ölgesellschaft Transneft. Im vergangenen Winter war er in Sibirien. Im Herbst an der Viborg'schen Bucht. Die vergangenen Monate hat er an der karelischen Landzunge verbracht. Als der Bruder vorschlug, Netze legen zu gehen, konnte er nicht nein sagen. Denn dann wäre Alexander allein losgezogen. Und am nächsten Abend würde dann Wolodja am Tisch sitzen und Felchen essen, zu deren Fang er nichts beigetragen hätte.

So ist es um Alexanders Zorn bestellt, er zwingt ihn und seinen jüngeren Bruder hinaus auf das gefährliche Eis. Jetzt, wo sie hier sind, scheint der Druck auf Alexanders Herz nachzulassen. Er lächelt fast, als er da mit den blau gefrorenen Händen im Wasser steht. Vielleicht würde dieser verbissene Zorn sich legen, wenn er einen Sohn hätte, denkt Wolodja.

Und genau in diesem Moment, bei dem flüchtigen Stoßgebet zur Madonna, dass das Kind im Bauch der Schwägerin ein Junge sein möge, entdeckt er die Wölfin. Sie steht auf dem anderen Ufer am Waldrand und beobachtet die Männer. Nicht weit weg also. Mit schrägen Augen und langen Beinen steht sie da. Ihr Fell ist wollig und winterdick. Lange grobe Silberfäden ragen aus der Wolle hervor. Ihre Blicke scheinen sich zu begegnen. Der Bruder sieht nichts. Er hat ihr den Rücken gekehrt. Ihre Beine sind wirklich sehr lang. Und gelb. Sie sieht aus wie eine Königin. Und Wolodja kniet auf dem Eis vor ihr, wie der Stadtjunge, der er nun einmal ist, mit nassen Handschuhen, die Pelzmütze mit den Ohrenklappen schief auf seinen schweißnassen Haaren.

Zjoltye nogi, sagt er. Gelbe Beine.

Aber nur in Gedanken. Seine Lippen bewegen sich nicht.

Er sagt seinem Bruder nichts. Vielleicht würde Alexander zum Gewehr greifen, das am Rucksack lehnt, und einen Schuss abgeben.

Dann muss er sie aus den Augen lassen und die Netzschnur packen. Und als er wieder aufblickt, ist sie verschwunden.

Als Gelbbein dreihundert Meter in den Wald gelaufen ist, hat sie die beiden Männer auf dem Eis schon vergessen. Sie wird nie wieder an sie denken. Nach zwei Kilometern bleibt sie stehen und heult. Die anderen Wölfe aus der Meute antworten, sie sind ein knappes Dutzend Kilometer von ihr entfernt, und sie läuft los. So ist sie. Geht oft ihre eigenen Wege.

Wolodja wird sich für den Rest seines Lebens an sie erinnern. Wann immer er die Stelle aufsucht, wo er sie gesehen hat, schaut er zum Waldrand hinüber. Drei Jahre später lernt er die Frau kennen, die er heiraten wird.

Als sie zum ersten Mal in seinen Armen liegt, erzählt er ihr von der Wölfin mit den gelben Beinen.

Mittwoch, 6. September

Die Besprechung über eine mögliche Beteiligung an einer juristischen und finanziellen Dachorganisation wurde zu Hause bei Probst Bertil Stensson abgehalten. Anwesend waren Torsten Karlsson, Sozius bei der Kanzlei Meijer & Ditzinger, Stockholm, Rebecka Martinsson, Anwältin derselben Kanzlei, die Pröbste aus Jukkasjärvi, Vittangi und Karesuando, die Gemeindevorstände sowie Pastor Stefan Wikström. Rebecka Martinsson war die einzige Frau. Die Besprechung hatte um acht Uhr begonnen. Jetzt war es Viertel vor neun. Um zehn Uhr sollte es zum Abschluss Kaffee geben.

Das Esszimmer des Probstes diente als improvisiertes Besprechungszimmer. Die Septembersonne leuchtete durch die mundgeblasenen, unebenen Scheiben der großen Sprossenfenster. Bücherregale reichten bis an die Decke. Nirgendwo gab es Blumen oder Ziergegenstände. Stattdessen lagen die Fensterbänke voller Steine, manche waren rund und glatt, andere rau und schwarz, mit funkelnden roten Granataugen. Auf den Steinen lagen seltsam verbogene Zweige. Auf Rasen und Kies draußen waren Haufen aus gelbem, raschelndem Laub und vom Strauch gefallene Vogelbeeren zu sehen.

Rebecka saß neben Probst Bertil Stensson. Sie schaute verstohlen zu ihm hinüber. Er war ein jugendlich wirkender Sechzigjähriger. Ein lieber Onkel mit hellsilbernem Lausbubenschopf. Sonnengebräunt, warmes Lächeln.

Berufslächeln, dachte sie. Es war fast komisch gewesen zuzusehen, wie er und Torsten einander anlächelten. Man hätte die beiden für Brüder oder alte Jugendfreunde halten können. Der

Probst schüttelte Torstens Hand und packte zugleich mit der Linken Torstens Oberarm. Torsten hatte entzückt gewirkt. Hatte gelacht und war sich mit der Hand durch die Haare gefahren.

Sie hätte gern gewusst, ob der Probst Steine und Zweige ins Haus geholt hatte. Ansonsten beschäftigten sich doch eher Frauen mit solchen Dingen. Machten Spaziergänge und sammelten glatte Steine, bis ihre Jacken über den Boden schleiften.

Torsten hatte seine zwei Stunden gut genutzt. Er hatte rasch sein Jackett abgelegt und war sehr persönlich in seiner Anrede geworden. Unterhaltsam, ohne unseriös oder achtlos zu wirken. Er hatte das gesamte Paket wie ein Essen mit drei Gängen serviert. Als Aperitif hatte er ihnen ein wenig Schmeicheleien aufgetischt, Dinge, die sie schon wussten. Dass sie zu den reichsten Gemeinden des Landes gehörten. Und zu den schönsten. Die Vorspeise bestand aus kleinen Beispielen für Bereiche, in denen die Kirche juristische Kompetenz brauchte, nämlich praktisch in allen, Zivilrecht, Vereinsrecht, Steuerrecht, Arbeitsrecht… als Hauptgericht hatte er harte Fakten, Ziffern und Berechnungen serviert. Hatte gezeigt, dass es billiger und besser wäre, Absprachen mit der Kanzlei zu treffen, sich Zugang zur geballten fachlichen Kompetenz zu verschaffen. Zugleich hatte er offen die Nachteile benannt, die leicht wogen, aber dennoch vorhanden waren, und hatte auf diese Weise einen glaubwürdigen und ehrlichen Eindruck gemacht. Sie hatten es hier mit keinem Staubsaugervertreter zu tun. Jetzt war er damit beschäftigt, den Nachtisch auszuteilen. Er brachte ein letztes Beispiel dafür, wie man anderen Gemeinden schon geholfen hatte.

Die Friedhofsverwaltung in einer Gemeinde hatte Unsummen verschlungen. Viele Kirchen und andere Gebäude waren zu unterhalten, Rasen mussten gemäht, Gräber ausgehoben, Wege vom Unkraut befreit, Moos musste von Steinen gekratzt werden, was auch immer, jedenfalls kostete das alles. Viel Geld. In dieser Gemeinde hatte es eine Anzahl von Stellen für Arbeitskräfte gegeben, die der Staat über die Arbeitsämter finanzierte. Egal, wie, der

Gemeinde waren für diese Leute keine hohen Lohnkosten ent-
standen, es spielte also keine Rolle, dass sie vielleicht nicht unbedingt effektiv arbeiteten. Aber danach war die Verantwortung
für ihre Weiterbeschäftigung auf die Kirche übergegangen. Jetzt
musste die Gemeinde also die gesamten Lohnkosten übernehmen.
Viele Angestellte, die Mehrzahl von ihnen schuftete sich nicht
gerade zu Tode, wenn er es einmal so offen ausdrücken durfte.
Also wurden noch weitere Anstellungen vorgenommen, aber die
Arbeitskultur hatte sich inzwischen so entwickelt, dass sie den
Neuen nicht gestattete, die Ärmel hochzukrempeln. Wer das tat,
wurde mehr oder weniger hinausgeekelt. Es war also schwer, hier
etwas auszurichten. Es kam sogar vor, dass Angestellte neben
ihrem Vollzeitjob bei der Kirche noch eine weitere volle Stelle
hatten. Und nun waren Kirche und Staat plötzlich getrennt, die
Gemeinde war autonom und sollte auf ganz neue Weise die finan-
zielle Verantwortung übernehmen. Die Lösung bestand darin,
dass die Kanzlei der Gemeinde geholfen hatte, die Friedhofsverwaltung auf dem freien Markt anzubieten. Genau wie viele Gemeinden das in den vergangenen fünfzehn Jahren gemacht hatten.

Torsten nannte die pro Jahr gesparte Summe auf Kronen und
Öre genau. Die Anwesenden wechselten Blicke.

Voll ins Schwarze, dachte Rebecka.

»Und da«, fuhr Torsten fort, »habe ich nicht einmal mit einge-
rechnet, was die Kirche spart, wenn sie für weniger Angestellte
die Arbeitgeberkosten übernehmen muss. Abgesehen davon, dass
die Kasse lauter klingelt, wenn man mehr Zeit für die eigentlichen
kirchlichen Aufgaben hat und sich den unterschiedlichen geistlichen Bedürfnissen der Gemeindemitglieder widmen kann. Es ist
doch nicht der Sinn der Sache, dass ein Probst als Verwaltungschef
fungiert, aber oft bleibt ihm nichts anderes übrig.«

Probst Bertil Stensson schob Rebecka einen Zettel hin.

»Jetzt haben Sie uns wirklich Stoff zum Nachdenken gegeben«,
stand darauf.

Ach ja?, dachte Rebecka.

Was wollte er? Sollten sie jetzt Zettelchen füreinander schreiben, wie zwei Schulkinder, die Geheimnisse vor der Lehrerin haben? Sie lächelte und nickte kurz.

Torsten kam zum Ende und beantwortete einige Fragen.

Bertil Stensson erhob sich und verkündete, der Kaffee werde draußen in der Sonne serviert.

»Wir hier oben müssen aufpassen«, sagte er. »Wir können unsere Gartenmöbel nicht oft genießen.«

Er wies in Richtung Garten, und während die anderen sich erhoben, nahm er Torsten und Rebecka mit in sein Wohnzimmer. Torsten sollte sich dort das Gemälde von Lars Levi Sunna ansehen. Rebecka Martinsson registrierte einen Blick, der Stefan Wikström galt und der bedeutete: Warte mit den anderen draußen.

»Ich glaube, das ist genau das, was unsere Gemeinden brauchen«, sagte der Probst zu Torsten. »Aber ich brauche Sie eigentlich schon jetzt und nicht erst in einem Jahr, wenn das alles hier Wirklichkeit werden kann.«

Torsten betrachtete das Bild. Es stellte eine sanftäugige Rentierkuh dar, die ihr Kalb säugte. Durch die offene Tür zur Diele sah Rebecka eine Frau, die aus dem Nichts mit einem Tablett mit Thermoskannen und klirrenden Tassen aufgetaucht war.

»Wir haben ja eine sehr schwere Zeit in dieser Gemeinde hinter uns«, sagte jetzt der Probst. »Ich nehme an, Sie haben von dem Mord an Mildred Nilsson gehört.«

Torsten und Rebecka nickten.

»Ich muss ihre Stelle besetzen«, fuhr der Probst fort. »Und es ist sicher kein Geheimnis, dass sie und Stefan nicht gerade an einem Strang zogen. Stefan ist gegen weibliche Geistliche. Ich teile seine Auffassung nicht, muss sie aber respektieren. Und Mildred war unsere eifrigste Lokalfeministin, wenn ich mich so ausdrücken darf. Als Chef der beiden hatte ich es nicht leicht. Ich weiß, dass es eine hoch qualifizierte Frau gibt, die sich um die Stelle bewerben wird, wenn ich sie ausschreibe. Ich habe nichts gegen diese Frau, im Gegenteil. Aber um der Arbeitsruhe und des

Gemeindefriedens willen möchte ich die Stelle mit einem Mann besetzen.«

»Auch wenn der weniger qualifiziert ist?«, fragte Torsten.

»Ja. Ist das möglich?«

Torsten rieb sich das Kinn, ohne den Blick vom Bild zu wenden.

»Natürlich«, sagte er ruhig. »Aber wenn die abgewiesene Bewerberin vor Gericht geht, müssen Sie Schadensersatz zahlen.«

»Und sie dann einstellen?«

»Nein, nein. Wenn der Posten schon an einen anderen gegangen ist, kann man ihm den nicht wieder wegnehmen. Ich kann feststellen, wie hoch die Schadensersatzsummen in solchen Fällen normalerweise ausfallen. Das mache ich gratis.«

»Er meint sicher, dass Sie das gratis machen müssen«, sagte der Probst lachend zu Rebecka.

Rebecka lächelte höflich. Der Probst wandte sich wieder Torsten zu.

»Damit wäre mir sehr geholfen«, sagte er ernst. »Und dann gibt es da noch etwas. Oder sogar zwei Dinge.«

»Schießen Sie los«, sagte Torsten.

»Mildred hat eine Stiftung gegründet. Wir haben eine Wölfin, die sich in den Wäldern um Kiruna niedergelassen hat. Die Stiftung sollte ihr beim Überleben helfen. Schadensersatz an Rentierbesitzer, Hubschrauberüberwachung in Zusammenarbeit mit den Naturschutzbehörden...«

»Ja?«

»Vielleicht ist diese Stiftung in der Gemeinde nicht so fest verankert, wie Mildred es sich gewünscht hätte. Nicht dass wir an sich gegen Wölfe sind, aber wir möchten eine unpolitische Ausrichtung beibehalten. Alle, Wolfshasser und Wolfsliebhaber, sollen sich in der Kirche zu Hause fühlen können.«

Rebecka schaute aus dem Fenster. Draußen stand der Vorsitzende des Gemeindevorstands und schaute sie neugierig an. Er hielt seine Untertasse wie einen Tropfenfänger unter sein Kinn, wenn er aus seiner Tasse trank. Sein Hemd sah nicht gerade schön aus. Es war vermutlich irgendwann einmal beige gewesen, aber dann war es offenbar zusammen mit einer blauen Socke gewaschen worden.

Wie gut, dass er im Dorfladen einen passenden Schlips gefunden hat, dachte Rebecka.

»Wir möchten den Fond auflösen und die Mittel einem anderen Zweck zuführen, der besser zur Kirche passt«, sagte der Probst.

Torsten versprach, die Frage an einen Experten für Vereinsrecht weiterzuleiten.

»Und dann haben wir noch ein unangenehmes Problem. Mildred Nilssons Mann wohnt noch immer im Pfarrhaus von Poikkijärvi. Es ist natürlich schrecklich für uns, ihn von Haus und Hof vertreiben zu müssen, aber... Ja, wir brauchen das Pfarrhaus für andere Zwecke.«

»Aber das kann doch kein Grund zur Sorge sein«, sagte Torsten. »Rebecka, du willst doch noch ein paar Tage hier bleiben, kannst du dir nicht mal den Mietvertrag ansehen und mit ihm sprechen... wie heißt der Mann eigentlich?«

»Erik. Erik Nilsson.«

»Wenn dir das recht ist?«, fragte Torsten Rebecka. »Sonst kann ich das auch machen. Es ist doch eine Dienstwohnung, schlimmstenfalls müssen wir den Gerichtsvollzieher zu Hilfe holen.«

Der Probst verzog das Gesicht.

»Und wenn es so weit kommen sollte«, sagte Torsten gelassen, »dann ist es doch gut, das alles einer verdammten Anwältin in die Schuhe schieben zu können.«

»Ich mach das schon«, sagte Rebecka.

»Erik hat Mildreds Schlüssel«, sagte der Probst zu Rebecka. »Also die Kirchenschlüssel. Die will ich zurückhaben.«

»Ja«, sagte sie.

»Unter anderem auch den Schlüssel zu ihrem Safe im Pfarrbüro. Der sieht so aus.«

Er zog einen Schlüsselbund aus der Tasche und zeigte Rebecka einen Schlüssel.

»Ein Safe«, sagte Torsten.

»Für Geld, Notizen von seelsorgerischen Gesprächen und, ja, für Dinge, die man nicht verlieren will«, sagte der Probst. »Geistliche sind doch nicht oft in ihren Büros, und in den Gemeindehäusern ist immer viel Zulauf.«

Torsten konnte sich eine Frage nicht verkneifen: »Wieso hat die Polizei diesen Schlüssel nicht?«

»Na ja«, sagte der Probst gelassen, »die haben nicht danach gefragt. Sehen Sie nur, jetzt nimmt Bengt Grape sich schon das vierte Brot. Kommen Sie, sonst gehen wir leer aus.«

Rebecka fuhr Torsten zum Flugplatz. Altweibersommersonne über den gelb gefleckten Bergbirken.

Torsten blickte sie von der Seite her an. Er fragte sich, ob sie wohl jemals etwas mit Måns gehabt hatte. Jetzt war sie jedenfalls sauer. Die Schultern bis zu den Ohren hochgezogen, der Mund ein Strich.

»Wie lange willst du eigentlich hier oben bleiben?«, fragte er.

»Weiß nicht«, antwortete sie vage. »Übers Wochenende.«

»Und wie soll ich Måns erklären, dass ich seine Mitarbeiterin verschusselt habe?«

»Der wird nicht fragen«, sagte sie.

Sie schwiegen. Am Ende konnte Rebecka sich nicht mehr beherrschen.

»Die Polizei weiß eindeutig nichts über diesen verdammten Safe«, rief sie.

Torstens Stimme klang übertrieben geduldig.

»Den haben sie wohl übersehen«, sagte er. »Aber wir wollen ihnen die Arbeit nicht wegnehmen. Wir haben auch so genug zu tun.«

»Sie ist ermordet worden«, sagte Rebecka leise.

»Unsere Aufgabe ist es, die Probleme der Mandanten zu lösen, so lange wir dabei nicht gegen Gesetze verstoßen. Es ist nicht verboten, die Schlüssel der Kirche zurückzuholen.«

»Nein. Und dann helfen wir ihnen auszurechnen, wie viel sie möglicherweise für sexistische Diskriminierung bezahlen müssen, damit sie ihren Knabenverein ausbauen können.«

Torsten sah aus dem Seitenfenster.

»Und ich muss ihren Mann auf die Straße setzen«, fuhr Rebecka fort.

»Ich habe gesagt, dass du das nicht musst.«

Ach, halt doch die Klappe, dachte Rebecka. Du hast mir keine Wahl gelassen. Sonst hättest du ihm den Gerichtsvollzieher auf den Hals gehetzt.

Sie steigerte ihr Tempo.

Zuerst kommt das Geld, dachte sie. Das ist das Wichtigste.

»Ab und zu könnte ich kotzen«, sagte sie müde.

»Das gehört manchmal zum Job«, sagte Torsten. »Und dann heißt es Schuhe abwischen und weitermachen.«

POLIZEIINSPEKTORIN ANNA-MARIA MELLA fuhr zu Lisa Stöckels Haus. Lisa Stöckel war die Vorsitzende des Frauennetzwerkes Magdalena. Ihr Haus lag einsam auf einer Anhöhe oberhalb der Kapelle von Poikkijärvi. Hinter dem Haus fiel der Hang steil zu einer großen Kiesgrube ab, auf der anderen Seite strömte der Fluss.

Das Haus war Anfang der sechziger Jahre als schlichte braune Jagdhütte erbaut worden. Später war sie erweitert und mit weißen, geschnitzten Fensterrahmen und reichem Schnitzwerk über dem Eingang verziert worden. Sie sah aus wie ein brauner Schuhkarton, der sich als Hexenhäuschen verkleidet hat. Neben dem Haus gab es einen länglichen, falunroten Holzanbau mit Blechdach. Ein einziges Sprossenfenster mit einfachem Glas. Holzschuppen, Vorratshaus und alte Scheune, tippte Anna-Maria. Früher musste hier ein anderes Wohnhaus gestanden haben. Dann wurde es abgerissen und durch die Jagdhütte ersetzt. Die Scheune aber hatten sie stehen lassen.

Sie fuhr langsam auf den Hofplatz. Vor dem Auto sprangen drei Hunde bellend herum. Einige Hühner flatterten auf und suchten hinter einem Johannisbeerstrauch Schutz. Am Zaunpfosten stand eine Katze starr vor Konzentration und sprungbereit vor einem Wühlmausbau. Nur ein irritiertes Peitschen mit dem Schwanz verriet, dass sie den lärmenden Ford Escort registriert hatte.

Anna-Maria hielt vor dem Haus. Durch das Seitenfenster blickte sie in den Rachen der Hunde, die vor der Autotür herumsprangen. Ihre Schwänze wirbelten hin und her, aber trotzdem. Einer war riesengroß. Und außerdem war er schwarz. Sie stellte den Motor ab.

Eine Frau kam aus dem Haus und trat auf die Vortreppe. Sie trug einen unbeschreiblich scheußlichen barbierosa Steppmantel. Sie rief die Hunde.

»Hierher!«

Sofort ließen die Hunde das Auto in Ruhe und stürmten die Treppe hoch. Die Frau befahl den Hunden, Sitz zu machen, und kam auf das Auto zu. Anna-Maria stieg aus und stellte sich vor.

Lisa Stöckel war um die fünfzig. Sie war ungeschminkt. Ihr Gesicht war nach dem Sommer sonnenbraun. Um ihre Augen, die sie in der hellen Sonne so oft zusammengekniffen hatte, hatten sich feine weiße Striche gebildet. Ihre Haare waren sehr kurz, einen Millimeter kürzer und sie hätten wie eine Wurzelbürste gewirkt.

Fesch, dachte Anna-Maria. Wie ein Cowgirl. Sofern man sich ein Cowgirl in diesem rosa Mantel vorstellen kann.

Der Mantel war wirklich grauenhaft. Er war von Tierhaaren bedeckt, und aus vielen kleinen Löchern und Rissen schaute das weiße Futter hervor.

Und Girl hin oder her. Natürlich kannte Anna-Maria Frauen um die fünfzig, die sich zu Mädchenfesten trafen und noch als Mädel ins Grab sinken würden, aber Lisa Stöckel war kein Girl. Etwas in ihren Augen gab Anna-Maria das Gefühl, dass sie auch nie eines gewesen war, nicht einmal als kleines Mädchen.

Und dann gab es eine fast unmerkliche Linie, die vom Augenwinkel unter dem Auge entlang und dann über den Wangenknochen verlief. Ein dunkler Schatten unter dem Auge.

Schmerz, dachte Anna-Maria. Im Körper oder in der Seele.

Sie gingen zusammen zum Haus hoch. Die Hunde lagen auf der Treppe und fiepten eifrig; sie wollten aufstehen und den Gast begrüßen.

»Halt!«, befahl Lisa Stöckel.

Damit waren die Hunde gemeint, aber Anna-Maria gehorchte ebenfalls.

»Haben Sie Angst vor Hunden?«

»Nein, nicht wenn ich weiß, dass sie nichts tun«, sagte Anna-Maria und schaute das große schwarze Tier an.

Die lange schmale Zunge, die wie ein Schlips aus seinem Maul hing. Pfoten wie ein Löwe.

»Na gut, in der Küche liegt auch noch eine, aber sie ist lammfromm. Das sind die hier auch, sie sind einfach eine Bande von Straßenbengels ohne Manieren. Gehen Sie schon mal rein.«

Sie öffnete Anna-Maria die Tür, und die trat in die Diele.

»Ihr verdammten Mafiosi«, sagte Lisa Stöckel liebevoll zu den Hunden. Dann hob sie den Arm und rief: »Los!«

Die Hunde sprangen auf, ihre Krallen zogen lange Kratzer in das Holz, als sie losrannten, sie nahmen die Treppe mit einem einzigen glücklichen Sprung und jagten über den Hofplatz davon.

Anna-Maria stand in der engen Diele und sah sich um. Den halben Platz nahmen zwei Hundebetten ein. Außerdem standen dort ein großer Trinknapf aus Edelstahl, Gummistiefel, normale Stiefel, Turnschuhe und Goretexschuhe. Es gab kaum genug Platz für sie und Lisa Stöckel gleichzeitig. Die Wände waren von Haken und Regalen bedeckt. Es hingen dort mehrere Hundeleinen, Arbeitshandschuhe, Mützen und Fäustlinge, Blaumänner und anderes. Anna-Maria überlegte, wohin sie ihre Jacke hängen sollte, alle Haken waren belegt, die Kleiderbügel ebenfalls.

»Legen Sie die Jacke über den Küchenstuhl«, sagte Lisa Stöckel. »Sonst ist sie nachher voller Haare. Nein, um Himmels willen, behalten Sie die Schuhe an.«

Von der Diele aus führte eine Tür ins Wohnzimmer und eine in die Küche. Im Wohnzimmer standen mehrere mit Büchern gefüllte Bananenkartons. Bücherstapel bedeckten den Boden. Das Bücherregal aus dunklem Holz mit einem Glasfach stand verstaubt und leer vor der einen Längswand.

»Wollen Sie umziehen?«, fragte Anna-Maria.

»Nein, ich wollte nur… Man sammelt so viel Müll an. Und Bücher, die fangen doch auch nur Staub.«

Die Küche war mit schweren Möbeln aus bereits abgewetzter,

lackierter Kiefer eingerichtet. Auf einer rustikalen Bank schlief ein schwarzer Labrador. Die Hündin erwachte, als die beiden Frauen die Küche betraten, und schlug zur Begrüßung mit dem Schwanz auf ihre Kissen. Dann ließ sie den Kopf wieder sinken und schlief weiter.

Lisa stellte den Hund als Majken vor.

»Sie können mir sicher erzählen, wie sie war«, sagte Anna-Maria, nachdem sie Platz genommen hatten. »Ich weiß ja, dass Sie im Frauennetzwerk Magdalena zusammengearbeitet haben.«

»Ich habe doch dem Kollegen schon alles gesagt ... einem ziemlich großen Burschen mit so einem Schnurrbart.«

Lisa Stöckel hielt sich die Hand zwanzig Zentimeter vor die Oberlippe. Anna-Maria lächelte.

»Sven-Erik Stålnacke.«

»Ja.«

»Können Sie es noch einmal erzählen?«

»Wo soll ich anfangen?«

»Wie haben Sie einander kennen gelernt?«

Anna-Maria musterte Lisa Stöckels Gesicht. Wenn Menschen sich auf der Suche nach einem gewissen Ereignis in ihr Gedächtnis zurückzogen, ließ ihre Aufmerksamkeit oft nach. Es sei denn, es handelte sich um ein Ereignis, über das sie Lügen vorbringen wollten. Ab und zu vergaßen sie dann ihr Gegenüber für einen Moment. Über Lisa Stöckels Gesicht huschte ein sekundenschnelles Lächeln. Für einen Moment wurde es weicher. Sie hatte die Pastorin sehr gern gehabt.

»Vor sechs Jahren. Sie war gerade in das Pfarrhaus gezogen. Und im Herbst sollte sie für die Jugendlichen hier und in Jukkasjärvi mit dem Konfirmandenunterricht beginnen. Und sie ist an die Sache rangegangen wie ein Jagdhund. Hat alle Eltern der Kinder, die sich nicht angemeldet hatten, aufgespürt. Hat sich vorgestellt und erzählt, warum sie den Konfirmandenunterricht so wichtig fand.«

»Und warum fand sie ihn so wichtig?«, fragte Anna-Maria, die fand, dass der ihre ihr vor hundert Jahren rein gar nichts gebracht hatte.

»Mildred fand, die Kirche sollte ein Treffpunkt sein. Es kam ihr nicht so darauf an, ob die Menschen gläubig waren oder nicht, das mussten sie mit Gott ausmachen. Aber wenn sie sie zu Taufe, Konfirmation, Hochzeit und den hohen Festen in die Kirche locken konnte, damit die Menschen sich trafen und sich dort so sehr zu Hause fühlten, dass sie in schwereren Zeiten zurückkehren würden, dann… und wenn über jemanden gesagt wurde, ›aber der glaubt doch gar nicht, es wäre doch falsch, wenn er das nur wegen der Geschenke macht‹, dann sagte sie, Geschenke wären doch wunderbar, und Jugendliche lernten niemals gern, weder in der Schule noch in der Kirche, aber es gehöre nun mal zur Allgemeinbildung zu wissen, warum wir Weihnachten, Ostern, Pfingsten und Christi Himmelfahrt feiern und wie die Evangelisten heißen.«

»Und Sie hatten also einen Sohn oder eine Tochter, die…«

»Nein, nein. Oder doch, ich habe eine Tochter, aber die war schon Jahre vorher konfirmiert worden. Sie arbeitet unten im Ort im Restaurant. Nein, es ging um den Sohn meines Vetters, Teddy. Er ist entwicklungsgestört, und Lars-Gunnar wollte ihn nicht konfirmieren lassen. Also wollte sie über ihn sprechen. Möchten Sie Kaffee?«

Anna-Maria nahm dankend an.

»Sie schien die Leute ganz schön zu provozieren«, sagte sie.

Lisa Stöckel zuckte mit den Schultern.

»Sie war nur so… immer geradeheraus. Bei ihr gab es irgendwie keinen Rückwärtsgang.«

»Wie meinen Sie das?«, fragte Anna-Maria.

»Ich meine, dass sie niemals um die Dinge herumredete. Es gab keinen Raum für Diplomatie oder Schmeicheleien. Wenn ihr etwas nicht richtig erschien, dann legte sie einfach los und brachte es in Ordnung.«

Wie damals, als sie die gesamten Friedhofsangestellten gegen sich aufbrachte, dachte Lisa.

Sie kniff die Augen zusammen. Aber die Bilder aus ihrem Kopf wollten nicht so einfach verschwinden. Zuerst sah sie zwei Zitronenfalter, die über duftender Sandschaumkresse umeinander herumflogen. Dann die Zweige der Trauerbirke, die sanft im Wind des warmen Sommerflusses hin und her pendelten. Und dann Mildreds Rücken. Ihren Marsch zwischen den Grabsteinen. Tramp, tramp, tramp über den Kies.

Lisa läuft hinter Mildred her über den Friedhof von Poikkijärvi.

Ganz hinten sitzen die Friedhofsangestellten und machen Kaffeepause. Sie machen sehr oft Pause, fast ununterbrochen. Sie arbeiten nur, wenn der Probst sie sehen kann. Aber niemand wagt, mehr von ihnen zu verlangen. Wenn man diese Bande gegen sich aufbringt, dann muss man auf einem Lehmhügel stehen, wenn eine Beerdigung stattfinden soll. Oder einen zwei Meter entfernten Motormäher übertönen. Im Winter in eiskalten Kirchen predigen. Der Probst, dieser blöde Trottel, rührt keinen Finger. Er hat keinen Grund dazu, sie sind nicht dumm genug, sich mit ihm anzulegen.

»Mach jetzt keinen Ärger«, bittet Lisa.

»Ich mach keinen Ärger«, sagt Mildred.

Und das meint sie wirklich ernst.

Mankan Kyrö sieht sie als Erster. Er ist der inoffizielle Leiter der Gruppe. Der eigentliche Leiter hat kein Interesse. Mankan schon. Und mit ihm soll Mildred keinen Streit anfangen.

Sie kommt sofort zur Sache. Die anderen hören voller Interesse zu.

»Das Kindergrab«, sagt sie, »habt ihr das schon ausgehoben?«

»Wie meinst du das?«, fragt Mankan gelassen.

»Ich habe eben mit den Eltern gesprochen. Sie haben erzählt, dass sie sich eine Stelle mit Blick auf den Fluss da oben im nördlichen Teil ausgesucht haben, dass du ihnen aber abgeraten hast.«

Mankan Kyrö gibt keine Antwort. Er spuckt Tabaksaft ins Gras und sucht in seiner Hosentasche nach der Tabaksdose.

»Du hast ihnen gesagt, dass die Wurzeln der Trauerweide durch den Sarg und durch den Leichnam des Babys wachsen würden«, sagt Mildred jetzt.

»Und würden sie das nicht?«

»Das passiert überall, wo man einen Sarg eingräbt, und das weißt du genau. Du wolltest bloß nicht da hinten unter den Birken graben, weil es steinig ist und es so viele Wurzeln gibt. Es ist dir ganz einfach zu anstrengend. Ich finde es unfassbar, dass dir deine eigene Bequemlichkeit so wichtig ist, dass du es vertretbar findest, ihnen solche Bilder in den Kopf zu setzen.«

Sie ist noch kein einziges Mal lauter geworden. Die anderen Männer starren zu Boden. Sie schämen sich. Und sie hassen die Pastorin, die sie dazu bringt, sich zu schämen.

»Ach, und was soll ich jetzt machen?«, fragt Mankan Kyrö. »Jetzt haben wir ein Grab ausgehoben – an einer besseren Stelle, wenn du mich fragst –, aber wir sollten sie vielleicht zwingen, ihr Kind da zu begraben, wo es dir passt.«

»Nicht doch. Jetzt ist es zu spät, du hast ihnen Angst gemacht. Du sollst nur wissen, wenn so etwas noch einmal vorkommt…«

Jetzt lacht er fast. Will sie ihm drohen?

»… dann stellst du meine Liebe zu dir auf eine zu harte Probe«, endet sie und geht.

Lisa läuft hinter ihr her. Rasch, damit sie die Kommentare hinter sich nicht anhören muss. Sie kann sie sich vorstellen. Wenn die Pastorin im Bett von ihrem Kerl bekäme, was sie braucht, dann würde sie sich vielleicht beruhigen.

»Wen hat sie also provoziert?«, fragte Anna-Maria.

Lisa zuckte mit den Schultern und schaltete die Kaffeemaschine ein.

»Wo soll ich anfangen? Den Rektor der Schule in Jukkasjärvi, weil sie verlangte, dass er sich mit dem Mobbing an der Schule auseinander setzt, die Tanten vom Sozialamt, weil sie sich in deren Arbeit eingemischt hat.«

»Wieso das?«

»Tja, im Pfarrhaus wohnten doch immer Frauen mit Kindern, die ihre Männer verlassen hatten...«

»Sie hatte eine Stiftung für diese Wölfin ins Leben gerufen«, sagte Anna-Maria. »Darüber gab es doch lebhafte Diskussionen.«

»Mmm, ich habe kein Brot und keine Milch, Sie müssen ihn schwarz trinken.«

Lisa Stöckel stellte Anna-Maria einen angeschlagenen Becher mit Reklameaufdruck hin.

»Der Probst und einige andere Geistliche konnten sie auch nicht ausstehen.«

»Warum nicht?«

»Tja, unseretwegen, wegen uns Frauen in Magdalena, unter anderem. Wir sind fast zweihundert Personen in diesem Netzwerk. Und es gab sehr viele, die sie gern mochten, ohne Mitglied zu sein, viele Männer sogar, auch wenn Sie sicher das Gegenteil gehört haben. Wir haben mit ihr die Bibel studiert. Haben die Gottesdienste besucht, in denen sie gepredigt hat. Und haben praktische Arbeit geleistet.«

»Was denn zum Beispiel?«

»Sehr viel. Kochen. Wir haben uns überlegt, was wir konkret für alleinstehende Mütter tun könnten. Sie fanden es so hart, dass sie immer mit den Kindern allein waren, und ihre ganze Zeit schon für die praktischen Aufgaben vertan war. Arbeiten, einkaufen, putzen, kochen, und dann gab es nur noch den Fernseher. Also haben wir von Montag bis Mittwoch im Gemeindehaus in der Stadt für gemeinsames Essen gesorgt und hier draußen im Pfarrhaus donnerstags und freitags. Die Frauen müssen da manchmal mithelfen, sie bezahlen zwanzig Kronen für eine Erwachsene und fünfzehn für ein Kind. Sie brauchen dann einige Male in der Woche nicht einzukaufen oder zu kochen. Ab und zu passen sie gegenseitig auf die Kinder auf, damit sie zum Sport gehen können oder einfach in Ruhe in die Stadt. Mildred war immer sehr für praktische Lösungen.«

Lisa lachte kurz und fuhr dann fort: »Es war lebensgefährlich, ihr zu sagen, dass irgendwo in der Gemeinde etwas nicht stimmte. Dann schnappte sie zu wie ein Hecht: Was können wir machen? Ehe man sich versah, musste man auch schon zupacken. Das Netzwerk Magdalena war eine verschworene Bande, welcher Pastor hätte so etwas nicht gern in seiner Nähe?«

»Die anderen Geistlichen waren also neidisch?«

Lisa zuckte mit den Schultern.

»Sie haben gesagt, dass Magdalena eine verschworene Bande war. Gibt es das Netzwerk nicht mehr?«

Lisa schaute die Tischplatte an.

»Doch, schon.«

Anna-Maria nahm an, dass sie noch mehr sagen würde, aber Lisa Stöckel schwieg verbissen.

»Wer hat ihr nahe gestanden?«, fragte Anna-Maria.

»Wir in der Leitung von Magdalena, nehme ich an.«

»Ihr Mann?«

Eine leichte Bewegung der Iris, Anna-Maria hatte sie registriert. Lisa Stöckel, es gibt etwas, das du für dich behältst, dachte sie.

»Natürlich«, sagte Lisa Stöckel.

»Wurde sie bedroht, oder hatte sie Angst?«

»Sie hatte vermutlich einen Tumor oder etwas, das auf den Teil des Gehirns drückte, wo die Angst sitzt ... nein, sie hatte keine Angst. Und bedroht ... nein, nicht mehr als früher. Es gab doch immer Leute, die es für nötig hielten, ihre Autoreifen aufzuschlitzen oder ihre Fenster einzuwerfen ...«

Lisa Stöckel schaute Anna-Maria wütend an.

»Sie hatte solche Vorfälle schon lange nicht mehr angezeigt. Viel Ärger um nichts, es lässt sich ja niemals etwas beweisen, auch wenn man ganz genau weiß, wer es war.«

»Aber Sie können mir vielleicht einige Namen nennen«, sagte Anna-Maria.

Eine Viertelstunde später setzte Anna-Maria Mella sich in ihren Ford Escort und fuhr los.

Warum gibt man alle seine Bücher weg, überlegte sie.

Lisa Stöckel stand am Küchenfenster und sah Anna-Marias Wagen in öligem Rauch unten am Hang verschwinden. Dann setzte sie sich neben den schlafenden Labrador auf die Küchenbank. Sie streichelte Hals und Brust der Hündin so, wie eine Hündin ihre Jungen leckt, um sie zu beruhigen. Die Hündin erwachte und schlug einige Male voller Zuneigung mit dem Schwanz.

»Was ist mit dir, Majken«, fragte Lisa. »Du stehst ja gar nicht mehr auf, um die Leute zu begrüßen.«

Ihre Stimmbänder verschnürten sich zu einem schmerzenden Knoten. Unter ihren Augenlidern wurde es heiß. Dort lagen Tränen. Aber die durften nicht herauskommen.

Sie muss arge Schmerzen haben, dachte sie.

Lisa sprang auf.

Ach, Gott, Mildred, dachte sie. Verzeih mir. Bitte, verzeih. Ich versuche ja, alles richtig zu machen, aber ich habe Angst.«

Sie brauchte Luft, plötzlich war ihr schlecht. Sie lief auf die Treppe hinaus und übergab sich dort.

Sofort waren die Hunde da. Wenn sie das Erbrochene nicht selbst haben wollte, würden sie sich gern darum kümmern. Sie schob sie mit dem Fuß weg.

Diese verdammte Polizistin. Sie war einfach in ihren Kopf gestiegen und hatte ihn wie ein Bilderbuch geöffnet. Mildred auf jeder Seite. Sie wollte sich diese Bilder nicht mehr ansehen. Wie das vom ersten Zusammentreffen, vor sechs Jahren. Sie erinnerte sich gut, wie sie bei den Kaninchenställen stand. Die mussten gefüttert werden. Kaninchen, weiß, grau, schwarz, gefleckt, erhoben sich auf die Hinterbeine und pressten ihre Näschen durch den Maschendraht. Sie verteilte Pellets und schrumplige Möhrenstücke und andere Hackfrüchte auf kleine Tongefäße. War ein wenig traurig, weil die Kaninchen bald unten im Restaurant im Kochtopf landen würden.

Dann steht sie hinter ihr, die Pastorin, die ins Pfarrhaus eingezogen ist. Sie sind sich noch nicht begegnet. Lisa hat sie nicht kommen hören. Mildred Nilsson ist eine Frau ihres Alters. Irgendwo um die fünfzig. Sie hat ein blasses kleines Gesicht. Ihre Haare sind lang und dunkelbraun. Lisa wird noch sehr oft hören, dass Mildred als unscheinbar bezeichnet wird. Als »nicht schön, aber...« Lisa wird das niemals verstehen.

In ihr passiert etwas, als sie die schmale Hand ergreift, die ihr hingestreckt wird. Sie muss ihrer eigenen Hand befehlen loszulassen. Die Pastorin redet. Sogar ihr Mund ist klein. Schmale Lippen. Wie eine kleine rote Himbeere. Und während der Himbeermund redet und redet, singen die Augen ein schönes Lied. Über etwas ganz anderes.

Zum ersten Mal seit – ja, sie weiß schon gar nicht mehr, seit wann – hat Lisa Angst, die Wahrheit könnte ihr anzusehen sein. Sie hätte gern einen Spiegel, um das zu überprüfen. Und dabei hat sie ihr Geheimnis ihr Leben lang gehütet. Und kennt die Wahrheit darüber, das schönste Mädchen in der Stadt zu sein. Sie hat zwar davon erzählt, wie es war, immer wieder zu hören »sieh dir diese Titten an«. Wie es sie dazu gebracht hat, sich zu krümmen und sich Rückenprobleme zuzulegen. Aber es gibt noch andere Dinge, tausend Geheimnisse.

Bengt, der Vetter ihres Vaters, als sie dreizehn war. Er packte ihre Haare und wickelte sie um seine Hand. Ihre ganze Kopfhaut schien sich zu lösen. Halt die Fresse, fauchte er ihr ins Ohr. Er zerrte sie auf die Toilette. Schlug ihren Kopf gegen die Fliesen, damit ihr klar wurde, dass er das alles ernst meinte. Mit der anderen Hand knöpfte er ihre Jeans auf. Die Familie saß unten im Wohnzimmer.

Sie hielt die Fresse. Sagte niemals etwas. Schnitt sich die Haare ab.

Oder das letzte Mal in ihrem Leben, als sie Schnaps getrunken hatte, am Mittsommerabend 1965. Sie war wie bewusstlos. Und da waren drei Jungen aus der Stadt. Zwei von ihnen wohnen noch in Kiruna, vor nicht allzu langer Zeit ist ihr einer im Supermarkt über den Weg gelaufen. Aber die Erinnerung daran hat sie wie einen Stein in einen Brunnen fallen lassen, es ist wie ein lange zurückliegender Traum.

Und dann gibt es die Jahre mit Tommy. Damals, als er mit seinen Vettern aus Lannavaara gezecht hatte. Es war Ende September. Mimmi kann nicht mehr als drei, vier Jahre alt gewesen sein. Das Eis war noch nicht fest. Und sie hatten ihm eine alte Fischgabel geschenkt. Total wertlos, er begriff nur nie, dass sie sich immer wieder über ihn lustig machten. Gegen Morgen hatte er sie angerufen. Sie hatte ihn mit dem Wagen abgeholt, ihn überreden wollen, die Gabel dazulassen, aber er hatte es geschafft, sie ins Auto zu bugsieren. Er hatte das Fenster heruntergekurbelt und hielt die Gabel hinaus. Lachte und stieß damit in die Dunkelheit.

Zu Hause wollte er dann gleich fischen gehen. Es würde erst in zwei Stunden hell werden. Sie musste mitkommen, darauf bestand er. Rudern und die Taschenlampe halten. Die Kleine schläft doch, sagte er. Genau, sagte er. Sie würde noch mehr als zwei Stunden schlafen. Sie wollte ihn überreden, eine Schwimmweste anzuziehen, aber er weigerte sich.

»Mann, was bist du ordentlich geworden«, sagte er. »Verdammt, da ist man ja neuerdings mit der prüden Annika verheiratet.«

Das mit der prüden Annika fand er offenbar komisch. Auf dem See wiederholte er es immer wieder. »Prüde Annika«, »ein wenig näher zur Landspitze, Annika«.

Dann fiel er ins Wasser. Plopp machte es, und einige Sekunden darauf kratzte er an der Reling und versuchte sich festzuhalten. Eiskaltes Wasser, finstere Nacht. Er schrie nicht. Atmete und schnaufte vor Anstrengung.

Ach, diese Sekunde. Als sie sich ernstlich überlegte, was sie tun sollte. Nur einen kleinen Ruderschlag von ihm fort. Einfach das Boot außer Reichweite gleiten lassen. Bei dem vielen Schnaps, den er intus hatte. Wie lange würde es dauern? Fünf Minuten vielleicht.

Dann zog sie ihn herauf. Das war nicht leicht, fast wäre sie selber über Bord gegangen. Die Gabel fanden sie nicht wieder. Vielleicht war sie versunken. Vielleicht in der Dunkelheit davongetrieben. Sauer war er deshalb jedenfalls. Und auch wütend auf sie, obwohl er ihr doch sein Leben verdankte. Sie merkte, wie gern er ihr eine gescheuert hätte.

Niemals hatte sie irgendwem von der kalten Lust erzählt, die es ihr bereitet hätte, ihn sterben zu sehen. Ertrinken wie ein Kätzchen in einer Tüte.

Und jetzt steht sie hier mit der neuen Pastorin. Sie kommt sich ganz und gar komisch vor. Die Augen der Pastorin sind in sie hineingetreten.

Noch ein Geheimnis, das sie in den Brunnen fallen lassen kann. Es fällt. Liegt da und funkelt wie ein Schmuckstück zwischen all dem Müll.

BALD WAR ES drei Monate her, dass seine Frau ermordet aufgefunden worden war. Erik Nilsson stieg vor dem Pfarrhaus aus seinem Skoda. Es war zwar jetzt schon September, aber noch immer warm. Der Himmel unangenehm blau und wolkenlos. Das Licht messerscharf.

Er hatte bei der Arbeit vorbeigeschaut. Es hatte gut getan, die Kollegen zu treffen. Sie waren ja wie eine zweite Familie. Bald würde er wieder hingehen. Und an etwas anderes denken können.

Er sah die Blumentöpfe an, die neben der Treppe und vor der Tür standen. Vertrocknete Blüten hingen über den Rand. Er dachte, dass er sie ins Haus holen müsste. Schon bald würde das Gras vom Frost knistern, und die Töpfe würden von der Kälte gesprengt.

Er hatte unterwegs eingekauft. Schloss die Tür auf, nahm die Tüten und drückte die Klinke mit dem Ellbogen nach unten.

»Mildred!«, rief er, als er ins Haus trat.

Dann blieb er stehen. Es war ganz still. Das Haus war hundertachtzig Quadratmeter Stille. Die ganze Welt hielt den Mund. Das Haus schwebte wie ein leeres Fahrzeug durch ein stummes, blendend helles Universum. Das Einzige, was er hörte, war die Erde, die sich knirschend um ihre Achse drehte. Warum um alles in der Welt hatte er Mildred gerufen?

Als sie noch gelebt hatte, hatte er immer gewusst, ob sie zu Hause war oder nicht. Sowie er das Haus betreten hatte. Und das sei doch ganz normal, hatte er immer gesagt. Säuglinge konnten ihre Mutter doch auch dann riechen, wenn sie sich in einem anderen Zimmer aufhielt. Und als Erwachsener büßt man diese Fähigkeit nicht ein. Nur ist sie uns dann nicht mehr bewusst. Und deshalb reden wir von Intuition oder sechstem Sinn.

Ab und zu hatte er noch immer dieses Gefühl, wenn er nach Hause kam. Dass sie irgendwo in der Nähe war. Die ganze Zeit im Nebenzimmer.

Er ließ die Tüten auf den Boden fallen. Trat hinein ins Schweigen.

Mildred, rief es in seinem Kopf.

In diesem Moment klingelte es an der Tür.

Es war eine Frau. Sie trug einen langen, figurbetonten Mantel und Stiefel mit hohen Absätzen. Sie gehörte hier nicht hin, selbst in Unterwäsche hätte sie nicht auffälliger aussehen können. Sie zog den rechten Handschuh aus und hielt ihm die Hand hin. Stellte sich als Rebecka Martinsson vor.

»Kommen Sie herein«, sagte er und fuhr sich unbewusst mit der Hand über Bart und Haare.

»Danke, das ist nicht nötig, ich wollte nur…«

»Kommen Sie herein«, sagte er und ging vor ihr her.

Er sagte, sie solle die Schuhe anbehalten, und bat sie, in der Küche Platz zu nehmen. Die war aufgeräumt. Als Mildred noch lebte, hatte er gekocht und aufgeräumt, warum sollte er jetzt damit aufhören? Das Einzige, was er nicht anrührte, waren ihre Habseligkeiten. Noch immer lag ihre rote Jacke auf dem Küchensofa. Ihre Papiere und ihre Post stapelten sich auf der Anrichte.

»Also«, sagte er freundlich.

Das konnte er gut. Frauen gegenüber freundlich sein. Im Lauf der Jahre hatten so viele hier an diesem Küchentisch gesessen. Einige hatten ein Kind auf dem Schoß gehabt und eins, das daneben stand und sich mit festem Griff an Mamas Pullover festhielt. Andere waren nicht vor einem Mann geflohen, sondern eher vor sich selbst. Sie konnten die Einsamkeit ihrer Wohnung in Lombolo nicht ertragen. Diese Frauen standen auf der Treppe draußen und rauchten in der Kälte eine Zigarette nach der anderen.

»Mich schicken die Arbeitgeber Ihrer Frau«, sagte Rebecka Martinsson.

Erik Nilsson hatte sich gerade setzen oder ihr vielleicht Kaffee anbieten wollen. Aber jetzt blieb er stehen. Als er schwieg, sagte sie: »Es geht um zwei Dinge. Zum einen möchte ich ihre Pfarrbüroschlüssel. Und dann geht es um Ihren Umzug.«

Er schaute aus dem Fenster. Sie redete weiter, jetzt war sie diejenige, die ruhig und freundlich war. Sie teilte ihm mit, dass das Pfarrhaus eine Dienstwohnung sei, dass die Kirche ihm bei der Suche nach einer neuen Unterkunft helfen und eine Spedition anheuern könne.

Er atmete schwer. Er kniff den Mund zusammen. Jeder Atemzug war als Schnaufen zu hören.

Jetzt musterte er sie voller Abscheu. Sie schaute die Tischplatte an.

»Pfui Teufel«, sagte er. »Pfui Teufel, da wird einem doch schlecht. Kann Stefan Wikströms Frau sich nicht mehr gedulden? Die hat es nie ertragen können, dass Mildred das größere Pfarrhaus hatte.«

»Hören Sie, das weiß ich nicht. Ich …«

Er schlug mit der Handfläche auf den Tisch.

»Ich habe alles verloren!«

Er machte mit der Faust eine Bewegung in der Luft, die mitteilen sollte, dass er sich zusammenriss, um nicht die Beherrschung zu verlieren.

»Warten Sie«, sagte er.

Er verließ die Küche. Rebecka hörte seine Schritte auf der Treppe und dann im ersten Stock. Nach einer Weile kam er zurück und ließ den Schlüsselbund auf den Tisch fallen wie eine Tüte voll Hundekot.

»Sonst noch was?«, fragte er.

»Der Umzug«, mahnte sie.

Und jetzt blickte sie ihm in die Augen.

»Wie fühlen Sie sich eigentlich?«, fragte er. »Was ist das denn für ein Gefühl, in dieser reizenden Kleidung so einen Beruf auszuüben?«

Sie erhob sich. Etwas in ihrem Gesicht veränderte sich, es war sofort vorbei, aber er hatte es hier im Pfarrhaus schon so oft gesehen. Die stumme Qual. Er sah die Antwort in ihren Augen. Hörte sie ebenso deutlich, als wenn sie es laut gesagt hätte: wie eine Hure.

Sie hob mit steifen Bewegungen ihre Handschuhe vom Tisch auf, langsam, als müsse sie sie zählen, um keinen zu vergessen. Eins, zwei. Dann packte sie den großen Schlüsselbund.

Erik Nilsson seufzte tief und fuhr sich mit der ganzen Hand über das Gesicht.

»Entschuldigen Sie«, sagte er. »Mildred hätte mir einen Tritt in den Hintern verpasst. Was ist heute für ein Tag?«

Als sie keine Antwort gab, fügte er hinzu: »Eine Woche, in einer Woche bin ich hier weg.«

Sie nickte. Er folgte ihr zur Tür. Versuchte, etwas zu sagen, es war nicht gerade die passende Gelegenheit, um ihr Kaffee anzubieten.

»Eine Woche«, sagte er zu ihrem Rücken, als sie das Haus verließ.

Als ob ihr das eine Freude hätte machen können.

Rebecka ging mit unsicheren Schritten aus dem Pfarrhaus. Aber das kam ihr nur so vor. Sie schwankte eigentlich überhaupt nicht. Beine und Füße trugen sie mit festen Schritten vom Haus weg.

Ich bin nichts, dachte sie. In mir ist nichts mehr übrig. Kein Mensch, kein Urteilsvermögen, nichts. Ich tue, was mir aufgetragen wird. Natürlich. Die Kanzlei ist doch das Einzige, was ich noch habe. Ich sage mir, dass ich die Vorstellung zurückzugehen nicht ertragen kann. Aber ich kann es noch viel weniger ertragen, am Rand zu landen. Ich würde alles tun, wirklich alles, um dazuzugehören.

Sie steuerte den Briefkasten an und bemerkte den roten Ford

Escort, der den Kiesweg hochkam, erst, als er langsamer wurde und zwischen die Torpfosten fuhr.

Der Wagen hielt.

Ein elektrischer Stoß durchfuhr Rebecka.

Polizeiinspektorin Anna-Maria Mella stieg aus dem Auto. Sie hatten sich kennen gelernt, als Rebecka Sanna Strandgårds Verteidigung übernommen hatte. Und Anna-Maria und ihr Kollege Sven-Erik Stålnacke hatten Rebecka in jener Nacht das Leben gerettet.

Damals war Anna-Maria schwanger und geradezu viereckig gewesen, jetzt war sie schlank. Aber breitschultrig. Sie sah stark aus, obwohl sie so klein war. Sie trug noch immer denselben dicken Zopf. Weiße regelmäßige Zähne in dem braun gebrannten Pferdegesicht. Ein Polizeipony.

»Hallo!«, rief Anna-Maria Mella.

Dann verstummte sie. Sie sah aus wie ein Fragezeichen.

»Ich...«, sagte Rebecka, wusste nicht weiter und nahm wieder Anlauf. »Meine Kanzlei verhandelt gerade mit schwedischen Kirchengemeinden, wir hatten hier eine Besprechung und... ja, da gab es noch ein paar Dinge, bei denen sie Hilfe brauchten, was das Pfarrhaus betrifft, und da wir ja ohnehin schon hier waren, habe ich gleich noch...«

Sie beendete den Satz mit einem Nicken zum Haus hinüber.

»Aber das hat nichts zu tun mit...«, fragte Anna-Maria.

»Nein, als ich hergekommen bin, wusste ich nicht einmal... Nein. – Was ist es geworden?«, fragte Rebecka und versuchte, ein Lächeln in ihr Gesicht zu zwingen.

»Ein Junge. Ich habe gerade wieder mit der Arbeit angefangen, ich ermittle im Mordfall Mildred Nilsson.«

Rebecka nickte. Sie schaute zum Himmel hoch. Der war ganz leer. Der Schlüsselbund in ihrer Tasche wog eine Tonne.

Was bin ich, überlegte sie. Ich bin nicht krank. Ich habe keine Krankheit. Ich bin nur faul. Faul und verrückt. Ich habe nichts zu sagen. Das Schweigen frisst sich in mich hinein.

»Komische Welt, in der wir leben, was?«, fragte Anna-Maria. »Zuerst Viktor Strandgård und jetzt Mildred Nilsson.«

Wieder nickte Rebecka. Anna-Maria lächelte. Das Schweigen der anderen schien ihr überhaupt nichts auszumachen, aber jetzt wartete sie geduldig darauf, dass Rebecka doch etwas sagte.

»Was glaubst du selbst?«, brachte Rebecka heraus. »Kann da jemand ein Album über den Mord an Viktor angelegt und beschlossen haben, der Sache eine zweite Folge hinzuzufügen?«

»Vielleicht.«

Anna-Maria schaute in eine Tanne hoch. Hörte ein Eichhörnchen den Stamm hinauflaufen, sah es aber nicht. Es war auf der anderen Seite, erreichte den Wipfel und ließ dort oben die Zweige rascheln.

Vielleicht hatte irgendein Irrer sich von Viktor Strandgårds Tod inspirieren lassen. Oder es war jemand gewesen, der sie gekannt hatte. Der gewusst hatte, dass sie in der Kirche Gottesdienst abhalten und wann sie zu ihrem Boot gehen würde. Sie hatte sich nicht gewehrt. Und warum hatte er sie aufgehängt? Im Mittelalter waren Köpfe auf Pfähle aufgespießt worden. Zur Warnung für andere.

»Wie geht es dir?«, fragte Anna-Maria.

Rebecka sagte, gut. Wirklich gut. Es sei danach natürlich zuerst schwierig gewesen, aber sie habe gute Hilfe gefunden. Anna-Maria antwortete, das sei doch gut, sehr gut.

Anna-Maria sah Rebecka an. Sie dachte an die Nacht, in der die Polizei zu der Hütte in Jiekajärvi gefahren war und Rebecka gefunden hatte. Sie selbst war nicht dabei gewesen, weil bei ihr bereits die Wehen eingesetzt hatten. Aber danach hatte sie oft davon geträumt. Im Traum fuhr sie mit dem Schneemobil durch Dunkelheit und Schneesturm. Rebecka lag blutend auf dem Schlitten. Der Schnee stob ihr ins Gesicht. Die ganze Zeit hatte sie schreckliche Angst, mit etwas zusammenzustoßen. Dann blieb sie stecken. Stand da in der Kälte. Das Schneemobil dröhnte ohnmächtig. Dann fuhr sie meistens mit einem Ruck aus dem Schlaf. Lag da und sah Gustav an, der zwischen ihr und Robert leise schnarchte.

Auf dem Rücken. Absolut geborgen. Die Arme in einem Winkel von neunzig Grad an der Seite, wie kleine Babys das so machen. Alles ging gut, dachte sie dann immer. Alles ging gut.

So verdammt gut ist das nun auch wieder nicht gegangen, dachte sie jetzt.

»Wirst du jetzt nach Stockholm zurückfahren?«, fragte sie.

»Nein, ich hab mir ein paar Tage freigenommen.«

»Du hast doch die Hütte deiner Großmutter in Kurravaara, wohnst du da?«

»Nein, ich … nein. Hier im Ort. Das Restaurant vermietet Hütten.«

»Du warst also noch nicht in Kurravaara?«

»Nein.«

Anna-Maria sah Rebecka forschend an.

»Wenn du willst, können wir zusammen hinfahren«, sagte sie.

Rebecka lehnte dankend ab. Sie habe bisher nur noch keine Zeit gehabt, erklärte sie. Sie verabschiedeten sich voneinander. Ehe sie sich trennten, sagte Anna-Maria: »Du hast diese Kinder gerettet.«

Rebecka nickte.

Damit kann ich mich nicht trösten, dachte sie.

»Was ist aus ihnen geworden?«, fragte sie. »Ich habe doch meinen Verdacht auf Missbrauch gemeldet.«

»Daraus ist wohl nichts geworden«, sagte Anna-Maria. »Und dann ist die ganze Familie ja weggezogen.«

Rebecka dachte an die Mädchen. Sara und Lova. Sie räusperte sich und versuchte, an etwas anderes zu denken.

»So was ist doch teuer für die Gemeinde«, sagte Anna-Maria. »Untersuchungen kosten Geld. Sich um Kinder zu kümmern kostet verdammt viel Geld. Prozesse vor Gericht kosten Geld. Vom Standpunkt der Kinder aus wäre es besser, wenn dieser ganze Apparat dem Staat unterstellt wäre. Aber jetzt ist es für die Gemeinde die beste Lösung, wenn das Problem wegzieht. Verdammt, ich habe schon Kinder aus einer zweiundfünfzig Quadratmeter großen Kriegszone geholt. Und dann hört man, dass die Gemeinde für die Familie eine Wohnung in Örkelljunga gekauft hat.«

Sie verstummte. Merkte, dass sie vor sich hin geplappert hatte, einfach weil Rebecka Martinsson eine Grenze erreicht zu haben schien.

Als Rebecka weiter auf das Lokal zuging, sah Anna-Maria hinter ihr her. Eine plötzliche Sehnsucht nach ihren Kindern überkam sie. Robert war mit Gustav zu Hause. Sie wollte die Nase an Gustavs weichen Kopf schmiegen, seine starken kleinen Kinderarme um den Hals spüren.

Dann holte sie Luft und richtete sich auf. Die Sonne im weißgelben Herbstgras. Das Eichhörnchen, das noch immer auf der anderen Straßenseite im Baumwipfel spielte. Sie konnte wieder lächeln. Sie waren nie weit weg. Jetzt würde sie mit Erik Nilsson sprechen, dem Mann der Pastorin. Dann würde sie zu ihrer Familie nach Hause fahren.

Rebecka Martinsson ging hinunter zum Restaurant. Jetzt sprach der Wald hinter ihr. Komm her, sagte er. Geh tief hinein. Ich habe kein Ende.

Sie konnte sich diese Wanderung vorstellen.

Schmale Tannen aus gehämmertem Kupfer. Der Wind in den Wipfeln hoch oben klingt wie rauschendes Wasser. Zweige, die durch die Flechten schwarz gebrannt aussehen. Die Geräusche unter ihren Füßen: das Knistern von trockenem Farn, das Knirschen der vom Specht zerhackten Tannenzapfen. Ab und zu eine weiche Nadelmatte entlang einer Tierfährte. Und dann sind nur dünne Zweige zu hören, die unter den Füßen brechen.

Man geht und geht. Zuerst sind die Gedanken im Kopf wie ein verwirrtes Garnknäuel. Die Zweige kratzen über ihr Gesicht oder fangen ihre Haare ein. Ein Faden nach dem anderen wird aus dem Knäuel gezogen. Bleibt an den Bäumen hängen. Fliegt im Wind davon. Am Ende ist der Kopf leer. Und man geht weiter. Durch den Wald. Über dampfende, duftende Moore, in denen die Füße einsinken und wo der Körper juckt. Einen Hang hoch. Frischer Wind. Kriechende Zwergbirken, glühend auf dem Boden. Dann legt man sich hin. Und dann fällt der Schnee.

Plötzlich fiel ihr ihre Kindheit ein. Diese Sehnsucht, wie eine Indianerin durch die Unendlichkeit zu streifen. Der Bussard, der über ihrem Kopf segelte. In ihren Träumen hatte sie einen Rucksack auf dem Rücken und schlief unter freiem Himmel. Immer war Jussi dabei, der Hund der Großmutter. Manchmal war sie mit dem Kanu unterwegs.

Sie dachte daran, wie sie im Wald gestanden hatte. Und ihren Vater gefragt hatte: »Wenn ich dahin gehe, wohin komme ich dann?« Und der Vater antwortete. Immer neue Poesie, abhängig davon, wohin der Finger zeigte und wo sie sich befanden. Tjålme. Latteluokta. Über den Rautasälv. Durch Vistasvagge über den Drachenrücken.

Sie musste stehen bleiben. Glaubte fast, sie sehen zu können. Es fiel ihr schwer, sich an das wirkliche Gesicht ihres Vaters zu erinnern. Weil sie zu viele Fotos von ihm gesehen hat. Die haben ihre eigenen Erinnerungen verdrängt. Aber das Hemd erkennt sie. Baumwolle, aber nach dem vielen Waschen seidenglatt. Weiß, darüber schwarze und rote Striche, die ein Karomuster bilden. Das Messer im Gürtel. Blankes, dunkles Leder. Der schön gemusterte Schaft aus Knochen. Sie selbst, erst sieben, das weiß sie sicher. Sie trägt eine blaue, maschinengestrickte Mütze aus Synthetik, mit einem Muster aus weißen Schneeflocken, dazu solide Stiefel. Ein kleines Messer auch in ihrem Gürtel. Eher zur Zierde. Sie hat aber auch versucht, es zu benutzen. Wollte damit schnitzen. Figuren. Wie Michel aus Lönneberga. Aber es ist nicht scharf genug. Wenn sie ein Messer braucht, dann muss sie Papas leihen. Das ist besser, wenn sie Holz zerteilen oder Grillspieße anspitzen will oder eben doch schnitzen, auch wenn nichts dabei herauskommt.

Rebecka schaute zu ihren hochhackigen Stiefeln von Lagersons hinunter.

Tut mir leid, sagte sie zum Wald. Heutzutage bin ich einfach falsch angezogen.

Micke Kiviniemi fuhr mit dem Lappen über den Tresen. Es war kurz nach vier Uhr am Dienstagnachmittag. Sein Übernachtungsgast, Rebecka Martinsson, saß einsam an einem Fenstertisch und schaute zum Fluss hinüber. Sie war zunächst der einzige Gast gewesen, hatte Elchgeschnetzeltes mit Kartoffelbrei und Mimmis Pilzsoße gegessen. Jetzt nippte sie ab und zu an ihrem Rotweinglas und schien die Blicke der Junggesellen nicht zu bemerken.

Die Junggesellen kamen immer als Erste. Samstags schon gegen drei Uhr, um zu essen, einige Biere zu trinken und die einsamen Stunden, bis es etwas Gescheites im Fernsehen gab, totzuschlagen. Malte Alajärvi saß da und kabbelte sich wie üblich mit Mimmi. Das tat er gern. Später würden die üblichen Abendgäste auftauchen, Bier trinken und sich Sportsendungen ansehen. Zu Micke kamen vor allem unverheiratete Männer. Aber es ließen sich auch einige Paare sehen. Und auch Mitglieder des Frauennetzwerkes. Es kam außerdem vor, dass die Angestellten aus der Touristeninformation von Jukkasjärvi mit dem Boot über den Fluss setzten und hier aßen.

»Was, zum Teufel, gibt's denn heute zu fressen?«, klagte Malte und zeigte auf die Speisekarte. »Gno…«

»Gnocchi«, sagte Mimmi. »Das sind kleine Kartoffelnudeln. Gnocchi mit Tomaten und Mozzarella. Und dazu gibt es entweder ein Stück Grillfleisch oder Hähnchen.«

Sie trat neben Malte und zog demonstrativ ihren Block aus der Schürzentasche.

Als ob sie den nötig hätte, dachte Malte. Sie konnte auch von Gruppen mit zwölf Personen Bestellungen annehmen und sich alles merken. Einfach unglaublich.

Er sah Mimmi an. Wenn er die Wahl zwischen ihr und Rebecka Martinsson hätte, dann würde Mimmi das Rennen um mehrere Pferdelängen gewinnen. Mimmis Mutter Lisa war in ihren jungen

Jahren ja auch eine Augenweide gewesen, das konnten die Jungs aus dem Ort bezeugen. Und Lisa war ja noch immer schön. Das ließ sich nur schwer verbergen, auch wenn sie immer hoffnungslose Klamotten trug und sich die Haare selbst schnitt. Mitten in der Nacht mit der Schafschere, wie Mimmi behauptete. Aber während Lisa ihre Schönheit nach besten Kräften verbarg, zeigte Mimmi ihre gern vor. Die Schürze eng um die Hüften gebunden. Die gesträhnten Haare, die sich unter ihrem winzigen Kopftuch hervorringelten. Enge schwarze Pullover mit großzügigem Ausschnitt. Und wenn sie sich vorbeugte, um den Tisch abzuwischen, konnte wer immer das wollte einen netten Blick in die Kluft zwischen ihren leicht wogenden Brüsten werfen, die von einem Spitzen-BH gehalten wurden. Der war immer rot, schwarz oder lila. Von hinten konnte man, wenn ihre Jeans nach unten rutschten, ein Stück der Echse sehen, die sie sich auf ihre rechte Hinterbacke hatte tätowieren lassen.

Ihm fiel ihre erste Begegnung ein. Sie hatte ihre Mutter besucht und angeboten, einen Abend lang auszuhelfen. Es gab jede Menge Essensgäste, und sein Bruder hatte sich wie üblich nicht blicken lassen, obwohl diese ganze Restaurantgeschichte eigentlich seine Idee gewesen war. Micke stand also einsam hinter der Bar. Mimmi bot an, ein bisschen Kneipenkost zu brutzeln und zu servieren. Das Gerücht verbreitete sich noch am selben Abend. Die Jungs liefen aufs Klo und riefen ihre Kumpels an. Alle kamen und wollten Mimmi sehen.

Und dann blieb sie. »Erst mal«, sagte sie immer vage, wenn er eine klare Auskunft wünschte. Wenn er es mit dem Argument versuchte, es wäre schön für die Firma, Bescheid zu wissen, damit sie für die Zukunft planen könnten, wurde ihr Tonfall patzig.

»Dann plan doch einfach ohne mich.«

Später, als sie miteinander im Bett gelandet waren, wagte er, diese Frage zu wiederholen. Wie lange sie bleiben würde.

»Bis sich etwas Besseres bietet«, sagte sie und grinste.

Und sie waren kein Paar, das hatte sie immerhin ganz deutlich gesagt. Er hatte selbst etliche Freundinnen gehabt. Mit einer hatte er sogar eine Zeit lang zusammengewohnt. Er wusste also, was diese Sätze bedeuteten. Du bist ein wunderbarer Mensch, aber… ich bin noch nicht so weit… wenn ich mich überhaupt in irgendwen verlieben könnte, dann in dich… kann mich noch nicht binden. Das alles bedeutete nur: Ich liebe dich nicht. Aber für den Moment bist du gut genug.

Sie hatte das ganze Lokal verändert. Hatte ihm zuerst geholfen, den Bruder loszuwerden. Der weder arbeitete noch die Schulden abbezahlte. Er kam einfach nur und soff mit seinen Kumpels, ohne dafür zu bezahlen. Eine Bande von Versagern, die den Bruder, so lange er blechte, zum König des Abends ausriefen.

»Die Entscheidung ist einfach«, hatte Mimmi zu seinem Bruder gesagt. »Entweder wird der Laden dichtgemacht, und dann sitzt du mit den Schulden da. Oder du überlässt alles Micke.«

Und Bruderherz hatte unterschrieben. Blutunterlaufene Augen. Der ein wenig unangenehme Körpergeruch, der durch das seit Tagen nicht gewechselte T-Shirt drang. Und diese neue Patzigkeit in der Stimme. Die typische Vergrätztheit der Säufer.

»Aber das Schild gehört mir«, hatte der Bruder verkündet und die unterschriebene Abmachung hastig von sich weggeschoben.

»Ich habe jede Menge Ideen«, fügte er dann hinzu und schlug sich an den Kopf.

»Du kannst es mitnehmen, wann immer du willst«, hatte Micke gesagt.

Und gedacht: *That'll be the day.*

Ihm fiel ein, wie der Bruder das Schild im Internet entdeckt hatte. Ein ausrangiertes Kneipenschild aus den USA. LAST STOP DINER, weiße Leuchtbuchstaben auf rotem Grund. Damals waren sie lächerlich zufrieden damit gewesen. Aber was interessierte Micke das jetzt? Er hatte selbst auch andere Pläne. »Mimmis« wäre ein guter Name für ein Lokal. Aber davon wollte sie nichts hören. Sie bestand auf »Mickes Bar & Küche«.

»Warum musst du so komischen Kram servieren?«

Malte musterte mit betrübter Miene die Speisekarte.

»Das ist überhaupt nicht komisch«, sagte Mimmi. »Das ist das Gleiche wie Kartoffelklöße, nur eben kleiner.«

»Kartoffelklöße und Tomaten, wenn das nicht komisch ist. Nein, gib mir was aus der Tiefkühltruhe. Ich nehme Lasagne.«

Mimmi verschwand in der Küche.

»Und vergiss das Kaninchenfutter«, rief Malte hinter ihr her. »Hast du gehört? Keinen Salat!«

Micke drehte sich zu Rebecka Martinsson um.

»Bleibst du heute Nacht noch?«, fragte er.

»Ja.«

Wo sollte ich auch hingehen, fragte sie sich. Wohin sollte ich fahren? Was sollte ich tun? Hier kennt mich wenigstens niemand.

»Diese Pastorin«, sagte sie dann. »Die Tote.«

»Mildred Nilsson.«

»Wie war sie?«

»Saugut, fand ich. Sie und Mimmi sind das Beste, was diesem Kaff je passiert ist. Und diesem Lokal auch. Hier gab es doch bloß jede Menge unverheiratete Kerle zwischen achtzehn und dreiundachtzig, als ich angefangen habe. Aber als Mildred dann gekommen war, stellten sich auch die Frauen ein. Sie hat den Ort in Schwung gebracht.«

»Hat die Pastorin ihnen gesagt, sie sollten in die Kneipe gehen?«

Micke lachte.

»Zum Essen! So war sie eben. Sie fand, die Tanten müssten auch mal unter die Leute kommen. Sich eine Pause in der Küche gönnen. Und dann haben sie ihre Typen hergeschleppt und hier gegessen, wenn sie selber nicht kochen wollten. Und es gab eine ganz andere Stimmung hier im Laden, als die Damen hergekommen sind. Früher saßen hier doch nur übellaunige Macker rum.«

»So sind wir doch nicht«, wandte Malte Alajärvi ein, der diese Bemerkung aufgeschnappt hatte.

»Bist du wohl, so warst du damals, und so bist du immer noch.

Sitzt hier rum, glotzt auf das andere Flussufer und schimpfst über Yngve Bergqvist und Jukkasjärvi.«

»Ja, aber der Yngve…«

»Und schimpfst über das Essen und die Regierung und das miese Fernsehprogramm…«

»Jede Menge Scheiß-Shows!«

»Und über alles.«

»Alles, was ich über Yngve Bergqvist gesagt habe, ist, dass er ein verdammter Scharlatan ist, der alles verkauft, wenn nur *arctic* davorsteht. *Arctic sledgedogs* und *arctic safari* und verdammt noch mal, die Japaner bezahlen sicher zweihundert extra, wenn sie auf ein *arctic shit-house* gehen können.«

Micke wandte sich an Rebecka.

»Siehst du.«

Dann wurde er ernst.

»Warum fragst du? Du bist doch wohl keine Journalistin?«

»Nein, nein, das hat mich nur so interessiert. Sie hat doch hier gewohnt und dann… Nein, dieser Anwalt, der gestern Abend mit mir hier war, ich arbeite für ihn.«

»Trägst seine Aktentasche und buchst seine Flüge?«

»So ungefähr.«

Rebecka Martinsson schaute auf die Uhr. Sie hatte gefürchtet und gehofft, dass eine stocksaure Anna-Maria Mella auftauchte und den Safeschlüssel verlangte. Aber vermutlich hatte der Mann der Pastorin nichts gesagt. Vielleicht wusste er ja gar nicht, was Rebecka mit den Schlüsseln vorhatte. Das alles war eigentlich ein verdammter Dreck. Sie schaute aus dem Fenster. Es wurde jetzt dunkel. Sie hörte, wie draußen ein Wagen auf den Kiesplatz fuhr.

Ihr Handy brummte in ihrer Handtasche. Sie zog es heraus und schaute auf das Display. Es war die Nummer der Kanzlei.

Måns, dachte sie und lief hinaus auf die Treppe.

Es war Maria Taube.

»Wie geht's?«, fragte sie.

»Ich weiß nicht«, sagte Rebecka.

»Ich habe mit Torsten gesprochen. Er sagt, dass ihr sie jedenfalls an der Angel habt.«

»Mmm.«

»Und dass du noch einen Moment geblieben bist, um irgendwas zu erledigen.«

Rebecka gab keine Antwort.

»Warst du in, wie heißt der Ort noch gleich, da, wo das Haus
deiner Oma steht?«

»Kurravaara. Nein.«

»Ist es schlimm?«

»Nein, es ist nichts.«

»Warum fährst du dann nicht hin?«

»Das hat sich einfach noch nicht ergeben«, sagte Rebecka. »Ich
war ein bisschen zu sehr damit beschäftigt, künftigen Mandanten
bei allerlei Drecksarbeiten zu helfen.«

»Fauch mich nicht an, Herzchen«, sagte Maria sanft. »Und jetzt
erzähl. Was sind das für Drecksarbeiten?«

Rebecka erzählte. Sie war plötzlich so müde, dass sie sich am
liebsten auf die Treppe gesetzt hätte.

Maria seufzte.

»Soll Torsten doch der Teufel holen«, sagte sie. »Ich werde …«

»Das wirst du bitte nicht«, sagte Rebecka. »Das Schlimmste ist
ja doch das mit dem Safe. Darin liegen die persönlichen Sachen der
toten Pastorin. Es können doch Briefe sein und … ja, einfach alles.
Wenn irgendwer das bekommen sollte, dann doch wohl ihr Mann.
Und die Polizei. Es kann Beweismaterial dabei sein, wir wissen
doch nichts.«

»Ihr Chef wird Unterlagen, die interessant sein könnten, doch
wohl an die Polizei weiterreichen«, meinte Maria Taube begüti-
gend.

»Vielleicht«, sagte Rebecka gedämpft.

Sie schwiegen eine Weile. Rebecka grub mit der Stiefelspitze im
Kies.

»Aber ich dachte, du wärst hochgefahren, um dich in die Löwengrube zu begeben«, sagte Maria Taube. »Deshalb bist du doch mitgekommen.«

»Ja, ja.«

»Also, verdammt, Rebecka, komm mir hier nicht mit ja, ja. Ich bin deine Freundin und muss dir das sagen dürfen. Du weichst nur immer weiter zurück. Wenn du nicht wagst, in die Stadt zu fahren oder nach Kurrkavaara…«

»Kurravaara.«

»…sondern dich in irgendeiner Dorfkneipe am Fluss versteckst, wo willst du dann irgendwann enden?«

»Ich weiß nicht.«

Maria Taube verstummte.

»Das ist nicht so leicht«, sagte Rebecka endlich.

»Glaubst du, dass ich das glaube? Ich kann kommen und dir Gesellschaft leisten, wenn du willst.«

»Nein«, wehrte Rebecka ab.

»Na gut, jetzt hab ich es gesagt. Ich habe es angeboten.«

»Und ich weiß das zu schätzen, aber…«

»Du brauchst nichts zu schätzen. Und jetzt muss ich an die Arbeit, wenn ich vor Mitternacht zu Hause sein will. Ich rufe wieder an. Übrigens hat Måns nach dir gefragt. Ich glaube wirklich, er macht sich Sorgen. Du, Rebecka, weißt du noch, wie wir früher zu Schulzeiten im Schwimmbad waren? Und wenn wir dann direkt vom Fünfer gesprungen sind, dann brauchten wir uns danach nicht mehr vor den anderen Höhen zu fürchten. Fahr zur Kristallkirche, und besuch einen Hallelujagottesdienst. Dann hast du das Schlimmste hinter dir. Hast du mir nicht schon vor Weihnachten erzählt, dass Sanna und ihre Familie und Thomas Söderbergs Familie Kiruna verlassen haben?«

»Du sagst ihm doch nichts?«

»Wem?«

»Måns. Dass ich… ich weiß nicht.«

»Nicht doch. Ich ruf dich an, ja?«

ERIK NILSSON SITZT ganz still am Küchentisch im Pfarrhaus. Seine tote Frau sitzt ihm gegenüber. Lange wagt er nichts zu sagen. Er wagt kaum zu atmen. Das kleinste Wort, die geringste Bewegung, und die Wirklichkeit klirrt und zerspringt in tausend Stücke.

Und wenn er die Augen zumacht, wird sie verschwunden sein, wenn er sie wieder öffnet.

Mildred grinst.

Du bist witzig, sagt sie. Du kannst an die Unendlichkeit des Universums glauben, daran, dass die Zeit relativ ist, dass sie sich krümmt und rückwärts läuft.

Die Wanduhr ist stehen geblieben. Die Fenster sind schwarze Spiegel. Wie oft hat er in den vergangenen drei Monaten schon seine tote Frau herbeigerufen? Sich gewünscht, sie glitte abends, wenn er im Bett liegt, durch die Dunkelheit auf sein Bett zu? Oder dass er ihre Stimme im Flüstern des Windes in den Bäumen hört.

Du kannst hier nicht bleiben, Erik, sagt sie.

Er nickt. Es ist nur so viel. Was soll er mit all den Sachen machen, mit Büchern, Möbeln? Er weiß nicht, wo er anfangen soll. Das ist ein unüberwindliches Hindernis. Kaum denkt er daran, schon wird er von einer solchen Müdigkeit überwältigt, dass er sich hinlegen muss, selbst wenn es mitten am Tag ist.

Scheiß drauf, sagt sie. Scheiß auf den Krempel. Mir ist das doch egal.

Er weiß, dass das stimmt. Alle Möbel stammen aus ihrem Elternhaus. Sie war die einzige Tochter eines Probstes, und ihre beiden Eltern waren gestorben, während sie noch zur Universität ging.

Sie weigert sich, ihn zu bedauern. So war sie immer schon. Deshalb ist er noch immer heimlich wütend auf sie. Das war die böse Mildred. Nicht im Sinne von boshaft oder gemein. Aber die Mildred, die Böses tat. Die ihn verletzte. Wenn du bei mir bleiben willst, dann freue ich mich, hat sie gesagt, als sie noch am Leben war. Aber du bist ein erwachsener Mensch, du musst selbst entscheiden, wie du leben willst.

War das richtig, fragt er sich wie schon so oft. Darf man so kompromisslos sein? Ich habe voll und ganz ihr Leben gelebt. Natürlich war das meine eigene Wahl. Aber soll man einander in der Liebe nicht entgegenkommen?

Jetzt schaut sie die Tischplatte an. Er darf nicht an Kinder denken, denn dann wird sie wohl wie ein Schatten durch die Wand verschwinden. Er muss sich zusammenreißen. Er hat sich immer zusammenreißen müssen. In der Küche ist es jetzt fast stockfinster.

Sie hatte das nicht gewollt. In den ersten Jahren hatten sie miteinander geschlafen. Abends. Oder mitten in der Nacht, wenn er sie geweckt hatte. Immer bei ausgeknipster Lampe. Und er konnte noch immer ihren schlecht verhohlenen Widerwillen spüren, wenn er mehr machte, als ihn nur hineinzustecken. Am Ende hatte es von selbst aufgehört. Er näherte sich ihr nicht mehr, ihr war das egal. Ab und zu sprang die Wunde auf, und sie stritten sich. Er konnte nuscheln, dass sie ihn nicht liebe, dass ihre Arbeit ihm alles wegnehme. Dass er sich Kinder wünsche. Und sie drehte dann die Handflächen nach oben: Was willst du dann von mir? Wenn du unglücklich bist, musst du eben gehen. Und er: Wohin denn? Zu wem? Immer hatten die Stürme sich wieder gelegt. Der Alltag hatte sie beruhigt. Und das war immer, oder fast immer, gut genug für ihn.

Ihr spitzer Ellbogen auf der Tischplatte. Der Zeigefingernagel tippt nachdenklich auf die lackierte Fläche. Sie sieht so hartnäckig in Gedanken versunken aus, wie sie das immer tut, wenn ihr eine Idee gekommen ist.

Er ist es gewohnt, für sie zu kochen. Den Teller mit der Plastikfolie aus dem Kühlschrank zu nehmen und in die Mikrowelle zu stellen, wenn sie spät nach Hause kommt. Zuzusehen, wie sie isst. Oder ihr ein Bad einzulassen. Ihr zu sagen, dass sie sich die Haare nicht so fest um den Finger wickeln darf, wenn sie nicht am Ende eine Glatze haben will. Aber jetzt weiß er nicht, was er machen soll. Er will sie fragen, wie es ist. Dort im Jenseits.

Ich weiß nicht, antwortet sie. Aber es zieht an mir. Mit aller Kraft.

Ach, das hätte er sich ja denken können, verdammt. Sie ist hier, weil sie etwas will. Plötzlich hat er schreckliche Angst, dass sie einfach verschwinden könnte. Einfach so.

»Hilf mir«, bittet er sie. »Hilf mir weg von hier.«

Sie sieht ihm an, dass er es nicht allein schaffen wird. Und sie sieht seinen Zorn. Den heimlichen Hass der Unselbstständigen und Abhängigen. Aber das macht jetzt nichts mehr. Sie erhebt sich. Legt ihm die Hand in den Nacken. Zieht sein Gesicht an ihre Brust.

»Jetzt gehen wir«, sagt sie nach einer Weile.

Es ist Viertel nach sieben, als er zum letzten Mal in seinem Leben die Tür des Pfarrhauses hinter sich zuzieht. Alles, was er mitnimmt, hat Platz in einer Plastiktüte. Eine Nachbarin zieht den Vorhang zur Seite, beugt sich zur Fensterscheibe vor und schaut neugierig zu, wie er die Tüte auf den Rücksitz wirft.

Mildred setzt sich auf den Beifahrersitz. Als der Wagen durch das Tor rollt, fühlt er sich fast fröhlich. Wie in dem Sommer, ehe sie geheiratet haben. Als sie mit dem Auto in Irland unterwegs waren. Und Mildred lächelt neben ihm voller Überzeugung.

Sie halten vor Mickes Lokal auf der Straße. Er will nur schnell dieser Rebecka Martinsson die Schlüssel zum Pfarrhaus überreichen.

Zu seiner Überraschung steht sie vor der Tür. Sie hält ein Mobiltelefon in der Hand, spricht aber nicht. Ihr Arm hängt schlaff nach unten. Als sie ihn entdeckt, scheint sie fast weglaufen zu wollen. Er geht vorsichtig, fast bittend auf sie zu. Wie auf einen scheuen, geprügelten Hund.

»Ich wollte Ihnen den Schlüssel zum Pfarrhaus geben«, sagt er. »Und Sie geben ihn dann zusammen mit Mildreds Safeschlüssel dem Probst und können ihm sagen, dass ich das Haus verlassen habe.«

Sie sagt nichts. Nimmt den Schlüssel entgegen. Stellt keine Fragen nach seinen Möbeln oder sonstigen Habseligkeiten. Steht da. Das Telefon in der einen Hand, den Schlüssel in der anderen. Er würde gern etwas sagen. Um Verzeihung bitten, vielleicht. Sie in den Arm nehmen oder ihre Haare streicheln.

Aber Mildred ist aus dem Wagen gestiegen, steht daneben und ruft ihn.

Komm jetzt, ruft sie. Für sie kannst du nichts tun. Der helfen andere.

Also macht er kehrt und stapft zur Straße zurück.

Kaum hat er sich gesetzt, lässt ihn die Trauer, mit der Rebecka Martinsson ihn angesteckt hat, wieder los. Die Straße zur Stadt ist dunkel und abenteuerlich. Mildred sitzt neben ihm. Er hält vor dem Hotel Ferrum.

»Ich habe dir verziehen«, sagt er.

Sie schaut ihr Knie an. Schüttelt kurz den Kopf.

Ich habe nicht um Verzeihung gebeten, sagt sie.

Es ist zwei Uhr nachts. Rebecka Martinsson schläft.

Die Neugier klettert durch das Fenster wie eine Schlingpflanze. Schlägt in ihrem Herzen Wurzeln. Schickt Wurzeln und Ableger wie Metastasen durch ihren Körper. Schlingt sich um ihre Rippen. Spinnt einen Kokon um ihren Brustkorb.

Als sie mitten in der Nacht aufwacht, ist daraus ein unbezwinglicher Drang geworden. Jetzt sind die Geräusche aus der Kneipe in der Herbstnacht verklungen. Ein Zweig streift das Blechdach der Hütte und schlägt dann wütend darauf ein. Es ist fast Vollmond. Das totenbleiche Licht fällt durch das Fenster. Lässt den Schlüsselbund auf dem Kiefernholztisch funkeln.

Sie steigt aus dem Bett und zieht sich an. Braucht kein Licht zu machen. Der Mondschein reicht aus. Sie schaut auf die Uhr. Sie denkt an Anna-Maria Mella. Sie mag diese Polizistin. Das ist eine Frau, die versucht, das Richtige zu tun.

Sie geht hinaus. Heftiger Wind weht. Birken und Ebereschen schlagen wütend um sich. Die Tannenstämme ächzen und knacken.

Sie setzt sich ins Auto und fährt los.

Sie fährt zum Friedhof. Das ist nicht weit. Er ist auch nicht groß. Sie braucht das Grab der Pastorin nicht lange zu suchen. Viele Blumen. Rosen. Heidekraut. Mildred Nilsson. Und eine leere Stelle für ihren Mann.

Sie war im selben Jahr geboren wie Mama, denkt Rebecka. Mama wäre im November fünfundfünfzig geworden.

Es ist still. Aber Rebecka kann die Stille nicht hören. Der Wind weht so wild, dass ihre Ohren dröhnen.

Sie bleibt eine Weile stehen und starrt den Stein an. Dann geht sie zurück zum Auto, das vor der Friedhofsmauer steht. Als sie sich hineinsetzt, verstummt der Lärm.

Was hast du denn erwartet, fragt sie sich. Dass die Pastorin durchsichtig auf dem Grabstein sitzt und dir auffordernd zuwinkt?

Dann wäre natürlich alles leichter. Aber jetzt ist es ihre eigene Entscheidung.

Der Probst will also den Schlüssel zu Mildred Nilssons Safe. Was mag darin liegen? Warum hat niemand die Polizei auf diesen Safe aufmerksam gemacht? Sie wollen ihren Schlüssel diskret ausgehändigt haben. Und zwar von Rebecka.

Das spielt keine Rolle, denkt sie. Ich kann genau das tun, was ich gerade will.

POLIZEIINSPEKTORIN ANNA-MARIA MELLA erwachte mitten in der Nacht. Das lag am Kaffee. Wenn sie spätabends noch Kaffee trank, wurde sie immer mitten in der Nacht wach und wälzte sich dann eine Weile hin und her, bis sie wieder einschlafen konnte. Ab und zu stand sie auf. Es war eigentlich eine ziemlich schöne Zeit. Die ganze Familie schlief, und sie konnte in der Küche bei einer Tasse Kamillentee Radio hören oder Wäsche zusammenlegen oder was auch immer und sich dabei in ihre Gedanken vertiefen.

Sie ging in den Keller hinunter und steckte das Bügeleisen ein. Ließ ihr Gespräch mit dem Mann der ermordeten Pastorin noch einmal in ihrem Kopf ablaufen.

Erik Nilsson: Jetzt setzen wir uns in die Küche, damit wir Ihr Auto im Blick haben.

Anna-Maria: Ach?

Erik Nilsson: Unsere Bekannten parken immer unten bei der Kneipe oder jedenfalls ein Stück von hier entfernt. Sonst besteht das Risiko, dass nachher die Reifen aufgeschlitzt sind oder der Lack zerkratzt ist oder so.

Anna-Maria: Ach.

Erik Nilsson: Na ja, so schlimm ist das auch wieder nicht. Aber vor einem Jahr hat es oft solche Zwischenfälle gegeben.

Anna-Maria: Haben Sie Anzeige erstattet?

Erik Nilsson: Die Polizei kann nichts unternehmen. Auch wenn man weiß, wer es war, gibt es doch nie Beweise. Niemand sieht jemals etwas. Die Leute haben sicher auch Angst. Als Nächstes kann schließlich ihr Schuppen brennen.

Anna-Maria: Hat irgendwer Ihren Schuppen angesteckt?

Erik Nilsson: Ja, da war ein Mann hier aus dem Ort... Wir glauben jedenfalls, dass er es war. Seine Frau hat ihn verlassen und eine Weile hier im Pfarrhaus gewohnt.

Das war ja reizend, dachte Anna-Maria. Erik Nilsson hätte in dem Moment die Chance gehabt, sie in Verlegenheit zu bringen, hatte aber darauf verzichtet. Er hätte seine Stimme in Bitterkeit umschlagen lassen können, er hätte über die Passivität der Polizei sprechen und ihnen am Ende die Verantwortung für den Tod seiner Frau zuschieben können.

Sie streichelte eins von Roberts Hemden, o Gott, die Manschetten waren ja total verschlissen. Das Hemd dampfte unter dem Eisen. Frisch gebügelte Baumwolle roch wirklich gut.

Und dann war er daran gewöhnt, mit Frauen zu sprechen, das war klar. Ab und zu vergaß sie sich und beantwortete seine Fragen; statt bei ihm Vertrauen zu erwecken, erweckte er Vertrauen bei ihr. Etwa als er nach ihren Kindern gefragt hatte. Er wusste genau, was in deren Alter typisch war. Er erkundigte sich, ob Gustav schon das Wort »nein« gelernt habe.

Anna-Maria: Das kommt darauf an. Wenn ich nein sage, versteht er nichts. Aber wenn er es sagt...

Erik Nilsson lacht, wird dann plötzlich aber ernst.

Anna-Maria: Großes Zuhause.

Erik Nilsson (seufzt): Ein Zuhause war das eigentlich nie. Es ist zur Hälfte Pfarrhaus und zur Hälfte Hotel.

Anna-Maria: Aber jetzt ist es leer.

Erik Nilsson: Ja, die Frauengruppe Magdalena dachte wohl, es könnte zu viel Gerede geben. Sie wissen schon, Pastorinnenwitwer tröstet sich mit allerlei durchgebrannten Ehefrauen. Und ich nehme an, sie haben Recht.

Anna-Maria: Ich muss Sie fragen, wie Sie sich mit Ihrer Frau verstanden haben.

Erik Nilsson: Müssen Sie das?

Anna-Maria: ...

Erik Nilsson: Gut. Ich habe Mildred ungeheuer respektiert.

Anna-Maria: ...

Erik Nilsson: Sie war als Frau etwas Besonderes. Und auch als Geistliche. Sie war so unglaublich... leidenschaftlich in allem, was sie angefasst hat. Sie glaubte wirklich, hier in Kiruna und im Ort eine Berufung zu haben.

Anna-Maria: Woher stammte sie ursprünglich?

Erik Nilsson: Sie kam aus Uppsala. Ihr Vater war Probst. Wir haben uns kennen gelernt, als ich Physik studierte. Sie hat immer gesagt, dass sie gegen die Normalität kämpft. ›Sowie die Gefühle zu stark werden, setzt die Kirche eine Krisenkommission ein.‹ Sie redete zu viel und zu schnell und zu eifrig. Und sie wurde fast manisch, wenn sie sich etwas in den Kopf gesetzt hatte. Das konnte mich zum Wahnsinn treiben. Ich hab mir tausendmal gewünscht, sie wäre normaler. Aber... (resignierte Handbewegung)... wenn so ein Mensch weggerissen wird... dann ist das nicht nur mein Verlust.

Sie hatte sich im Haus umgesehen. Auf Mildreds Seite im Doppelbett des Paares war alles leer. Keine Bücher. Kein Wecker. Keine Bibel.

Plötzlich hatte Erik Nilsson hinter ihr gestanden.

»Sie hatte ihr eigenes Zimmer«, sagte er.

Es war ein kleines Mansardenzimmer. Vor dem Fenster gab es keine Blumen, sondern eine Lampe und einige Keramikvögel. Das schmale Bett war noch immer ungemacht, so, wie sie es sicher verlassen hatte. Ein roter Fleecebademantel war achtlos darübergeworfen worden. Auf dem Boden ein Stapel Bücher. Anna-Maria hatte sich die Titel angesehen. Oben lag die Bibel, dann gab es Sprache für einen erwachsenen Glauben, Biblisches Nachschlagewerk, einige Kinder- und Jugendbücher, Anna-Maria erkannte *Pu der Bär*, *Anne auf Green Gables*, unter allem lagen dann noch unendliche Mengen von herausgerissenen Zeitungsartikeln.

»Hier gibt es nichts zu sehen«, sagte Erik Nilsson müde. »Hier gibt es nichts mehr zu sehen.«

Das war seltsam, dachte Anna-Maria und faltete die Kinderkleider zusammen. Er schien seine tote Frau festzuhalten. Ihre Post lag ungeöffnet als großer Haufen auf dem Tisch. Auf ihrem Nachttisch stand ein Glas Wasser, daneben lag ihre Lesebrille. Alles andere war so aufgeräumt und sauber, aber er schaffte es nicht, auch sie wegzuräumen. Und es war ein schönes Zuhause. Wie aus einer Einrichtungszeitschrift. Aber dennoch hatte er gesagt, es sei kein Zuhause, sondern »zur Hälfte Pfarrhaus, zur Hälfte Hotel«. Und dann hatte er behauptet, sie »respektiert« zu haben. Seltsam.

Rebecka fuhr langsam in die Stadt. Das grauweiße Mondlicht wurde vom Asphalt und der verfaulenden Laubdecke aufgesogen. Der Wind warf die Bäume hin und her, sie schienen sich fast hungrig nach dem wenigen Licht zu recken, bekamen aber nichts ab. Sie blieben nackt und schwarz. Verkrümmt und gequält, jetzt, so kurz vor dem Winterschlaf.

Sie fuhr am Gemeindehaus vorbei. Es war ein niedriges Gebäude aus weißem Klinker und dunklem Holz. Sie fuhr den Gruvväg hoch und hielt hinter der alten Reinigung.

Sie konnte sich die Sache immer noch anders überlegen. Nein, das konnte sie nicht.

Was wäre das Schlimmste, was passieren könnte, überlegte sie. Ich kann erwischt werden und Strafe zahlen müssen. Eine Stelle verlieren, die ich im Grunde schon verloren habe.

Bisher kam es ihr vor, als wäre das Allerschlimmste, zurückzufahren und sich wieder hinzulegen. Sich morgen in das Flugzeug nach Stockholm setzen und immer weiter zu hoffen, wieder so weit zu Verstand zu kommen, dass sie die Arbeit wieder aufnehmen könnte.

Sie musste an ihre Mutter denken. Die Erinnerung überkam sie in starken, greifbaren Bildern. Sie konnte ihre Mutter fast durch das Seitenfenster sehen. Elegante Frisur. Den erbsengrünen selbst genähten Mantel mit dem breiten Gürtel und dem Pelzkragen. Der die Nachbarinnen die Augen verdrehen ließ, wenn sie vorübertänzelte. Für wen hielt sie sich eigentlich? Und die hochhackigen Stiefel, die sie nicht in Kiruna gekauft hatte, sondern in Luleå.

Ihre Brust schien sich vor Liebe zusammenzuziehen. Sie wird sieben und streckt die Hand nach ihrer Mama aus. Die hat einen so schönen Mantel. Und ein schönes Gesicht. Als sie noch kleiner war, hat sie einmal gesagt: Du bist wie eine Barbie, Mama. Und Mama lachte und drückte sie an sich. Rebecka passte genau auf und sog all die schönen Düfte in sich ein. Mamas Haare rochen so fein und so besonders. Genauso wie der Puder in ihrem Gesicht. Und das Parfüm in ihrer Halsgrube. Rebecka sagte es auch später noch: Du siehst aus wie eine Barbie, nur, weil Mama sich so gefreut hatte. Aber sie freute sich nie wieder so. Es schien nur einmal zu funktionieren. Hör jetzt auf, sagte die Mutter schließlich.

Jetzt besann Rebecka sich. Es gab noch mehr. Wenn man ein wenig genauer hinschaute. Das, was die Nachbarinnen nicht sagten. Dass die Schuhe von billiger Qualität waren. Dass die Nägel gesprungen und abgenagt waren. Dass die Hand, die die Zigarette zum Mund führte, leicht zitterte, wie bei Leuten, die etwas nervös veranlagt sind.

Die wenigen Male, wenn Rebecka an sie denken musste, erinnerte sie sich immer an eine Frierende. Mit zwei Wollpullovern und dicken Socken zu Hause am Küchentisch aus Resopal.

Oder wie jetzt, die Schultern leicht hochgezogen, denn unter dem eleganten Mantel ist kein Platz für einen dicken Pullover. Die Hand, in der sie keine Zigarette hält, versteckt sich in der Manteltasche. Ihr Blick wandert ins Auto und fällt auf Rebecka. Schmale, forschende Augen. Die Mundwinkel gesenkt. Wer ist jetzt hier verrückt?

Ich bin nicht verrückt geworden, dachte Rebecka. Ich bin wie du.

Sie stieg aus dem Wagen und ging mit raschen Schritten auf das Gemeindehaus zu. Sie rannte fast weg vor der Erinnerung an die Frau im erbsengrünen Mantel.

Die Lampe über dem Hintereingang war passenderweise eingeschlagen worden. Rebecka testete die Schlüssel an ihrem Bund. Es konnte vielleicht eine Alarmanlage geben. Vermutlich die billige

Variante: eine, die nur im Haus selbst schrillt, um Diebe zu verjagen. Oder eine teure, die sofort eine Wachgesellschaft benachrichtigt.

Keine Sorge, redete sie sich gut zu. Hier kommt nicht die nationale Sicherheitstruppe angestürzt, sondern ein verpennter Wachmann in einem Wagen, der vor dem Haupteingang halten wird. Zeit genug, um dann zu verschwinden.

Plötzlich hatte sie den passenden Schlüssel gefunden. Rebecka drehte ihn im Schloss um und glitt in die Dunkelheit des Hauses. Alles war still. Kein Alarm. Auch kein Piepsen, das andeutete, dass sie sechzig Sekunden hatte, um einen Code einzutippen. Das Gemeindehaus hatte ein Souterrain, die Hintertür lag im Obergeschoss, der Haupteingang ganz unten. Das Pfarrbüro befand sich im Obergeschoss, dass wusste sie. Sie machte sich nicht die Mühe zu schleichen.

Hier ist niemand, sagte sie zu sich.

Sie hatte das Gefühl, dass ihre Schritte widerhallten, als sie rasch über den Steinboden zum Pfarrbüro ging.

Das Zimmer mit dem Safe lag neben dem Pfarrbüro. Es war eng und fensterlos, sie musste das Deckenlicht einschalten.

Ihr Puls stieg, als sie mit dem Schlüssel im Schloss der anonymen grauen Schränke herumfummelte. Wenn jetzt irgendwer kam, dann hatte sie keine Fluchtmöglichkeit. Sie versuchte, in Richtung Treppenhaus und auf die Straße hinauszuhorchen. Die Schlüssel lärmten wie Kirchenglocken.

Als sie beim dritten Safe angekommen war, ließ der Schlüssel sich problemlos im Schloss drehen. Das musste Mildred Nilssons Safe sein. Rebecka machte ihn auf und schaute hinein.

Es war ein kleiner Safe. Er enthielt nicht viel, trotzdem war er fast voll. Eine Anzahl von Pappschachteln und kleinen Stoffbeuteln mit Schmuck. Perlenkette, einige schwere Goldringe mit Steinen, Ohrgehänge. Zwei schlichte Trauringe, die alt aussahen, sicher Erbstücke. Ein blauer Pappordner, der allerlei Papiere enthielt. Auch einige Briefe lagen im Safe. Die Adressen auf den

Umschlägen waren in unterschiedlichen Handschriften geschrieben.

Was mache ich jetzt, fragte sich Rebecka.

Sie überlegte, was der Probst über den Inhalt des Safes wissen könnte. Ob er etwas vermissen würde?

Sie holte Luft und ging dann alles durch. Saß auf dem Boden und hatte alles um sich herum ausgebreitet. Jetzt funktionierte ihr Kopf so wie früher, sie arbeitete rasch, nahm Informationen in sich auf, bearbeitete und sonderte aus. Eine halbe Stunde später schaltete Rebecka den Kopierer des Pfarrbüros ein.

Die Briefe nahm sie so, wie sie waren. Vielleicht gab es darauf Fingerabdrücke oder Spuren. Sie steckte sie in eine Plastiktüte, die sie in einer Schublade gefunden hatte.

Sie kopierte den Inhalt des blauen Ordners. Die Kopien legte sie dann zu den Briefen in die Plastiktüte. Sie stellte den Ordner zurück in den Safe, schloss ihn ab, löschte die Lampe und ging. Es war halb vier Uhr morgens.

Anna-Maria Mella wurde davon geweckt, dass ihre Tochter Jenny sie am Arm zog.

»Mama, da ist jemand an der Tür.«

Das Kind wusste, dass es verboten war, zu ungewöhnlichen Zeiten die Haustür zu öffnen. Eine Polizistin in einem kleinen Ort konnte zu seltsamen Zeiten seltsamen Besuch bekommen. Zu Tränen gerührte Verbrecher, die die einzige Beichtmutter aufsuchen, die sie hatten, oder Kollegen mit ernsten Gesichtern, deren Autos schon mit laufendem Motor vor der Tür warteten. Und ab und zu, wenn auch nur sehr selten, war jemand wütend oder betrunken, meistens beides.

Anna-Maria stand auf, sagte Jenny, sie solle sich zu Robert legen, und ging nach unten zur Tür. Ihr Mobiltelefon steckte in der Tasche ihres Bademantels, die Nummer der Wache hatte sie bereits eingegeben. Sie schaute zuerst durch das Guckloch und öffnete dann die Tür.

Draußen stand Rebecka Martinsson.

Anna-Maria bat sie herein. Rebecka blieb unmittelbar hinter der Tür stehen. Legte nicht ab. Wollte keinen Tee oder so.

»Du ermittelst doch im Mord an Mildred Nilsson«, sagte sie. »Das sind Briefe und Kopien ihrer persönlichen Papiere.«

Sie reichte Anna-Maria die Plastiktüte und erzählte, woher sie dieses Material hatte.

»Du kannst sicher verstehen, dass es nicht so günstig für mich wäre, wenn herauskäme, dass ich es euch gegeben habe. Wenn du dir eine andere Erklärung ausdenken kannst, dann bin ich dankbar. Wenn nicht, dann...«

Sie zuckte mit den Schultern.

»Dann muss ich eben die Konsequenzen tragen«, endete sie mit einem schiefen Lächeln.

Anna-Maria schaute in die Tüte.

»Ein Safe im Pfarrbüro?«, fragte sie.

Rebecka nickte.

»Warum hat niemand der Polizei gesagt, dass...«

Sie unterbrach sich und sah Rebecka an.

»Danke«, sagte sie. »Ich werde nicht verraten, woher wir das haben.«

Rebecka wollte gehen.

»Das war richtig von dir«, sagte Anna-Maria. »Und das weißt du auch, oder?«

Es war schwer zu sagen, ob sie das meinte, was fast zwei Jahre zuvor in Jiekajärvi passiert war, oder ob sie von den Kopien in der Plastiktüte sprach.

Rebecka machte eine Kopfbewegung. Es konnte ein Nicken sein. Aber auch ein Kopfschütteln.

Als sie gegangen war, blieb Anna-Maria in der Diele stehen. Sie hätte laut schreien mögen. Zum Teufel, wollte sie brüllen. Wie um alles in der Welt konnten sie uns das hier vorenthalten?

Rebecka Martinsson sitzt auf dem Bett in ihrer Hütte. Sie kann die Umrisse der Stuhllehne vor dem grauen Rechteck des Fensters im Mondlicht genau erkennen.

Jetzt, denkt sie. Jetzt müsste die Panik einsetzen. Wenn jemand das hier erfährt, dann bin ich geliefert. Ich werde wegen Hausfriedensbruchs und eigenmächtigen Vorgehens verurteilt werden und nie wieder Arbeit finden.

Aber die Panik wollte nicht kommen. Es stellte sich auch keine Reue ein. Vielmehr war ihr jetzt leichter ums Herz.

Ich kann ja am Fahrkartenschalter arbeiten, dachte sie.

Sie legte sich hin und schaute zur Decke hoch. War auf verrückte Weise munter.

In der Wand trieb eine Maus ihr Unwesen. Nagte und sprang auf und ab. Rebecka klopfte an die Wand, dann herrschte eine Weile Ruhe. Danach ging es wieder los.

Rebecka lächelte. Und schlief ein. Angezogen und ohne sich auch nur die Zähne geputzt zu haben.

Sie träumte.

Sie sitzt auf Papas Schultern. Es ist Blaubeerzeit. Papa hat eine Kiepe auf dem Rücken. Das wird schwer, die Kiepe und Rebecka.

»Nicht wackeln«, sagte er, wenn sie die Hand nach den Flechten ausstreckt, die an den Bäumen hängen.

Hinter ihnen kommt die Großmutter. Blaue Synthetikjacke und graues Kopftuch. Sie bewegt sich im Wald auf eine sehr vorsichtige Weise. Hebt den Fuß nicht höher als unbedingt nötig. Eine Art terraingewinnendes Schlurfen mit kurzen Schritten. Zwei Hunde leisten ihnen Gesellschaft. Jussi, der Jämthund, hält sich an die Großmutter. Er kommt jetzt in die Jahre, geht sparsam mit seinen Kräften um. Und Jacki, viel jünger, eine undefinierbare Spitzmischung, jagt hin und her, seine Nase kriegt nie genug. Er verschwindet aus ihrer Sichtweite, ab und zu hören sie ihn einige Kilometer entfernt bellen.

Am späten Nachmittag liegt sie am Feuer und schläft, während die Erwachsenen Beeren pflücken. Sie hat Papas Helly-Hansen-Jacke als Kissen. Die Nachmittagssonne wärmt sie, aber die Schatten sind lang. Das Feuer schreckt die Mücken ab. Ab und zu sehen die Hunde nach ihr. Stupsen ihr Gesicht leicht mit der Nase an, um dann wieder davonzustürzen, ehe sie sie streicheln oder ihnen den Arm um den Hals legen kann.

GELBBEIN

ES IST SPÄTWINTER. Die Sonne hebt sich über die Baumwipfel und wärmt den Wald. Mächtige Schneelasten gleiten von den Bäumen. Es ist eine schwere Zeit für die Jagd. Tagsüber weicht die dicke weiße Decke ein wenig auf. Es ist mühsam, der Beute hinterherzulaufen. Wenn das Rudel nachts im Mondschein oder in der Dämmerung jagt, dann zerschneidet der Harschschnee ihnen die Pfoten.

Die Rudelwölfin setzt sich in Bewegung. Wer in ihre Nähe kommt, muss damit rechnen, gebissen oder zusammengestaucht zu werden. Sie stellt sich vor die untergeordneten Rüden und pisst, dabei hat sie ein Bein so hoch erhoben, dass es ihr schwer fällt, das Gleichgewicht zu halten. Das ganze Rudel wird von ihrer Stimmung beeinflusst. Sie knurren und heulen. Immer wieder kommt es zwischen den anderen zu Kämpfen. Die Jungwölfe laufen unruhig am Rand des Ruheplatzes hin und her. Immer wieder werden sie von den älteren Wölfen zur Ordnung gerufen. Bei den Mahlzeiten wird streng auf die Rangordnung geachtet.

Die Rudelwölfin ist Gelbbeins Halbschwester. Genau zwei Jahre zuvor hat sie die alte Rudelwölfin herausgefordert. Die Rudelwölfin wurde läufig und wollte den übrigen Wölfinnen gegenüber ihre Überlegenheit betonen. Sie wandte sich Gelbbeins Halbschwester zu, streckte ihr grau gestreiftes Haupt aus, zog die Lefzen hoch und entblößte die Zähne mit einem drohenden Knurren. Aber statt entsetzt mit eingekniffenem Schwanz rückwärts zu kriechen, nahm Gelbbeins Schwester die Herausforderung an. Sie schaute der alten Wölfin in die Augen und erhob sich. Im Bruchteil einer Sekunde kam es zum Kampf, der nach einer Minute beendet war. Die alte Rudelwölfin hatte verloren. Ein tiefer Biss an ihrem Hals und ein zerfetztes Ohr reichten, damit sie sich jaulend zurückzog. Gelbbeins Halbschwester vertrieb die alte Wölfin aus dem Rudel. Und das hatte damit eine neue Chefin.

Gelbbein hatte nie versucht, sich gegen die alte Wölfin zu behaupten. Sie fordert auch ihre Schwester nicht heraus. Trotzdem scheint die Schwester auf sie besonders gereizt zu reagieren. Einmal packen ihre Zähne Gelbbeins Nase und führen sie mitten durch das Rudel. Gelbbein kriecht demütig mit krummem Rücken und abgewandtem Blick hinter ihr her. Die Jungwölfe heben die Pfoten und laufen unruhig hin und her. Danach leckt Gelbbein unterwürfig die Mundwinkel ihrer Halbschwester. Sie will keinen Streit, und sie will sich nicht behaupten.

Das silbergraue Alphamännchen ist nicht leicht zugänglich. Zur Zeit der alten Wölfin ist er ihr wochenlang gefolgt, ehe sie sich zur Paarung herabließ. Er stupste sie von hinten mit der Nase an und stauchte vor ihren Augen die anderen Rüden zusammen. Oft, sehr oft kam er zu der Stelle, wo sie lag. Er stieß sie mit der Vorderpfote an, um zu fragen: »Na, was ist?«

Jetzt liegt er träge da und scheint kein Interesse an Gelbbeins Halbschwester zu haben. Er ist sieben Jahre alt, und keiner im Rudel scheint sich sonderlich für seine Nachfolge zu interessieren. In wenigen Jahren wird er älter und schwächer sein und seine Position verteidigen müssen. Aber jetzt kann er hier liegen und sich von der Sonne das Fell wärmen lassen, während er sich die Pfoten leckt oder ein wenig Schnee frisst. Gelbbeins Halbschwester bemüht sich um ihn. Geht in die Hocke und uriniert in seiner Nähe, um sein Interesse zu wecken. Drückt sich an ihm vorbei. Interessiert und blutig um die Schwanzwurzel. Am Ende gibt er nach und deckt sie. Das ganze Rudel atmet auf. Sofort lockert sich die Spannung in der Gruppe.

Die beiden Einjährigen wecken Gelbbein und wollen spielen. Sie hat unter einer Tanne gedöst. Aber jetzt machen die Jungwölfe sich über sie her. Der eine bohrt seine riesigen Vorderpfoten in den

Schnee. Sein ganzer Körper ist spielerisch gekrümmt. Der andere kommt angerannt und setzt über sie hinweg. Sie springt auf und jagt hinterher. Sie bellen und kläffen, dass es zwischen den Bäumen nur so widerhallt. Ein erschrockenes Eichhörnchen eilt als roter Strich einen Baumstamm hoch. Gelbbein kann den einen Einjährigen einholen, und der schlägt im Schnee einen doppelten Salto. Dann ringen sie eine Weile, und danach wird Gelbbein gejagt. Sie springt wie ein Iltis zwischen den Bäumen hin und her. Wird ab und zu langsam, damit die anderen sie einholen können, dann jagt sie wieder davon. Sie wird erst gefangen, wenn sie es will.

Donnerstag, 7. September

UM HALB SIEBEN UHR morgens machte Mimmi Frühstückspause. Sie war schon seit fünf im Lokal an der Arbeit. Jetzt mischte sich der Duft von frisch gebackenem Brot und Kaffee mit dem von Lasagne und Eintopf. Fünfzig Behälter aus Aluminium standen auf der rostfreien Anrichte zum Abkühlen. Mimmi hatte die Schwingtüren geöffnet, damit es nicht so warm würde. Und weil es den Kerlen gefiel. Es war wie ein Fest. Zuzusehen, wie sie hin- und herlief und arbeitete, die Kaffeekanne füllte. Und sie konnten in Ruhe essen, es gab keine kritischen Blicke, wenn jemand mit offenem Mund kaute oder sich das Hemd mit Kaffee bekleckerte.

Ehe sie sich selbst zum Frühstücken hinsetzte, lief sie ins Lokal und verwöhnte die Frühstücksgäste, indem sie mit der Kaffeekanne herumging. Sie nötigte sie und reichte ihnen den Brotkorb. In diesem Moment gehörte sie ihnen allen, sie war ihre Frau, ihre Tochter, ihre Mutter. Ihre gesträhnten Haare waren noch immer feucht von der Morgendusche, sie hatte sie unter dem um den Kopf geknoteten Taschentuch geflochten. Ihr reichten die Blicke, die sie ohnehin bekam. Niemals würde sie mit offenen nassen Haaren herumlaufen, die auf ihr enges Oberteil von H & M tropften. Miss Wet-and-wetter-T-shirt. Sie stellte die Kanne auf die Wärmeplatte.

»Greift einfach zu, ich muss mich jetzt mal einen Moment hinsetzen.«

»Mimmi, komm mit der Kanne her«, verlangten die Männer verärgert als Antwort.

Einige mussten gleich zur Arbeit. Sie tranken den heißen Kaffee in schnellen, kleinen Schlucken und schlangen ein Brot mit zwei Bissen hinunter. Die anderen schlugen hier eine Stunde oder mehr tot, ehe sie zurück in die Einsamkeit wanderten. Sie versuchten, Gespräche zu beginnen, und blätterten planlos in der Zeitung von gestern, die heutige traf noch lange nicht ein. Im Ort sagte man nicht, man sei arbeitslos, krankgeschrieben oder in Frührente. Man sagte, man sei zu Hause.

Der Übernachtungsgast Rebecka Martinsson saß einsam an einem Tisch auf der Flussseite und schaute aus dem Fenster. Aß ihr Müsli und trank ohne Eile ihren Kaffee.

Mimmi bewohnte im Ort eine Einzimmerwohnung. Sie hatte sie behalten, obwohl sie im Grunde bei Micke im Haus neben dem Lokal wohnte. Als sie beschlossen hatte, eine Weile hier zu bleiben, hatte ihre Mutter ohne Nachdruck vorgeschlagen, sie könne doch bei ihr wohnen. Sie hatte sich aber so offensichtlich dazu gezwungen gefühlt, dass Mimmi nie auf die Idee gekommen wäre, dieses Angebot anzunehmen. Sie führte seit etwas mehr als drei Jahren zusammen mit Micke das Lokal, und erst im vergangenen Monat hatte Lisa ihr einen Hausschlüssel überreicht.

»Man weiß ja nie«, hatte sie gesagt und ihren Blick schweifen lassen. »Wenn etwas passiert oder so… die Hunde sind ja im Haus.«

»Sicher«, hatte Mimmi geantwortet und den Schlüssel genommen. »Die Hunde.«

Immer diese Scheißhunde, hatte sie gedacht.

Lisa hatte Mimmis Verärgerung bemerkt, aber sie war kein Mensch, der sich so etwas anmerken ließ und das Gespräch suchte. Nein, jetzt war Zeit zum Aufbruch. Wenn es kein Treffen von Magdalena gab, dann waren es die Tiere zu Hause, vielleicht mussten die Kaninchenställe gesäubert oder ein Hund zur Tierärztin gebracht werden.

Mimmi kletterte auf die Arbeitsfläche aus geöltem Holz neben dem Kühlschrank. Wenn sie die Beine anzog, konnte sie sich dort zwischen die frischen Kräuter zwängen, die in leeren Konservendosen wuchsen. Es war ein guter Platz. Man konnte Jukkasjärvi am anderen Flussufer sehen. Ab und zu ein Boot. Dieses Fenster hatte es zur Zeit der Autowerkstatt noch nicht gegeben. Micke hatte es ihr geschenkt. »Hier hätte ich gern ein Fenster«, hatte sie gesagt. Und er hatte es eingebaut.

Sie war nicht böse auf die Hunde. Sie war auch nicht eifersüchtig. Oft bezeichnete sie die Tiere als Brüderchen. Aber wie damals, als sie in Stockholm gewohnt hatte, kam Lisa nie zu Besuch und rief auch nie an. »Natürlich liebt sie dich«, sagte Micke manchmal. »Sie ist doch deine Mutter.«

Bei uns gibt es sicher einen genetischen Defekt, dachte Mimmi. Ich kann ja auch nicht lieben.

Wenn ihr so ein richtiger Idiot über den Weg liefe, dann könnte sie – natürlich nicht sich verlieben, das war ein viel zu zahmes Wort. Die Supermarkt-Light-Variante des Gefühls, nein, dann könnte sie psychotisch werden, abhängig, süchtig. Es war ja schon vorgekommen. Vor allem einmal, während der Jahre in Stockholm. Wenn man sich aus einer solchen Beziehung losriss, dann blieben dicke Fleischfetzen hängen.

Bei Micke war es etwas anderes. Mit ihm könnte sie Kinder bekommen, wenn sie denn glaubte, ein Kind lieben zu können. Er war ein guter Mann, Micke war wirklich gut.

Unter dem Fenster pickten einige Hühner im herbstlichen Gras herum. Als sie in ihr frisch gebackenes Brot biss, hörte sie draußen auf der Straße ein Moped. Es bog auf den Hofplatz ein und hielt an.

Teddy, dachte sie.

Es kam häufig vor, dass er morgens ins Restaurant kam. Wenn er vor seinem Vater aufwachte und sich unbemerkt davonschleichen konnte. Ansonsten musste er zu Hause frühstücken.

Bald darauf stand er vor dem Fenster, hinter dem sie saß, und klopfte an die Scheibe. Er trug eine knallgelbe Hose mit Hosenträgern, die irgendwann einem Telefonmonteur gehört hatte. Die Reflexbänder unten an den Füßen waren vom vielen Tragen und Waschen fast abgescheuert. Auf dem Kopf hatte er eine blaue

Nylonmütze mit schlabbernden Ohrenklappen. Seine grüne Stepp-jacke war viel zu kurz. Sie reichte ihm nur bis zur Taille.

Er bedachte sie mit seinem unbezahlbar bezaubernden Lächeln. Es teilte sein kräftiges Gesicht, die breite Kinnlade verschob sich nach rechts, die Augen wurden schmal, die Augenbrauen jagten nach oben. Es war unmöglich, dieses Lächeln nicht zu erwidern, da machte es auch nichts, dass sie ihr Brot nicht in Ruhe essen konnte.

Sie öffnete das Fenster. Er schob die Hände in die Jackentaschen und fischte drei Eier heraus. Sah sie an wie nach einem kunstferti-gen Zaubertrick. Er sammelte immer im Hühnerstall die Eier für sie. Sie nahm sie entgegen.

»Gut. Danke. Ja, und da ist heute also Futter-Fritzi unterwegs?«

Er stieß ein kehliges Lachen aus. Wie ein Motor, der nicht so recht anspringen will, in Zeitlupe, hmmmmmm, hmmmmmm.

»Oder vielleicht Abwasch-Alfred?«

Er antwortet mit einem glücklichen Nein, er wusste, dass sie Witze machte, trotzdem schüttelte er sicherheitshalber energisch den Kopf. Er war nicht zum Spülen hergekommen.

»Hunger, was?«, fragte sie, und Teddy machte auf dem Absatz kehrt und verschwand um die Ecke.

Sie sprang auf den Boden, schloss das Fenster, kippte einen Schluck Kaffee hinunter und biss energisch in ihr Brot. Als sie das Lokal betrat, hatte er gegenüber von Rebecka Martinsson Platz genommen. Er hatte die Jacke über die Stuhllehne neben sich ge-hängt, die Mütze aber aufbehalten. Das gehörte zu den festen Ge-wohnheiten. Mimmi zog ihm die Mütze vom Kopf und fuhr ihm mit der Hand durch die Haarstoppeln.

»Willst du nicht lieber da hinten sitzen? Dann kannst du sehen, ob tolle Autos vorbeikommen.«

Rebecka Martinsson lächelte Teddy an.

»Er kann gern hier sitzen bleiben«, sagte sie.

Mimmis Hand wurde ausgestreckt und berührte Teddy noch einmal. Rieb ein wenig seinen Rücken.

»Willst du Pfannkuchen oder Müsli und Brote?«

Sie wusste, was er wollte, aber es tat ihm gut zu reden. Und selbst zu entscheiden. Sie sah, wie einige Sekunden lang die Wörter in seinem Mund geformt wurden, ehe sie herauskamen. Sein Kiefer bewegte sich hin und her. Dann verlangte er energisch: »Pfannkuchen.«

Mimmi verschwand in der Küche. Sie nahm fünfzehn kleine Pfannkuchen aus dem Kühlschrank und knallte sie in die Mikrowelle.

Teddys Vater Lars-Gunnar und ihre Mutter Lisa waren Vetter und Kusine. Teddys Vater war ein pensionierter Polizist und seit fast dreißig Jahren Leiter des Jagdvereins. Das machte ihn zu einem mächtigen Mann. Er war auch rein körperlich eine imposante Erscheinung, genau wie Teddy. Früher war er ein Respekt einflößender Polizist gewesen. Und dazu umgänglich, nach dem, was die Leute sagten. Es kam noch immer vor, dass er die Beerdigung besuchte, wenn irgendein kleiner Gauner gestorben war. Dann waren Lars-Gunnar und der Pastor oder die Pastorin oft die einzigen Anwesenden.

Als Lars-Gunnar Teddys Mutter kennen gelernt hatte, war er schon über fünfzig gewesen. Mimmi erinnerte sich daran, wie er ihnen damals Eva vorgestellt hatte.

Ich kann nicht älter als sechs gewesen sein, dachte sie.

Lars-Gunnar und Eva saßen im Wohnzimmer auf dem Ledersofa. Lisa rannte immer wieder in die Küche, um Plätzchen und Milch und Kaffee und Gott weiß was noch zu holen. Das war zu der Zeit, als sie sich angepasst hatte. Später hatte sie sich scheiden lassen und mit Backen und Kochen ganz einfach aufgehört. Mimmi kann sich vorstellen, wie Lisa in ihrer Jagdhütte ihre Mahlzeiten zu sich nimmt. Im Stehen, den Hintern an den Küchentisch gelehnt, löffelt sie etwas aus einer Konservendose, vielleicht eine kalte Suppe.

Aber damals. Lars-Gunnar auf dem Sofa, den Arm um Evas Schultern gelegt, eine ungewöhnlich zärtliche Geste für einen Mann in dieser Stadt, vor allem für diesen. Stolz war er. Sie war vielleicht nicht hübsch, aber viel jünger als er, so, wie Mimmi jetzt, irgendwas zwischen zwanzig und dreißig. Wo diese Urlaub machende Sozialarbeiterin Lars-Gunnar kennen gelernt haben mochte, konnte Mimmi sich nicht vorstellen. Aber Eva kündigte ihre Stelle in… Norrköping, wenn Mimmi das richtig in Erinnerung hatte, und zog in sein Elternhaus, wo er noch immer wohnte. Nach einem Jahr wurde Teddy geboren. Der damals allerdings noch Björn hieß. Ein passender Namen für dieses kolossale Baby.

Es kann nicht leicht gewesen sein, überlegt Mimmi. Aus einer großen Stadt hierher ins Dorf zu ziehen. Während des Mutterschaftsurlaubs den Kinderwagen auf der Dorfstraße hin und her zu schieben, mit den Nachbarinnen als einzigen Gesprächspartnerinnen. Dass sie nicht durchgedreht ist. Aber das war sie dann ja.

Die Mikrowelle klingelte, und Mimmi schnitt zwei Scheiben Eis ab und gab einen Klacks Marmelade auf die Pfannkuchen. Sie füllte ein großes Glas mit Milch und schmierte drei große Schnitten Graubrot. Nahm drei hart gekochte Eier aus dem Topf auf dem Gasherd, stellte alles zusammen mit einem Apfel auf ein Tablett und brachte es Teddy.

»Und mehr Pfannkuchen gibt es erst, wenn du die anderen aufgegessen hast«, sagte sie streng.

Mit drei Jahren war Teddy an Hirnhautentzündung erkrankt. Eva hatte im Krankenhaus angerufen. Die hatten geraten, noch ein wenig zu warten. Und dann hatte das Schicksal seinen Lauf genommen.

Als er fünf war, zog Eva aus. Sie verließ Teddy und Lars-Gunnar und ging zurück nach Norrköping.

Oder brannte durch, dachte Mimmi.

Im Dorf wurde darüber geredet, wie sie ihr Kind im Stich gelassen hatte. Manche können eben keine Verantwortung übernehmen, hieß es. Und immer wieder stellte man sich die Fragen: Wie konnte sie nur? Wie war das möglich? Das eigene Kind zu verlassen?

Mimmi weiß es nicht. Aber sie kennt das Gefühl, im Dorf zu

ersticken. Und sie kann sich vorstellen, wie Eva in dem rosa Eternithaus zerbrach.

Lars-Gunnar blieb dort mit Teddy wohnen. Er sprach nicht gern über Eva.

»Was hätte ich denn tun sollen?«, fragte er nur. »Ich kann sie doch nicht anbinden.«

Als Teddy sieben war, kam sie zurück. Genauer gesagt, Lars-Gunnar holte sie aus Norrköping. Die nächsten Nachbarn konnten berichten, wie er sie auf seinen Armen ins Haus getragen hatte. Der Krebs hatte sie schon fast zerfressen. Drei Monate später war sie tot.

»Was hätte ich denn tun sollen?«, fragte Lars-Gunnar abermals. »Sie war doch die Mutter meines Sohnes.«

Eva wurde auf dem Friedhof von Poikkijärvi begraben. Ihre Mutter und eine Schwester waren dabei. Sie blieben nicht lange. Sie harrten genau so lange beim Kaffee aus, wie es unumgänglich war. Trugen an ihrer Stelle Evas Schande. Die anderen Trauergäste schauten ihnen nicht in die Augen, starrten ihre Rücken an.

»Und da stand Lars-Gunnar und tröstete sie«, wurde getuschelt. »Hätten die sich nicht um die Frau kümmern können, als sie im Sterben lag?« Stattdessen hatte Lars-Gunnar das alles übernommen. Und es war ihm anzusehen gewesen. Er hatte sicher fünfzehn Kilo abgenommen. Sah grau und verhärmt aus.

Mimmi fragte sich, wie alles gekommen wäre, wenn Mildred damals schon da gewesen wäre. Vielleicht hätte Eva bei den Frauen von Magdalena Halt gefunden. Vielleicht hätte sie sich von Lars-Gunnar scheiden lassen, wäre aber im Dorf geblieben, hätte sich um Teddy gekümmert. Vielleicht wäre sie sogar bei ihrem Mann geblieben.

Bei Mimmis erster Begegnung mit Mildred hatte die Pastorin hinten auf dem Moped gesessen. Es war drei Monate vor Teddys fünfzehntem Geburtstag. Niemand im Ort erwähnte, dass ein geistig behinderter Junge von vierzehn nicht allein Moped fahren durfte. Himmel, er war doch Lars-Gunnars Sohn. Und die beiden hatten es nun wirklich nicht leicht. Und solange Teddy auf der Dorfstraße blieb …

»Oh, mein Hintern«, lacht Mildred in Mimmis Gedanken und springt vom Moped.

Mimmi sitzt vor Mickes Lokal. Sie hat einen Stuhl hinausgetragen und sitzt geschützt vor dem Frühlingswind, raucht eine Zigarette und hält die Nase in die Sonne, um ein wenig Farbe zu bekommen. Teddy sieht zufrieden aus. Er winkt Mimmi und Mildred zu und fährt dann weg, dass der Kies nur so spritzt. Zwei Jahre zuvor ist er von Mildred konfirmiert worden.

Mimmi und Mildred stellen sich einander vor. Mimmi ist ein wenig überrascht, sie weiß nicht, was sie erwartet hat, aber sie hat schon viel über diese Pastorin gehört. Dass sie Streit sucht. Dass sie zu offen ist. Dass sie wunderbar ist. Dass sie so gescheit ist. Dass sie nicht ganz gescheit ist.

Und jetzt steht sie da und sieht ganz normal aus. Ja, traurig, wenn Mimmi ganz ehrlich sein soll. Mimmi hatte mit einem elektrisch geladenen Feld gerechnet, das sie umgibt, aber sie sieht nur eine Frau mittleren Alters in unmodernen Jeans und praktischen Turnschuhen.

»Er ist ein wahrer Segen«, sagt Mildred und nickt zu dem Mopedknattern auf der Dorfstraße hinüber.

Mimmi murmelt und seufzt etwas darüber, dass Lars-Gunnar es nicht gerade leicht gehabt hat.

Das ist wie ein bedingter Reflex. Wenn die Stadt ihr Lied über Lars-Gunnar und seine schwache junge Gattin und den zurückgebliebenen Sohn anstimmt, dann ist der Refrain immer: »Der Arme … was manche aber auch durchmachen müssen … hat es nicht leicht gehabt.«

Mildred runzelt heftig die Stirn. Sieht Mimmi kritisch an.

»Teddy ist ein Geschenk«, sagt sie.

Mimmi gibt keine Antwort. Sie lässt sich das Jedes-Kind-ist-ein-Geschenk-und-alles-hat-seinen-Sinn-Prinzip nicht so einfach andrehen.

»Ich begreife nicht, wie man über Teddy reden kann, als wäre er eine Last. Hast du dir schon mal überlegt, dass man richtig gute Laune kriegt, wenn man mit ihm zusammen ist?«

Das stimmt. Mimmi denkt an den Morgen des Vortags. Teddy wiegt zu viel. Er hat immer Hunger, und sein Vater muss immer wieder verhindern, dass er dauernd isst. Eine unmögliche Aufgabe. Die Frauen in der Stadt können Teddys Bettelei nicht widerstehen, und ab und zu können Micke und Mimmi das auch nicht. Wie gestern. Plötzlich stand Teddy mit einem Huhn unter dem Arm in der Küche. Lill-Anni, eine Cochinchina-Henne, legt nicht viele Eier, aber sie ist lieb und anhänglich und lässt sich gern streicheln. Aber von den anderen weggetragen werden, das will sie nicht. Jetzt zappelt sie mit ihren Hühnerbeinchen und gackert ängstlich unter Teddys großem Arm.

»Anni!«, sagt Teddy zu Micke und Mimmi. »Brot.«

Er dreht den Kopf nach links und macht den Hals krumm, damit er sie schräg unter seinem Schopf hinweg ansehen kann. Um wie ein Schelm auszusehen. Es ist unmöglich zu sagen, ob er weiß, dass es ihm nicht eine Sekunde lang gelingt, sie an der Nase herumzuführen.

»Bring das Huhn raus«, sagt Mimmi und versucht, ein strenges Gesicht zu machen.

Micke prustet los.

»Will Anni ein Butterbrot? Ja, dann muss sie doch eins kriegen.«

Teddy wird ein Butterbrot in die Hand gedrückt, und mit dem Huhn unter dem einen Arm marschiert er hinaus auf den Hof. Er lässt Anni laufen, und das Brot verschwindet ungeheuer schnell in seinem Mund.

»Hallo«, ruft Micke von der Tür her. »War das denn nicht für Anni bestimmt?«

Teddy dreht sich mit theatralisch bedauernder Miene zu ihm um.

»Weg«, sagt er resigniert.

Die Pastorin Mildred redet weiter.

»Ich weiß natürlich, dass es anstrengend für Lars-Gunnar war. Aber wenn Teddy nicht entwicklungsgestört wäre, hätte er seinem Vater dann wirklich so viel mehr Freude gemacht? Ich weiß nicht.«

Mimmi sieht sie an. Die Pastorin hat Recht.

Sie denkt an Lars-Gunnar und seine Brüder. Sie kann sich an deren Vater nicht erinnern, an Teddys Großvater. Aber sie hat über ihn gehört. Isak war ein harter Mann. Hat die Kinder mit dem Gürtel gezüchtigt. Und ab und zu auch noch schlimmer. Er hatte fünf Söhne und zwei Töchter.

»O verdammt«, hat Lars-Gunnar irgendwann einmal gesagt. »Ich hatte solche Angst vor meinem eigenen Vater, dass ich mir manchmal in die Hose gepisst habe. Noch, als ich schon längst zur Schule ging.«

Mimmi kann sich sehr gut an diese Bemerkung erinnern. Damals war sie noch klein. Konnte sich nicht vorstellen, dass der riesengroße Lars-Gunnar sich jemals gefürchtet haben sollte. Oder klein gewesen war. Und sich bepisst hatte!

Was mussten sie sich Mühe gegeben haben, um nicht zu werden wie ihr Vater, diese Brüder. Aber der Vater steckt ihnen immer noch im Blut. Sie verachten die Schwäche. Sie haben eine Härte, die sich vom Vater auf den Sohn vererbt. Mimmi denkt an Teddys Vettern, einige wohnen in der Stadt, gehören dem Jagdverein an, sitzen im Lokal.

Aber Teddy ist gegen das alles immun. Gegen Lars-Gunnars ab und zu auflodernde Bitterkeit über Teddys Mutter, gegen seinen eigenen Vaters, gegen die Welt im Allgemeinen. Gegen die Verärgerung über Teddys Unzulänglichkeiten. Gegen Selbstmitleid und Hass, die nur an die Oberfläche kommen, wenn die Männer trinken, die aber immer in ihnen schwelen. Teddy kann den Kopf hängen lassen, aber nur einige Sekunden lang. Er ist ein glückliches Kind im Körper eines erwachsenen Mannes. Verbitterung und Dummheit können ihm nichts anhaben.

Wenn er nun nicht hirngeschädigt wäre. Sondern normal. Sie weiß schon, wie die Landschaft zwischen Vater und Sohn dann aussehen würde. Karg und dürftig. Beherrscht von dieser Verachtung für die eigene eingekapselte Schwäche.

Mildred. Sie weiß nicht, wie Recht sie hat.

Aber Mimmi lässt sich auf solche Argumentationen nicht ein. Sie zuckt zur Antwort mit den Schultern, sagt, nett, dich kennen gelernt zu haben, aber jetzt muss ich wieder an die Arbeit.

Jetzt hörte Mimmi Lars-Gunnars Stimme im Lokal.

»Ach zum Henker, Teddy!«

Nicht böse. Eher müde und resigniert.

»Ich hab dir doch gesagt, gefrühstückt wird zu Hause.«

Mimmi ging hinaus. Teddy saß hinter seinem Teller und ließ beschämt den Kopf hängen. Leckte sich den Milchbart von der Oberlippe. Die Pfannkuchen waren aufgegessen, Eier und Milch ebenfalls, nur der Apfel war noch unberührt.

»Vierzig Kronen«, sagte Mimmi eine Spur zu munter zu Lars-Gunnar.

Das geschieht ihm recht, dem Geizkragen, dachte sie.

Er hatte die Tiefkühltruhe voll mit Gratisfleisch vom Jagdverein. Die Nachbarinnen halfen ihm und putzten und wuschen unentgeltlich für ihn, sie brachten ihm selbst gebackenes Brot und luden ihn und Teddy zum Essen ein.

Als Mimmi im Lokal angefangen hatte, hatte Teddy dort immer gratis gefrühstückt.

»Ihr dürft ihm nichts geben, wenn er kommt«, erklärte Lars-Gunnar. »Davon wird er doch nur dick.«

Trotzdem servierte Micke Teddy Frühstück, aber da Lars-Gunnar das eigentlich nicht erlaubt hatte, brachte er es nicht über sich, Geld dafür zu verlangen.

Mimmi brachte es über sich.

»Teddy hat gefrühstückt«, sagte sie bei ihrer ersten Morgenschicht zu Lars-Gunnar. »Macht vierzig Mäuse.«

Lars-Gunnar schaute sie überrascht an. Hielt im Lokal nach Micke Ausschau, aber der lag zu Hause und schlief.

»Ihr dürft ihm nichts geben, wenn er hier bettelt«, sagte er.

»Wenn er nichts essen darf, musst du ihn von hier fern halten«, sagte Mimmi. »Wenn er herkommt, bekommt er zu essen. Und wenn er isst, musst du bezahlen.«

Von da an hatte Lars-Gunnar bezahlt. Auch wenn Micke morgens Dienst hatte.

Jetzt lächelte er Mimmi sogar an und bat um Kaffee und Pfannkuchen für sich selbst. Er stand neben dem Tisch, an dem Teddy und Rebecka saßen. Konnte sich nicht entscheiden, wo er sich hinsetzen sollte. Am Ende ließ er sich am Nachbartisch nieder.

»Setz dich zu mir«, sagte er. »Die Dame möchte vielleicht ihre Ruhe haben.«

Die Dame sagte nichts dazu, und Teddy blieb sitzen. Als Mimmi Pfannkuchen und Kaffee brachte, fragte Lars-Gunnar: »Kann Teddy heute hier bleiben?«

»Mehr«, sagte Teddy, als er den Pfannkuchenteller seines Vaters sah.

»Zuerst den Apfel«, verlangte Mimmi unerbittlich.

»Nein«, sagte sie dann und drehte sich zu Lars-Gunnar um. »Ich habe heute die Bude voll. Magdalena hat heute Abend Herbstessen und Planungstreffen.«

Eine Spur von Unwillen zog über Lars-Gunnars Gesicht. So ging es den meisten Männern, wenn das Frauennetzwerk erwähnt wurde.

»Nur ein bisschen?«, bat er.

»Was ist mit Mama?«, fragte sie.

»Lisa möchte ich nicht fragen. Sie hat wegen des Treffens heute Abend alle Hände voll zu tun.«

»Und irgendeine andere Frau? Die schwärmen doch alle für Teddy.«

Sie sah, wie Lars-Gunnar über Alternativen nachdachte. Nichts auf dieser Welt war gratis. Es gab durchaus Frauen, die er fragen könnte. Aber das war es eben. Um einen Gefallen bitten. Zur Last fallen. Jemandem Dank schuldig sein.

Rebecka Martinsson sah Teddy an. Er starrte auf seinen Apfel. Schwer zu sagen, ob er merkte, dass er ein Problem war, oder ob er es nur schrecklich fand, den Apfel essen zu müssen, ehe es noch mehr Pfannkuchen gab.

»Teddy kann mit mir kommen, wenn er will«, sagte sie.

Lars-Gunnar und Mimmi blickten sie überrascht an. Sie sah selber auch fast verdutzt aus.

»Ja, ich habe heute nichts Besonderes vor«, sagte sie nun. »Ich wollte vielleicht einen Ausflug machen… wenn er also mitkommen will… Ich geb euch meine Telefonnummer.«

»Sie wohnt in einer der Hütten«, sagte Mimmi zu Lars-Gunnar. »Rebecka…«

»… Martinsson.«

Lars-Gunnar nickte zu Rebecka hinüber.

»Lars-Gunnar, Teddys Papa«, sagte er dann. »Wenn es nicht zu viel Mühe macht…«

Natürlich macht es Mühe, aber das gibt sie nie im Leben zu, dachte Mimmi wütend.

»Nein, überhaupt nicht«, beteuerte Rebecka.

Ich bin vom Fünfer gesprungen, dachte sie. Jetzt kann ich machen, was ich will.

Im Besprechungszimmer der Polizeistation saß Inspektorin Anna-Maria Mella zurückgelehnt auf ihrem Stuhl. Sie hatte zu einer Frühbesprechung gebeten, bei der es um die Briefe und die anderen Papiere aus Mildred Nilssons Safe ging.

Außer ihr hielten sich im Zimmer zwei Männer auf. Ihre Kollegen Sven-Erik Stålnacke und Fred Olsson. Auf dem Tisch vor ihnen lagen an die zwanzig Briefe. Die meisten in aufgeschlitzten Umschlägen.

»Dann mal los«, sagte sie.

Sie und Fred Olsson streiften Gummihandschuhe über und machten sich ans Lesen.

Sven-Erik hatte die Hände auf der Tischplatte gefaltet, der buschige Schnauzbart unter seiner Nase ragte hervor wie eine Bürste. Er sah reichlich mordlüstern aus. Am Ende zog er die Gummihandschuhe langsam wie Boxhandschuhe an.

Sie sahen die Briefe durch. Die meisten stammten von Gemeindemitgliedern und handelten von Problemen. Es ging um Scheidungen und Todesfälle, Ehebruch und Sorge um die Kinder.

Anna-Maria hielt einen Brief hoch.

»Das hier ist unmöglich«, sagte sie. »Seht euch das an, das kann man einfach nicht lesen, es sieht aus, als ob sich da ein verdrehtes Telefonkabel über die Seiten zöge.«

»Gib her«, sagte Fred Olsson und streckte die Hand aus.

Er hielt sich den Brief zuerst so nah ans Gesicht, dass der seine Nase berührte. Dann entfernte er ihn langsam wieder und las zum Schluss mit ausgestreckten Armen.

»Das ist eine Frage der Technik«, sagte er, kniff die Augen zusammen und riss sie dann wieder auf. »Zuerst sieht man die kleinen Wörter, und dann kann man darauf aufbauen. Ich nehm mir den später vor.«

Er ließ den Brief sinken und wandte sich wieder dem zu, den er vorher gelesen hatte. Er mochte diese Art von Arbeit. In Datenbanken stöbern, nachschlagen, Register vergleichen, Personen ausfindig machen, die keine feste Adresse hatten. »The truth is out here«, sagte er immer und loggte sich dann ein. Er hatte allerlei gute Kontakte im Adressbuch und kannte alle möglichen Leute, die in irgendeiner Hinsicht Experten waren.

»Hier haben wir eine überaus wütende Person«, sagte er nach einer Weile und hielt einen Brief hoch.

Er war auf rosarotem Briefpapier verfasst, auf dem in der oberen rechten Ecke galoppierende Pferde mit fliegenden Mähnen zu sehen waren.

»Deine Zeit geht zu ENDE, Mildred«, las er vor. »Bald wird sich ALLEN die Wahrheit über dich offenbaren. Du predigst LÜGEN und lebst eine LÜGE. Und VIELE von uns haben deine LÜGEN satt … bla bla bla …«

»Steck das in einen Plastikumschlag«, sagte Anna-Maria. »Alles Interessante schicken wir ins Labor. Shit!«

Fred Olsson und Sven-Erik Stålnacke blickten auf.

»Seht mal«, sagte sie. »Seht euch das an!«

Sie faltete einen Zettel auseinander und hielt ihn für die Kollegen hoch.

Es war eine Zeichnung. Das Bild stellte eine Frau mit langen Haaren dar, die in einer Schlinge hing. Es war eine sehr geschickt ausgeführte Zeichnung. Nicht professionell, aber tüchtige Amateurarbeit, das konnte Anna-Maria immerhin sehen. Um den baumelnden Körper zogen sich Feuerzungen, und auf einem Grabhügel im Hintergrund stand ein schwarzes Kreuz.

»Was steht da ganz unten?«, fragte Sven-Erik.

Anna-Maria las vor: »BALD MILDRED!«

»Das da …«, begann Fred Olsson.

»… geht sofort ins Labor«, fügte Anna-Maria hinzu. »Und wenn es Abdrücke gibt… wir müssen anrufen und sagen, dass das hier höchste Priorität hat.«

»Dann mach du das«, sagte Sven-Erik. »Fred und ich gehen den Rest durch.«

Anna-Maria verstaute Brief und Umschlag in Plastiktüten. Dann lief sie aus dem Zimmer.

Fred Olsson machte sich pflichtbewusst wieder über den Briefstapel her.

»Der hier ist gut«, sagte er. »Hier steht, dass sie eine hässliche hysterische Männerhasserin ist, die sich verdammt gut in Acht nehmen soll, denn ›jetzt haben wir dein Scheißgefasel satt, hüte dich, deine Enkel werden dich nicht wiedererkennen.‹ Sie hatte doch gar keine Kinder? Wie sollte sie dann Enkel haben?«

Sven-Erik schaute noch immer die Tür an, durch die Anna-Maria verschwunden war. Den ganzen Sommer. Den ganzen Sommer hatten diese Briefe im Safe gelegen, während er und seine Kollegen im Dunkeln getappt waren.

»Ich möchte nur wissen«, sagte er, ohne Fred Olsson anzusehen, »wieso um alles in der Welt diese Pfaffen mir verschwiegen haben, dass Mildred Nilsson im Pfarrbüro einen privaten Safe hatte!«

Fred Olsson gab keine Antwort.

»Ich würde diese Herren gern mal richtig durchschütteln und sie fragen, was das alles soll«, sagte Sven-Erik jetzt. »Sie fragen, was sie sich eigentlich einbilden!«

»Aber Anna-Maria hat doch Rebecka Martinsson versprochen…«, setzte Fred Olsson an.

»Ich habe nichts versprochen«, brüllte Sven-Erik und knallte mit der Handfläche auf die Tischplatte.

Dann sprang er auf und machte eine resignierte Handbewegung.

»Keine Panik«, sagte er. »Ich stürze jetzt nicht los und baue irgendwelchen Scheiß. Ich muss nur, ich weiß nicht, erst mal wieder zur Ruhe kommen.«

Mit diesen Worten verließ er das Zimmer. Hinter ihm knallte die Tür ins Schloss.

Fred Olsson wandte sich wieder den Briefen zu. Eigentlich war es am besten so. Er arbeitete gern allein.

PROBST BERTIL STENSSON und Pastor Stefan Wikström standen in der Kammer hinter dem Pfarrbüro und schauten in Mildred Nilssons Safe. Rebecka Martinsson hatte die Schlüssel für das Pfarrhaus in Poikkijärvi und den Safe abgeliefert.

»Ganz ruhig jetzt«, sagte Bertil Stensson. »Denk an...«

Er beendete den Satz nicht, sondern nickte zum Pfarrbüro hinüber, wo die Sekretärinnen saßen.

Stefan Wikström musterte seinen Chef verstohlen. Der Probst verzog nachdenklich das Gesicht. Ließ es glatt werden und verzog es dann wieder. Wie ein Goldhamster. Der kurze, untersetzte Rumpf im gut gebügelten rosa Hemd von Shirt Factory. Eine kühne Farbe, der Probst wurde von seinen Töchtern eingekleidet. Sie passte zu dem braun gebrannten Gesicht und dem silbergrauen jungenhaften Schopf.

»Wo sind die Briefe?«, fragte Stefan Wikström.

»Vielleicht hat sie sie verbrannt«, sagte der Probst.

Stefan Wikströms Stimme wurde ein wenig schriller.

»Mir hat sie gesagt, sie habe sie aufbewahrt. Was, wenn jetzt eine von Magdalena sie hat? Was soll ich meiner Frau sagen?«

»Vielleicht gar nichts«, meinte Bertil Stensson gelassen. »Ich muss mit ihrem Mann sprechen. Dem muss ich den Schmuck geben.«

Sie standen schweigend da.

Stefan Wikström schaute wortlos den Safe an. Er hatte sich auf den Moment der Befreiung gefreut. Hatte geglaubt, die Briefe an sich nehmen zu können und Mildred endgültig los zu sein. Aber jetzt. Ihr Griff um seinen Nacken war so hart wie zuvor.

Was verlangst du von mir, Herr, dachte er. Es steht geschrieben, dass du keinen über sein Vermögen hinaus auf die Probe stellst, aber mich hast du jetzt an meine Grenze getrieben.

Er kam sich vor wie in einer Falle. Gefangen von Mildred, von seiner Frau, seinem Beruf, seiner Berufung, bei der er nur gab und gab und niemals etwas bekam. Und seit Mildreds Tod fühlte er sich auch von seinem Vorgesetzten gefangen, dem Probst Bertil Stensson.

Bisher war Stefan über das Vater-und-Sohn-Verhältnis erfreut gewesen, das sich zwischen ihnen entwickelt hatte. Aber jetzt fürchtete er, dafür bezahlen zu müssen. Bertil hatte ihn in seiner Gewalt. Er konnte den Blicken der Sekretärinnen ansehen, was Bertil hinter seinem Rücken über ihn sagte. Sie legten den Kopf ein wenig schräg und sahen mitleidig aus. Er konnte Bertil fast hören: »Stefan hat es nicht leicht. Er ist empfindlicher, als man meinen sollte.« Empfindlicher bedeutete schwächer. Dass der Probst ab und zu Stefans Gottesdienste übernommen hatte, war nicht unbemerkt geschehen. Alle waren informiert worden, auf eine scheinbar zufällige Weise. Er kam sich gedemütigt und ausgenutzt vor.

Ich könnte einfach verschwinden, dachte er plötzlich. Gott kümmert sich auch um den Sperling.

Mildred. Im Juni war sie verschwunden gewesen. Plötzlich. Aber jetzt war sie wieder da. Das Frauennetzwerk Magdalena war wieder auf die Beine gekommen. Sie verlangten lauthals nach weiteren weiblichen Geistlichen. Und Bertil schien schon vergessen zu haben, wie sie wirklich gewesen war. Wenn er jetzt über sie sprach, dann mit Wärme in der Stimme. Sie hatte ein großes Herz, seufzte er. Sie sei als Seelsorgerin begabter gewesen als er selbst, gab er großzügig zu. Aber damit sagte er auch, dass sie begabter gewesen sei als Stefan, denn Bertil war ein besserer Seelenhirte als er.

Ich bin immerhin kein Lügner, dachte Stefan wütend. Sie war eine aggressive Streithenne, sie zog verletzte Frauen an sich und gab ihnen Feuer statt Salbe. Der Tod konnte an dieser Tatsache nichts ändern.

Es war ein unangenehmer Gedanke, dass Mildred verletzte Menschen in Brand gesteckt hatte. Viele würden vielleicht behaupten, sie habe auch ihn in Brand gesteckt.

Aber ich bin nicht verletzt, dachte er. Das war nicht der Grund. Er starrte in den Safe. Dachte an den Herbst vor einigen Jahren.

Probst Bertil Stensson hat Stefan Wikström und Mildred Nilsson zu sich bestellt. Anwesend ist auch noch Kontraktprobst Mikael Berg, der für Personalfragen zuständig ist. Mikael Berg sitzt steif auf seinem Stuhl. Er ist um die fünfzig. Seine Hose ist zehn bis fünfzehn Jahre alt. Und damals, beim Kauf, wog Mikael zehn bis fünfzehn Kilo mehr. Seine schütteren Haare kleben an seiner Kopfhaut. Ab und zu schnappt er nach Luft. Er hebt die Hand, weiß nicht, wohin damit, fährt sich über den Kopf, lässt sie wieder auf sein Knie sinken.

Stefan sitzt ihm gegenüber. Denkt, dass er Ruhe bewahren muss. Während des ganzen Gesprächs, das jetzt vor ihm liegt, wird er Ruhe bewahren. Sollen die anderen nur laut werden, er ist nicht so.

Sie warten auf Mildred. Sie kommt direkt von einer Schulandacht und hat angekündigt, dass sie sich wohl einige Minuten verspäten wird.

Bertil Stensson schaut aus dem Fenster. Runzelt die Stirn.

Dann kommt Mildred. Klopft und öffnet gleichzeitig die Tür. Rote Wangen. Die feuchte Luft draußen hat ihre Haare gekräuselt.

Sie wirft ihre Jacke auf einen Stuhl, schenkt sich aus der Thermoskanne Kaffee ein.

Bertil Stensson erklärt, worum es geht. Die Gemeinde droht sich zu spalten, sagt er. In eine Mildred-Fraktion und in – er sagt nicht, eine Stefan-Fraktion – den Rest.

»Ich freue mich über das Engagement, das du hervorrufst«, sagt er zu Mildred. »Aber für mich ist diese Situation unhaltbar. Es sieht aus wie ein Krieg zwischen der feministischen Pastorin und dem frauenfeindlichen Pastor.«

Stefan wäre fast in die Luft gegangen.

»Ich bin nun wirklich nicht frauenfeindlich«, sagt er bestürzt.

»Nein, aber so kommt es eben an«, sagt Bertil Stensson und schiebt ihm die Lokalzeitung vom Montag hin.

Niemand braucht hinzusehen. Alle haben den Artikel gelesen. »Pastorin antwortet auf Vorwürfe«, lautet die Überschrift. Im Artikel wird Mildreds Predigt der vergangenen Woche zitiert. Sie hat erzählt, dass die Stola der römischen Frauentracht entlehnt ist. Dass sie seit dem 4. Jahrhundert zur liturgischen Kleidung gehört. »Die heutigen Gewänder der Geistlichen sind also eigentlich Frauenkleider, weiß Mildred Nilsson zu berichten«, steht im Artikel. »Ich kann männliche Geistliche trotzdem akzeptieren, es steht doch geschrieben: Hier gibt es weder Mann noch Frau, weder Juden noch Griechen.«

Stefan Wikström kommt in diesem Artikel ebenfalls zu Wort.

»Stefan Wikström sagt, er fühle sich von dieser Predigt nicht persönlich angegriffen. Er liebe Frauen, nur wolle er sie nicht auf der Kanzel sehen.«

Stefans Herz wird schwer. Er fühlt sich betrogen. Natürlich hat er das gesagt, aber im Zusammenhang des Artikels stimmt es einfach nicht. Der Journalist hatte ihn gefragt: »Sie lieben Ihre Brüder. Wie halten Sie es mit den Schwestern? Sind Sie ein Frauenfeind?«

Und er hatte naiv geantwortet: »Durchaus nicht.« Er liebe Frauen.

»Aber Sie wollen sie nicht auf der Kanzel sehen.«

Nein, hatte er geantwortet. Grob ausgedrückt sei das wohl seine Ansicht. Aber das solle kein Werturteil sein, hatte er hinzugefügt. In seinen Augen sei die Arbeit der Diakonisse ebenso wertvoll wie die des Geistlichen.

Jetzt sagt der Probst, dass er von Mildred keine Verlautbarungen dieser Art mehr zu hören wünscht.

»Aber was ist mit Stefans Verlautbarungen?«, fragt sie gelassen.

»Er und seine Familie kommen nicht in die Kirche, wenn ich predige. Wir können keine gemeinsame Konfirmation abhalten, weil er nicht mit mir zusammenarbeiten will.«

»Ich kann das Bibelwort nicht ignorieren«, sagt Stefan. Mildred macht eine ungeduldige Kopfbewegung. Bertil fasst sich in Geduld. Sie haben das alles schon gehört, das weiß Stefan, aber was soll er machen, wenn es doch immer noch die Wahrheit ist.

»Jesus hat zwölf Männer zu seinen Jüngern erwählt«, beharrt er. »Der Hohepriester war immer ein Mann. Wie weit sollen wir uns denn vom Bibelwort entfernen in unserer Anpassung an die geltenden gesellschaftlichen Normen, ohne am Ende keine Christen mehr zu sein?«

»Alle Jünger und Hohepriester waren außerdem Juden«, erwidert Mildred. »Wie gehst du damit um? Und lies den Hebräerbrief, da ist Jesus der Hohepriester.«

Bertil hebt die Hände zu einer Geste, die bedeuten soll, dass er diese schon mehrmals geführte Diskussion nicht zu wiederholen wünscht.

»Ich respektiere euch beide«, sagt er. »Und ich habe mich bereit erklärt, in deinem Pfarrbezirk keine Frau einzustellen, Stefan. Ich möchte noch einmal darauf hinweisen, dass ihr mich und die Gemeinde in eine schwierige Situation bringt. Ihr verschiebt den Kern eines Konflikts. Und ich möchte euch beide ermahnen, nicht polemisch zu werden, schon gar nicht auf der Kanzel.«

Seine Miene verändert sich. Ist nicht mehr streng, sondern versöhnlich. Er zwinkert Mildred fast verständnisinnig zu.

»Wir könnten doch versuchen, uns auf unseren gemeinsamen Auftrag zu konzentrieren. Ich würde mich freuen, wenn ich hier in der Kirche keine Begriffe wie Männermacht und geschlechtsspezifische Machtstrukturen mehr hören müsste. Du kannst Stefan doch wohl glauben, Mildred. Dass es keine Demonstration sein soll, wenn er nicht in die Kirche kommt, wenn du predigst.«

Mildred verzieht keine Miene. Sie schaut Stefan fest in die Augen.

»Es ist ein Bibelwort«, sagt er und kann durchaus zurückstarren. »Ich kann das nicht ignorieren.«

»Männer schlagen Frauen«, sagt sie, holt Luft und redet weiter. »Männer erniedrigen Frauen, dominieren sie, misshandeln sie, ermorden sie. Schneiden ihnen die Geschlechtsorgane ab, bringen sie als Neugeborene um, zwingen sie, sich hinter einem Schleier zu verstecken, sperren sie ein, vergewaltigen sie, verwehren ihnen die Ausbildung, bezahlen ihnen weniger Lohn und halten sie von der Macht fern. Verweigern ihnen den Zugang zu geistlichen Ämtern. Ich kann das nicht ignorieren.«

Für ungefähr drei Sekunden herrscht Schweigen.

»Aber Mildred«, setzt Bertil an.

»Sie ist doch verrückt«, ruft Stefan. »Nennst du mich... stellst du mich auf eine Stufe mit einem Frauenmisshandler? Das hier ist keine Diskussion, das ist Verleumdung, und ich weiß nicht...«

»Was?«, fragt sie.

Und jetzt stehen sie beide auf, irgendwo im Hintergrund hören sie Bertil und Mikael Berg: »Beruhigt euch doch, setzt euch wieder.«

»Was daran soll Verleumdung sein?«

»Es gibt keine Berührungspunkte«, sagte Stefan zu Bertil. »Wir können nicht zusammenarbeiten. Ich muss mir nicht gefallen lassen... wir können unmöglich zusammenarbeiten, das verstehst du doch selbst.«

»Das hast du doch noch nie gekonnt«, hört er Mildred zu seinem Rücken sagen, als er aus dem Zimmer stürzt.

Probst Bertil Stensson stand stumm vor dem Safe. Er wusste, dass sein jüngerer Kollege auf ein beruhigendes Wort wartete. Aber was sollte er sagen?

Natürlich hatte sie die Briefe nicht verbrannt oder weggeworfen. Wenn er nur davon gewusst hätte. Er merkte, dass er sich ziemlich über Stefan ärgerte, der ihm nichts davon gesagt hatte.

»Gibt es etwas, das ich wissen müsste?«, fragte er.

Stefan Wikström musterte seine Hände. Die Schweigepflicht konnte ein schweres Kreuz sein.

»Nein«, sagte er.

Bertil Stensson stellte zu seinem Erstaunen fest, dass sie ihm fehlte. Er war bestürzt und schockiert über den Mord gewesen. Aber er hatte nicht damit gerechnet, dass sie ihm fehlen würde. Vermutlich war er ungerecht. Aber das, was ihm an Stefan bisher gefallen hatte. Dessen Diensteifer und... ach, es war ein lächerliches Wort, Stefans Bewunderung für seinen Vorgesetzten. Das alles kam ihm jetzt, wo Mildred nicht mehr da war, gefallsüchtig und belastend vor. Die beiden hatten einander ausgeglichen, seine kleinen Kinder. So hatte er sie oft gesehen. Auch wenn Stefan über vierzig war und Mildred schon die fünfzig hinter sich gelassen hatte. Vielleicht waren sie doch beide die Kinder des Probstes.

Ach, sie hatte einen wirklich reizen können. Und oft mit kleinen Mitteln.

Das Dreikönigsessen, zum Beispiel. Jetzt kam er sich kleinlich vor, weil er sich so geärgert hatte. Aber er hatte ja nicht gewusst, dass es Mildreds letztes sein würde.

Stefan und Bertil starren Mildreds Aufmarsch am Tisch zwischen ihnen wie verhext an. Es ist das kirchliche Dreikönigsessen, das seit einigen Jahren abgehalten wird. Stefan und Bertil sitzen Mildred gegenüber. Das Personal räumt nach dem Hauptgericht ab, und Mildred mobilisiert.

Zuerst hatte sie Soldaten für ihre kleine Armee geworben. Hatte mit der einen Hand den Salzstreuer und mit der anderen die Pfeffermühle gepackt. Hatte sie aufeinander zugeführt und sie dann abbiegen lassen, während sie wie versunken dem Gespräch zuhörte, bei dem es darum ging, dass die arbeitsintensive Weihnachtszeit nun zu Ende sei und gerade eine neue Erkältungswelle grassiere. Sie pulte an den Wachsrändern der Kerze herum. Schon da konnte Bertil sehen, dass Stefan sich fast an die Tischkante klammern musste, um ihr nicht den Kerzenhalter wegzureißen und zu brüllen: Fass doch nicht immer alles an!

Ihr Weinglas stand noch immer wie die Dame auf einem Schachbrett da und wartete auf den Einsatz.

Als Mildred dann anfängt, von der Wölfin zu reden, über die während der Weihnachtswoche die Zeitungen berichtet haben, schiebt sie Salz und Pfeffer zerstreut auf Bertils und Stefans Seite des Tisches hinüber. Auch das Weinglas wird jetzt in Bewegung gesetzt. Mildred berichtet, dass die Wölfin die russische und finnische Grenze überschritten hat, und das Glas jagt über den Tisch, so weit ihr Arm reicht, über alle möglichen Grenzen.

Sie redet weiter, mit vom Wein geröteten Wangen, und verschiebt die Gegenstände auf dem Tisch. Stefan und Bertil fühlen sich bedrängt und von ihren Bewegungen auf dem Tisch seltsam behindert.

Bleib auf deiner Seite, möchten sie rufen.

Sie erzählt, dass sie überlegt hat. Sie hat sich überlegt, dass die Kirche eine Stiftung zum Schutz der Wölfin gründen sollte. Die Kirche besitze doch Grund und Boden, also gehöre das in den Verantwortungsbereich der Kirche, findet sie.

Bertil ist vom Einfrauenschach auf der Tischdecke nicht unberührt geblieben und beißt um sich.

»Meiner Meinung nach soll die Kirche sich ihren eigentlichen Aufgaben widmen, Gemeindearbeit und nicht Forstwirtschaft. Rein prinzipiell, meine ich. Eigentlich dürften wir gar keinen Wald besitzen. Die Kapitalverwaltung sollten wir anderen überlassen.«

Mildred ist anderer Ansicht.

»Es ist unsere Aufgabe, die Erde zu verwalten«, sagt sie. »Wir sollen Boden besitzen und keine Aktien. Und wenn die Kirche Boden besitzt, kann sie ihn auf die richtige Weise verwalten. Jetzt ist diese Wölfin auf schwedisches Territorium und auf den Boden der Kirche gewandert. Wenn sie nicht beschützt wird, wird ihr kein langes Leben beschieden sein, das weißt du. Irgendein Jäger oder Rentierbesitzer wird sie erschießen.«

»Die Stiftung soll also...«

»Soll das verhindern, ja. Durch Geld und Zusammenarbeit mit den Naturschutzbehörden können wir die Wölfin markieren und überwachen.«

»Und auf diese Weise stößt du Menschen ab«, wendet Bertil ein. »Alle müssen Platz in der Kirche finden, Jäger, Samen, Wolfsfreunde – alle. Aber dann kann die Kirche nicht auf diese Weise Stellung beziehen.«

»Und was ist mit unserem Verwalteramt?«, fragt Mildred. »Wir sollen die Erde hegen und pflegen, und das muss doch auch für von der Ausrottung bedrohte Tierarten gelten. Und wir sollen nicht politisch Stellung beziehen? Wenn die Kirche in früheren Zeiten diese Ansicht vertreten hätte, dann gäbe es heute noch Sklaverei.«

Jetzt müssen sie doch über sie lachen. Sie muss ja wirklich immer übertreiben.

Bertil Stensson schloss die Safetür und sperrte sie ab. Er steckte den Schlüssel in die Tasche. Im Februar hatte Mildred ihre Stiftung ins Leben gerufen. Weder er noch Stefan Wikström hatten Widerstand geleistet.

Die ganze Idee hatte ihn schon geärgert. Und wenn er jetzt zurückblickte und versuchte, ehrlich zu sein, dann ärgerte ihn die Erkenntnis, dass er einfach nur aus Feigheit nicht dagegen war. Er hatte Angst, als Wolfshasser dazustehen und als Gott weiß was. Aber er hatte Mildred immerhin dazu gebracht, einen weniger provozierenden Namen zu wählen als »Stiftung für Wolfsschutz im Norden«, nämlich »Verein für Wildtierschutz«. Und er und Stefan hatten zusammen mit Mildred den Gründungsaufruf unterschrieben.

Und später im Frühling, als Stefans Frau mit den jüngsten Kindern zu ihrer Mutter nach Katrineholm gefahren war und lange fortblieb, hatte Bertil nicht mehr so viel darüber nachgedacht.

Jetzt im Nachhinein machte ihm die Sache natürlich zu schaffen.

Aber Stefan hätte auf jeden Fall etwas sagen müssen, dachte er zu seiner Verteidigung.

Rebecka hielt auf dem Hofplatz vor dem Haus ihrer Großmutter in Kurravaara. Teddy sprang aus dem Auto und lief eine neugierige Runde.

Wie ein glücklicher Hund, dachte Rebecka, als sie ihn um die Ecke verschwinden sah.

Gleich darauf hatte sie ein schlechtes Gewissen. Man durfte Teddy doch nicht mit einem Hund vergleichen.

Septembersonne auf grauem Eternit. Der Wind, der gelassen durch das hohe bleiche und unterernährte Herbstgras fuhr. Wenig Wasser, in der Ferne ein Motorboot. Aus einer anderen Richtung Sägegeräusche. Ansonsten Schweigen, Stille. Eine leichte Brise im Gesicht, wie eine behutsame Hand.

Sie schaute wieder zum Haus hinüber. Die Fenster waren in traurigem Zustand. Sie hätten ausgehängt, abgekratzt, gekittet und frisch gestrichen werden müssen. Mit der gleichen dunkelgrünen Farbe wie immer, mit keiner anderen. Sie dachte an die Steinwolle, die im Kellergang klebte, als Schutz gegen die kalte Luft, die sonst hochströmen und Reif an den Wänden bilden und zu grauen Feuchtigkeitsflecken werden würde. Die müsste abgerissen werden. Sie müsste abdichten, isolieren, einen Ventilator einbauen. Einen guten Erdkeller anlegen. Sie müsste das hohläugige Gewächshaus ausräumen, ehe es zu spät wäre.

»Komm, wir gehen rein«, rief sie Teddy zu, der zu Larssons roter Schutzhütte gerannt war und an der Tür rüttelte.

Teddy kam über das Kartoffelfeld getrottet. Seine Schuhe waren unten dick vor Lehm.

»Du«, sagte er und zeigte auf Rebecka, als sie auf die Treppe trat.

»Rebecka«, antwortete Rebecka. »Ich heiße Rebecka.«

Er nickte als Antwort. Würde sie bald wieder fragen. Er hatte schon einige Male gefragt, hatte sie aber noch nicht beim Namen genannt.

Sie gingen die Treppe hoch und in die Küche. Die roch feucht und muffig. Es schien kälter zu sein als draußen. Teddy ging voran. In der Küche öffnete er ungeniert alle Schränke und Schubladen.

Gut, dachte Rebecka. Soll er sie nur aufmachen, dann fliegen alle Gespenster davon.

Sie lächelte seine große, unbeholfene Gestalt an, sein schelmisches Lächeln, das er ab und zu auf sie richtete. Es war schön, ihn bei sich zu haben.

Auch so kann ein Ritter aussehen, dachte sie.

Alles war unverändert. Ein Gefühl der Geborgenheit überkam sie. Legte den Arm um sie. Zog sie aufs Sofa neben Teddy, der eine Bananenkiste mit Comics gefunden hatte. Er suchte die heraus, die er mochte. Sie mussten bunt sein, er zog *Donald Duck* vor. *Agent X9*, *Das Phantom* und *Buster* legte er zurück in den Karton. Sie sah sich um. Die blau gestrichenen Stühle um den alten, abgenutzten Ausklapptisch. Der brummende Kühlschrank, die Aufkleber auf den Kacheln über dem schwarzen Näfveqvarnherd, die allerlei Gewürze abbildeten. Neben dem Ofen stand der elektrische Herd mit seinen orangefarbenen und braunen Plastikknöpfen. Überall die Hand der Großmutter. Auf dem Holzgestell über dem Herd drängten sich getrocknete Pflanzen, Töpfe und rostfreie Gefäße. Onkel Affes Frau Inga-Lill hängte die Kräuter noch immer dort auf. Katzenschwanz, Rainfarn, Wollgras, Butterblumen und Schafgarbe. Einige gekaufte rosafarbene Immortellen waren auch dabei, zu Lebzeiten der Großmutter hatte es so etwas nicht gegeben. Die gewebten Flickenteppiche der Großmutter auf dem Boden und als Kälteschutz auch auf der Küchenbank. Bestickte Decken überall, sogar auf der Nähmaschine in der Ecke. Bestickte Webbänder mit Taschen, in einer der Untersetzer, den Opa in der letzten Zeit seiner Krankheit aus Streichhölzern angefertigt hatte. Von der Großmutter genähte oder bestickte Kissenbezüge.

Ob ich hier wohl wohnen könnte, überlegte Rebecka.

Sie schaute auf die Wiese hinaus. Niemand schien mehr zu mähen oder zu flämmen. Das Gras wuchs in großen Büscheln durch eine Schicht aus verfaultem Gras des vergangenen Jahres. Es gab bestimmt Tausende von Wühlmauslöchern. Von hier oben konnte sie besser sehen, wie das Schuppendach durchsackte. Plötzlich wurde sie traurig. Ein Haus stirbt, wenn es verlassen wird. Es verwittert, es atmet nicht mehr. Es bekommt Risse, senkt sich, schimmelt.

Wo soll man anfangen, überlegte Rebecka. Allein die Fenster wären mehr als genug. Ich kann keine Dächer decken. Und den Balkon darf man nicht mehr betreten.

Dann bebte das Haus. Unten wurde mit der Tür geknallt. Das kleine Glockenspiel mit der Melodie zu *Jiopa virkki puu visainen kielin kantelon kajasi tuota soittoa suloista* erklang und ließ einige zarte Töne hören.

Sivvings Stimme schallte durch das Haus. Kam die Treppe hoch und drang durch die Tür.

»Hallo!«

Einige Sekunden darauf stand er im Türrahmen. Der Nachbar der Großmutter. In jeder Hinsicht groß gewachsen. Die Haare weiß und weich wie Wollgras. Weißgelbe Militärunterwäsche unter einer blauen Nylonjacke. Strahlendes Lächeln, als er Rebecka entdeckte. Sie sprang auf.

»Rebecka«, sagte er nur.

Mit zwei Schritten hatte er sie erreicht. Schloss sie in die Arme.

Sie hatten sich sonst nie umarmt, nicht einmal in Rebeckas Kinderzeit. Aber sie erstarrte jetzt nicht. Im Gegenteil. Sie schloss für die zwei Sekunden, die die Umarmung dauerte, die Augen. Ließ sich auf ein Meer der Ruhe hinaustreiben. Wenn man das Händeschütteln nicht mitrechnete, dann hatte kein Mensch sie mehr berührt, seit... ja, seit Erik Rydén sie zu dem Firmenfest auf Lidö willkommen geheißen hatte. Und vorher ein halbes Jahr lang niemand, seit der Blutprobe im Krankenhaus.

Dann war die Umarmung zu Ende. Aber Sivving Gjällborg hielt noch immer ihren linken Unterarm mit seiner Rechten umfasst.

»Wie geht es dir?«, fragte er.

»Gut«, sagte sie lächelnd.

Sein Gesicht wurde ernster. Er hielt sie noch einen Moment fest, dann ließ er sie los. Dann war sein Lächeln wieder da.

»Und du hast einen Kumpel mitgebracht.«

»Ja, das ist Teddy.«

Teddy war in ein Donaldheft vertieft gewesen. Schwer zu sagen, ob er es lesen konnte oder sich nur die Bilder ansah.

»Aber dann müsst ihr zum Kaffee rüberkommen, ich hab auch etwas sehr Schönes zum Angucken. Wie sieht es aus, Teddy? Saft und Rosinenbrötchen? Oder willst du lieber Kaffee?«

Teddy und Rebecka trotteten hinter Sivving her wie zwei Kälber.

Sivving, dachte Rebecka und lächelte. Das wird schon alles werden. Man muss sich ein Fenster nach dem anderen vornehmen.

Sivvings Haus lag auf der anderen Straßenseite. Rebecka erzählte, dass sie beruflich nach Kiruna gekommen sei und einen kurzen Urlaub angehängt habe. Sivving stellte keine unangenehmen Fragen. Warum sie nicht in Kurravaara wohnte, zum Beispiel. Rebecka registrierte, dass sein linker Arm kraftlos nach unten hing und er den linken Fuß nachzog, nicht sehr, aber doch merklich. Auch sie stellte keine Fragen.

Sivving hauste in seinem Heizungskeller. Da hatte er weniger sauber zu halten, und es war nicht so einsam. Nur wenn seine Kinder und Enkelkinder zu Besuch kamen, wurde der Rest des Hauses genutzt. Aber es war ein gemütlicher Heizungskeller. Geschirr und Hausrat, die er im Alltag brauchte, passten in ein braunes

Hängeregal. Es gab ein Bett und einen kleinen Küchentisch mit Resopalplatte, einen Stuhl, eine Kommode und eine elektrische Kochplatte.

Auf dem Hundebett neben seinem Bett lag Sivvings Vorsteherhündin Bella. Und neben ihr lagen vier Welpen. Bella sprang eilig auf und begrüßte Rebecka und Teddy. Sie hatte aber nicht die Zeit, sich kurz die Schnauze streicheln zu lassen, sondern versetzte ihrem Herrchen zwei Stöße und ein Lecken.

»Schon gute, Alte«, sagte Sivving. »Also, Teddy, was sagst du? Die sind toll, nicht?«

Teddy schien ihn kaum zu hören. Er starrte die Welpen mit verklärter Miene an.

»Ach«, sagte er, »ach«, ging neben dem Bett in die Hocke und streckte die Hand nach einem schlafenden Hundebaby aus.

»Ich weiß nicht...«, fing Rebecka an.

»Nein, lass ihn«, sagte Sivving. »Bella ist eine gelassenere Mutter, als ich ihr zugetraut hätte.«

Bella legte sich neben die drei Welpen, die noch im Bett lagen. Sie behielt Teddy unverwandt im Auge, der den vierten aufhob und sich mit dem kleinen Hund auf dem Schoß an die Wand lehnte. Der Welpe wachte auf und griff nach besten Kräften Teddys Ärmel und Hand an.

»So sind sie eben«, lachte Sivving. »Bei denen scheint es einen Einschaltknopf zu geben. Gerade toben sie noch wie die wilde Jagd herum, dann sind sie plötzlich eingeschlafen.«

Schweigend tranken sie Kaffee. Das machte nichts. Es reichte, Teddy auf dem Rücken am Boden liegen zu sehen, während die Welpen auf seinen Beinen herumturnten, an seinen Kleidern zogen und sich auf seinen Bauch kämpften. Bella schnappte sich derweil ein Rosinenbrötchen vom Tisch. Der Speichel lief auf beiden Seiten aus ihrem Maul, als sie sich neben Rebecka setzte.

»Du hast ja schöne Manieren gelernt«, lachte die.

»Geh ins Bett«, sagte Sivving zu Bella und winkte mit der Hand.

»Du, ich glaube, sie ist auf dem Ohr schwerhörig, das sie dir zukehrt«, sagte Rebecka und lachte noch mehr.

»Alles meine Schuld«, klagte Sivving. »Aber du weißt ja, hier sitzt man so ganz allein, und dann passiert es leicht, dass man alles teilt. Und dann...«

Rebecka nickte.

»Aber hör mal«, sagte Sivving munter. »Jetzt hast du doch einen großen Jungen bei dir, da könnt ihr mir beim Anleger helfen. Ich wollte ihn schon mit dem Trecker hochziehen, aber ich habe Angst, dass der nicht hält.«

Der Anleger war vom Wasser durchtränkt und schwer. Der Fluss niedrig und träge. Teddy und Sivving standen auf beiden Seiten und zogen. Die letzten Mücken des Sommers stachen ihnen in den Nacken. Wegen der Sonne und der Anstrengung hatten sie ihre Kleider in einem Haufen oben am Hang liegen gelassen. Teddy trug Sivvings Ersatzgummistiefel. Rebecka hatte andere Sachen aus dem Haus ihrer Großmutter geholt. Der eine Stiefel war geplatzt, deswegen war ihr rechter Fuß sehr schnell nass geworden. Jetzt stand sie am Ufer und zog, und um ihre Socke schwappte das Wasser. Sie spürte, wie ihr der Schweiß über den Rücken strömte. Und über den Hinterkopf. Nass und salzig.

»Da merkt man doch, dass man lebt«, stöhnte sie, an Sivving gerichtet.

»Der Körper jedenfalls«, antwortete Sivving.

Er musterte sie zufrieden. Wusste, dass in harter körperlicher Arbeit eine Befreiung lag, wenn die Seele sich quälte. Sicher würde er sie zur Arbeit heranziehen, wenn sie zurückkäme.

Danach aßen sie in Sivvings Heizungskeller Fleischsuppe und Knäckebrot. Sivving hatte drei Hocker herbeigezaubert, die um den Tisch herum Platz hatten. Rebecka hatte trockene Socken angezogen.

»Ach, wie schön, dass es euch schmeckt«, sagte Sivving zu Teddy, der zur Suppe dick mit Butter und Käse belegte Knäckebrote in sich hineinfutterte. »Du musst mir öfter helfen kommen.«

Teddy nickte mit vollem Mund. Bella lag auf ihrem Bett, die Welpen schnupperten an ihrem Bauch herum. Ab und zu bewegten sich ihre Ohren. Sie hatte alles unter Kontrolle, auch wenn sie die Augen geschlossen hielt.

»Und du, Rebecka«, sagte Sivving, »bist ja sowieso immer willkommen.«

Sie nickte und schaute aus dem Kellerfenster.

Hier geht die Zeit langsamer, dachte sie. Aber man spürt schon, dass sie vergeht. Ein neuer Anleger. Neu für mich, der hat doch schon viele Jahre auf dem Buckel. Die Katze, die da im Gras verschwindet, ist nicht Larssons Mirri. Die ist schon lange tot. Ich weiß nicht, wie die Hunde heißen, die ich in der Ferne bellen höre. Früher wusste ich das. Konnte Pilkkis heiseres, streitlustiges Kläffen erkennen. Sie konnte ewig weitermachen. Sivving. Bald wird er Hilfe brauchen, um sich zu versorgen und Essen zu kaufen. Vielleicht könnte ich es hier aushalten?

ANNA-MARIA MELLA fuhr mit ihrem roten Ford Escort auf den Hof von Magnus Lindemark. Lisa Stöckel und Erik Nilsson hatten ihn als den Mann bezeichnet, der aus seinem Hass auf Mildred Nilsson kein Geheimnis gemacht hatte. Der ihre Autoreifen zerstochen und den Schuppen des Pfarrhauses in Brand gesteckt hatte.

Er wusch gerade seinen Volvo, drehte das Wasser ab und legte den Schlauch hin, als Anna-Maria auf den Hofplatz fuhr. Er war ein wenig klein geraten, sah aber stark aus. Er krempelte sich die Hemdsärmel hoch, als sie aus dem Wagen stieg. Wollte wohl seine Muskeln zeigen.

»Fahren Sie aber eine Dampflok«, scherzte er.

Gleich darauf bemerkte er, dass er es mit einer Polizistin zu tun hatte. Sie sah, wie sich sein Gesicht veränderte. Jetzt zeigte es eine Mischung aus Verachtung und Schläue. Anna-Maria ging auf, dass es besser gewesen wäre, Sven-Erik mitzunehmen.

»Ich glaube nicht, dass ich Lust habe, hier irgendwelche Fragen zu beantworten«, sagte Magnus Lindmark, noch ehe sie den Mund aufgemacht hatte.

Anna-Maria stellte sich vor. Zeigte auch ihren Dienstausweis, den sie normalerweise nicht unnötig durch die Gegend schwenkte.

Was mache ich jetzt, überlegte sie. Ich kann ihn ja nicht zwingen.

»Lassen Sie mich raten«, sagte er, verzog das Gesicht zu einer gekünstelten Denkermiene und rieb sich das Kinn mit dem Zeigefinger. »Eine Pfaffenfotze, die bekommen hat, was sie verdient hat, vielleicht? Und wenn ich mir das genauer überlege, dann habe ich keine Lust, darüber zu reden.«

Oh, dachte Anna-Maria. Der genießt diesen Moment.

»Na gut«, sagte sie und lächelte freundlich. »Dann setze ich mich in meine Dampflok und töffe wieder weg.«

Sie machte kehrt und ging zum Auto.

Er wird rufen, konnte sie gerade noch denken.

»Wenn ihr den Kerl findet, der es war«, rief er, »dann sagt Bescheid, damit ich ihm die Hand schütteln kann.«

Sie ging weiter auf ihr Auto zu. Drehte sich, die Hand auf dem Türgriff, zu ihm um. Sagte nichts.

»Sie war eine miese Nutte, die es nicht anders verdient hat. Haben Sie keinen Notizblock? Schreiben Sie das auf.«

Anna-Maria zog einen Block und einen Stift aus der Tasche. Kritzelte »miese Nutte«.

»Sie scheint viele gegen sich aufgebracht zu haben«, sagte sie wie an sich selbst gerichtet.

Er kam auf sie zu, trat drohend vor sie.

»Das kann ich Ihnen sagen, verdammt.«

»Warum sind Sie so wütend auf sie?«

»Wütend«, fauchte er. »Wütend, das bin ich auf meine Hündin, wenn sie wie blöd einem Eichhörnchen hinterherbellt. Ich bin kein Heuchler, ich gebe gern zu, dass ich sie gehasst habe. Und ich war da nicht der Einzige.«

Red weiter, dachte Anna-Maria und nickte verständnisvoll.

»Warum haben Sie sie gehasst?«

»Weil sie meine Ehe ruiniert hat, deshalb! Weil mein Junge mit elf Jahren angefangen hat, ins Bett zu pissen. Wir hatten Probleme, Anki und ich, aber nachdem sie mit Mildred gesprochen hatte, konnte von einer Lösung keine Rede mehr sein. Ich sagte: Willst du zur Familienberatung? Ich tu, was du willst. Aber nein, diese verdammte Pastorin hat ihr den Kopf verdreht, bis sie mich verlassen hat. Und die Kinder hat sie mitgenommen. Sie hätten nicht gedacht, dass die Kirche so was macht, oder?«

»Nein. Aber Sie …«

»Anki und ich haben uns gestritten, das schon. Aber Sie und Ihr Alter streiten sich doch sicher auch ab und zu?«

»Oft. Aber Sie waren also so wütend, dass Sie ...«

Anna-Maria unterbrach sich und blätterte in ihrem Block.

» ... ihren Schuppen angesteckt, ihre Reifen zerstochen, die Fenster in ihrem Gewächshaus eingeschlagen haben.«

Magnus Lindmark lächelte sie strahlend an und sagte gelassen: »Aber das war doch nicht ich.«

»Ach, und was haben Sie in der Nacht vor Mittsommer gemacht?«

»Hab ich schon gesagt, bei einem Kumpel übernachtet.«

Anna-Maria las in ihrem Block.

»Fredrik Korpi. Übernachten Sie oft bei Ihren Kumpels?«

»Wenn man so verdammt breit ist, dass man nicht mehr nach Hause fahren kann ...«

»Sie sagen, Sie seien nicht der Einzige gewesen, der sie gehasst hat. Wer waren die anderen?«

Er machte eine fegende Armbewegung.

»Alle Welt.«

»Sie war sehr beliebt, habe ich gehört.«

»Bei tausend hysterischen Weibsbildern.«

»Und etlichen Männern.«

»Die auch nur hysterische Weibsbilder sind. Fragen Sie irgendeinen, entschuldigen Sie den Ausdruck, echten Kerl, dann werden Sie es schon hören. Sie hatte es doch auch auf die Jagdgesellschaft abgesehen. Wollte die Pacht beenden und weiß der Teufel. Aber wenn Sie glauben, dass Torbjörn sie umgebracht hat, dann liegen Sie total falsch.«

»Torbjörn?«

»Torbjön Ylitalo, der von der Kirche angestellte Förster und Vorsitzende des Jagdvereins. Sie haben sich im Frühjahr schrecklich gefetzt. Er hätte ihr garantiert gern die Büchse in den Schlund gehalten. Verdammt, wie sie da mit ihrer Stiftung losgelegt hat. Und das ist ja wohl eine Klassenfrage. Für die verdammten feinen Leute in Stockholm ist es leicht, Wölfe zu lieben. Aber an dem Tag, wo der Wolf auf ihren Golfplätzen erscheint und sie beim

Cocktail auf der Veranda stört und ihre Pudel zum Frühstück verschlingt, da gehen sie auch auf die Jagd.«

»Mildred Nilsson kam doch gar nicht aus Stockholm.«

»Vielleicht nicht, aber irgendwo aus der Nähe. Der Vetter von Torbjörn Ylitalo war in Värmland, Weihnachen 92, um seine Schwiegereltern zu besuchen, und da ist sein Jagdhund von Wölfen getötet worden. Ein Jagdchampion mit Spürhunddiplom. Ich sag Ihnen, er hat bei Micke gesessen und geflennt, als er erzählt hat, wie sie den Hund gefunden haben. Oder genauer gesagt, die Reste des Hundes. Von dem waren nur noch das Skelett und ein paar blutige Hautfetzen übrig.«

Er sah sie an. Sie verzog keine Miene, bildete der Mann sich denn ein, sie werde in Ohnmacht fallen, bloß weil er über Skelette und Hautfetzen redete?

Als sie nichts sagte, drehte er den Kopf zur Seite, sein Blick schweifte über die Tannen zu den ausgefransten, eilig dahinziehenden Wolken am knallblauen Herbsthimmel.

»Ich musste einen Anwalt einschalten, um meine eigenen Kinder treffen zu können. Scheiße, Scheiße. Ich hoffe, sie musste leiden. Und das musste sie doch, oder?«

Als Rebecka und Teddy zu Mickes Bar & Küche zurückkehrten, war es schon fünf Uhr nachmittags. Lisa Stöckel kam über die Landstraße auf das Restaurant zu, und Teddy rannte ihr entgegen.

»Hund!«, rief er und zeigte auf Lisas Hund Majken. »Klein!«

»Wir haben uns Welpen angesehen«, erklärte Rebecka.

»Becka«, rief er und zeigte auf Rebecka.

»Meine Güte, jetzt bist du beliebt.« Lisa lächelte Rebecka an.

»Die Hundebabys waren wirklich ein Erfolg«, sagte Rebecka bescheiden.

»Hunde überhaupt«, sagte Lisa. »Du hast Hunde gern, was, Teddy? Ich habe gehört, dass du dich heute um Teddy gekümmert hast, und da sage ich vielen Dank. Und ich zahle natürlich, wenn du Ausgaben für Essen oder so hattest.«

Sie zog eine Brieftasche hervor.

»Nein, nein«, sagte Rebecka und machte eine abwehrende Handbewegung, so dass Lisa die Brieftasche auf den Boden fiel.

Alle Plastikkarten rutschten auf den Kies, der Ausweis für die Bibliothek, die Kundenkarte aus dem Supermarkt, die Kreditkarte und der Führerschein.

Und das Foto von Mildred.

Lisa bückte sich hastig, um alles aufzusammeln, aber Teddy hatte sich Mildreds Foto schon geschnappt. Es war auf einer Busreise aufgenommen worden, als Magdalena zu Exerzitien nach Uppsala gefahren war. Mildred lachte überrascht und vorwurfsvoll in die Kamera. Die Lisa in der Hand hielt. Sie hatten eine Pause eingelegt, um sich die Beine zu vertreten.

»Ilred«, sagte Teddy zu dem Foto und schmiegte es an seine Wange.

Er lächelte Lisa an, die mit ungeduldig ausgestreckter Hand vor ihm stand. Sie musste sich sehr zusammenreißen, um ihm das Bild nicht mit Gewalt wegzunehmen. Was für ein verdammtes Glück, dass sonst niemand dabei war.

»Ja, die beiden waren dick befreundet«, sagte sie und nickte zu Teddy hinüber, der sich das Bild noch immer an die Wange hielt.

»Sie scheint wirklich eine ganz ungewöhnliche Pastorin gewesen zu sein«, sagte Rebecka ernst.

»Ja, wirklich«, sagte Lisa. »Wirklich.«

Rebecka bückte sich und streichelte den Hund.

»Er ist doch ein Segen«, sagte Lisa. »Man vergisst alle Sorgen, wenn man mit ihm zusammen ist.«

»Ist das nicht eine Hündin?«, fragte Rebecka und schaute dem Hund unter den Bauch.

»Nein, ich meine Teddy«, sagte Lisa. »Das hier ist Majken.«

Sie streichelte den Hund zerstreut.

»Ich habe viele Hunde.«

»Ich mag Hunde«, sagte Rebecka und streichelte Majkens Ohren.

Mit Menschen sieht es nicht so gut aus, was, dachte Lisa. Ich weiß. Ich war auch lange so. Bin es wohl noch immer.

Aber Mildred hatte ihr das alles ausgetrieben. Schon von Anfang an. Wie damals, als sie Lisa dazu gebracht hatte, einen Vortrag über Wirtschaftsführung zu halten. Lisa hatte versucht abzulehnen. Aber Mildred war … »stur« war ein lächerliches Wort. Man konnte Mildred nicht in dieses Wort stopfen.

»Magst du sie nicht?«, fragt Mildred. »Magst du Menschen nicht?«

Lisa sitzt auf dem Boden, Bruno neben ihr. Sie schneidet ihm die Krallen.

Majken steht aufmerksam daneben, wie eine Krankenschwester. Die anderen Hunde liegen in der Diele und hoffen, dass die

Reihe niemals an sie kommen wird. Wenn sie ganz still und ruhig bleiben, vergisst Lisa sie vielleicht.

Und Mildred sitzt auf der Küchenbank und erklärt. Als sei das Problem, dass Lisa nicht begreift. Die Frauengruppe Magdalena will Frauen helfen, die finanziell gesehen untergegangen sind. Langzeitarbeitslosen, krankgeschriebenen Sozialhilfeempfängerinnen, hinter denen der Gerichtsvollzieher her ist und deren Küchenschublade voll gestopft ist mit Briefen von Inkassounternehmen und Behörden und Gott weiß von wem noch alles. Und jetzt weiß Mildred zufällig, dass Lisa bei der Gemeinde als Schulden- und Finanzplanungsberaterin angestellt ist. Mildred will, dass Lisa für diese Frauen einen Kurs abhält. Damit sie Ordnung in ihre Finanzen bringen können.

Lisa will ablehnen. Will sagen, dass Menschen ihr wirklich egal sind. Dass ihr ihre Hunde, Katzen, Ziegen, Schafe, Lämmer wichtig sind. Die Elchkuh, die im vergangenen Winter bei ihr war, fast zum Skelett abgemagert, und die sie dann aufgepäppelt hat.

»Die würden ja doch nicht kommen«, sagt Lisa.

Sie schneidet Bruno die letzte Kralle. Er bekommt einen Klaps und verschwindet zur restlichen Meute in die Diele. Lisa erhebt sich.

»Sie sagen, ja, ja, klasse, wenn du sie einlädst«, fügt sie hinzu. »Aber dann lassen sie sich nicht blicken.«

»Abwarten«, sagt Mildred und kneift die Augen zusammen.

Dann verzieht sie ihren Himbeermund zu einem strahlenden Lächeln. Eine Reihe kleiner Zähne, wie bei einem Kind.

Lisas Knie geben nach, sie schaut in eine andere Richtung, sagt: »Ja, ich werde schon kommen«, um die Pastorin loszuwerden, ehe sie umkippt.

Drei Wochen später steht Lisa vor einer Gruppe von Frauen und redet. Zeichnet an eine weiße Wandtafel. Kreise und Tortendiagramme, rot, grün und blau. Schielt zu Mildred hinüber, wagt kaum, sie anzusehen. Sieht also lieber die Zuhörerinnen an. Haben sich nicht unbedingt fein gemacht, Gott bewahre. Billige Blusen.

Verfilzte Jacken. Billiger Modeschmuck. Die meisten hören freundlich zu. Andere starren Lisa fast hasserfüllt an, als sei es ihr Fehler, dass es ihnen so schlecht geht.

Nach und nach wird sie in andere Projekte der Frauengruppe hineingezogen. Das Tempo reißt sie einfach mit. Eine Zeit lang besucht sie sogar die Bibelgruppe. Aber das geht dann doch nicht mehr. Sie kann Mildred nicht ansehen, denn dann hat sie das Gefühl, dass die anderen in ihrem Gesicht lesen wie in einem aufgeschlagenen Buch. Sie muss Mildred aber die ganze Zeit ansehen, und auch das fällt auf. Sie weiß nicht, wohin sie blicken soll. Hört nicht, worüber gesprochen wird. Lässt ihren Stift fallen und fällt auf. Am Ende geht sie nicht mehr hin.

Sie macht einen Bogen um die Frauengruppe. Die Unruhe ist wie eine unheilbare Krankheit. Sie wird mitten in der Nacht wach. Denkt die ganze Zeit an die Pastorin. Sie fängt an zu laufen. Dutzende von Kilometern. Zuerst auf den Landstraßen. Dann trocknen die Wiesen, und sie kann durch den Wald laufen. Sie fährt nach Norwegen und kauft noch einen Hund, einen Springerspaniel. Der hält sie auf Trab. Sie kittet die Fenster und leiht nicht mehr die Egge des Nachbarn aus, sie gräbt an den hellen Maiabenden das Kartoffelfeld mit der Hand um. Ab und zu glaubt sie, im Haus das Telefon klingeln zu hören, geht aber nicht hin.

»Gib mir das Bild, Teddy«, sagte Lisa und versuchte, ihre Stimme ganz neutral klingen zu lassen.

Teddy hielt das Bild mit beiden Händen fest. Sein Lächeln reichte von einem Ohr zum anderen.

»Ilred«, sagte er. »Schaukel.«

Lisa starrte ihn an und nahm ihm das Bild weg.

»Ja, ich glaube schon«, sagte sie endlich.

Zu Rebecka sagte sie, ein wenig zu schnell, aber Rebecka schien das nicht aufzufallen: »Mildred hat Teddy konfirmiert. Und dieser Konfirmandenunterricht war ziemlich… unkonventionell. Sie wusste, dass er ein Kind war, deshalb haben sie oft auf dem Spielplatz geschaukelt und sind mit dem Boot gefahren und haben Pizza gegessen. Oder, Teddy, du und Mildred, ihr habt Pizza gegessen. Quattro Stagione, was?«

»Er hat heute drei Portionen Fleischsuppe verputzt«, sagte Rebecka.

Teddy ging auf den Hühnerstall zu. Rebecka rief einen Abschiedsgruß hinter ihm her, aber den schien er nicht gehört zu haben.

Lisa schien auch nicht zu hören, als Rebecka sich verabschiedete und sich auf den Weg zu ihrer Hütte machte. Sie antwortete zerstreut, schaute hinter Teddy her.

Lisa schlich Teddy hinterher wie ein Fuchs seiner Beute. Der Hühnerstall lag auf der Rückseite des Restaurants.

Sie dachte daran, was er beim Anblick von Mildreds Foto gesagt hatte. »Ilred. Schaukel.« Aber Teddy schaukelte nicht. Sie hätte die Schaukel sehen mögen, auf der er Platz gehabt hätte. Also konnten sie nicht zusammen auf dem Spielplatz gewesen sein und geschaukelt haben.

Teddy öffnete die Tür zum Hühnerstall. Er suchte dort immer für Mimmi Eier.

»Teddy«, sagte Lisa und versuchte, seine Aufmerksamkeit auf sich zu lenken. »Teddy, hast du Mildred schaukeln sehen?«

Sie zeigte mit der Hand nach oben.

»Schaukeln«, antwortete er.

Sie ging hinter ihm her in den Stall. Er schob die Hand unter die Hühner und nahm die Eier, auf denen sie saßen. Lachte, wenn sie wütend nach seiner Hand pickten.

»War das hoch oben? War das Mildred?«

»Ilred«, sagte Teddy.

Er steckte die Eier in die Tasche und ging aus dem Stall.

Herrgott, dachte Lisa. Was mach ich denn eigentlich hier? Er wiederholt doch bloß, was ich sage.

»Hast du die Rakete gesehen?«, fragte sie und machte mit der Hand eine fliegende Bewegung. »Wusch!«

»Wusch«, lachte Teddy und zog mit einer fegenden Bewegung ein Ei aus der Tasche.

Draußen auf der Landstraße hielt Lars-Gunnars Auto an und hupte.

»Dein Papa«, sagte Lisa.

Sie hob die Hand zu einem Gruß für Lars-Gunnar. Sie spürte, wie steif und widerspenstig die Hand war. Der Körper war ein Verräter. Es war ihr einfach unmöglich, Lars-Gunnars Blick zu erwidern oder ein Wort mit ihm zu wechseln.

Sie blieb hinter dem Lokal stehen, während Teddy zum Wagen lief.

Nicht daran denken, sagte sie zu sich. Mildred ist tot. Nichts kann daran etwas ändern.

Anki Lindmark wohnte in einer Wohnung im zweiten Stock in der Kyrkogata 21 D. Sie öffnete die Tür, als Anna-Maria Mella klingelte, und schaute über die Sicherheitskette. Sie war Mitte dreißig, vielleicht etwas jünger. Ihre selbst gemachte Blondierung wuchs inzwischen heraus. Sie trug eine lange Jacke und einen Jeansrock. Durch den Türspalt registrierte Anna-Maria, dass die andere ziemlich groß war, sicher einen halben Kopf größer als ihr Exmann. Anna-Maria stellte sich vor.

»Sind Sie die Exfrau von Magnus Lindmark?«, fragte sie.

»Was hat er angestellt?«, fragte Anki Lindmark zurück.

Dann wurden die Augen hinter der Sicherheitskette groß.

»Ist etwas mit den Jungen?«

»Nein«, sagte Anna-Maria. »Ich möchte Ihnen nur ein paar Fragen stellen. Das geht schnell.«

Anki Lindmark ließ sie rein, legte die Sicherheitskette wieder vor und schloss die Tür ab.

Sie gingen in die Küche. Die war sauber aufgeräumt. Haferflocken, Kakaopulver und Zucker in Tupperwaredosen auf der Anrichte. Ein Deckchen auf der Mikrowelle. Auf der Fensterbank standen Holztulpen in einer Vase, ein Glasvogel und eine winzige Holzkirche. Kinderzeichnungen waren mit Magneten an Kühlschrank und Tiefkühltruhe befestigt. Vorhänge mit Saum und Spitzenkante.

Am Küchentisch saß eine Frau von Mitte sechzig. Sie hatte karottenrote Haare und schaute Anna-Maria wütend an. Schüttelte eine Mentholzigarette aus einer Packung und zündete sie an.

»Meine Mutter«, erklärte Anki Landmark, als sie sich setzten.

»Wo sind die Kinder?«, fragte Anna-Maria.

»Bei meiner Schwester. Ihr Vetter hat heute Geburtstag.«

»Ihr Exmann, Magnus Lindmark...«, fing Anna-Maria an.

Als Anki Lindmarks Mutter den Namen ihres Exschwiegersohns hörte, stieß sie schnaubend eine Rauchwolke aus.

»... hat gesagt, dass er Mildred Nilsson gehasst hat«, sagte Anna-Maria.

Anki Lindmark nickte.

»Er hat auf ihrem Grundstück Schäden hervorgerufen«, sagte Anna-Maria.

Gleich darauf hätte sie sich die Zunge abbeißen mögen. »Auf dem Grundstück Schäden hervorgerufen«, was war das denn für eine Behördensprache? Aber die zusammengekniffenen Augen der Karottenfrau ließen sie so förmlich werden.

Sven-Erik, komm und hilf mir, dachte sie.

Er konnte mit Frauen reden.

Anki Lindmark zuckte mit den Schultern.

»Also, das alles hier bleibt unter uns«, sagte Anna-Maria in dem Versuch, die Kontinentalsockel aneinander zu schieben. »Haben Sie Angst vor ihm?«

»Erzähl ihr, warum du hier wohnst«, sagte die Mutter.

»Ja«, sagte Anki Lindmark. »Zuerst, als ich ihn verlassen hatte, habe ich in Mamas Hütte in Poikkijärvi gewohnt...«

»Die ist jetzt verkauft«, sagte die Mutter. »Wir können nicht mehr da draußen sein. Erzähl weiter.«

»... aber Magnus hat mir immer wieder Zeitungsartikel über Brände und so geschickt, und da hab ich mich nicht mehr hingewagt.«

»Und die Polizei kann rein gar nichts tun«, sagte die Mutter mit freudlosem Lachen.

»Er behandelt die Jungen nicht schlecht, das ist es nicht. Aber manchmal, wenn er getrunken hat... ja, dann kommt er hier die Treppe hoch und brüllt und schreit mich an... Hure und alles Mögliche... tritt gegen die Tür. Und da ist es doch besser, hier zu wohnen, wo ich Nachbarn und kein Fenster im Erdgeschoss habe. Aber ehe ich diese Wohnung gefunden hatte und mit den Jungen allein wohnen musste, habe ich bei Mildred gewohnt. Aber das hat ihr eingeschlagene Fenster eingebracht und er… und zerschnittene Autoreifen… und dann hat eben ihr Schuppen gebrannt.«

»Und das war Magnus?«

Anki Lindmark starrte die Tischplatte an. Ihre Mutter beugte sich zu Anna-Maria vor.

»Die Einzigen, die nicht glauben, dass er es war, sind verdammt noch mal Ihre Kollegen«, sagte sie.

Anna-Maria verzichtete darauf, die Unterschiede zwischen glauben und beweisen können zu erklären. Sie nickte nur nachdenklich.

»Ich hoffe nur, dass er eine Neue findet«, sagte Anki Lindmark. »Und am besten mit ihr ein Kind bekommt. Aber die Sache ist ja doch besser geworden, seit Lars-Gunnar mit ihm gesprochen hat.«

»Lars-Gunnar Vinsa«, sagte die Mutter. »Der ist bei der Polizei oder war es, jetzt ist er in Rente. Und er leitet diesen Jagdverein. Er hat mit Magnus gesprochen. Und wenn Magnus eins nicht will, dann, seinen Platz in der Jagdgesellschaft verlieren.«

Lars-Gunnar Vinsa, Anna-Maria wusste durchaus, wer das war. Aber sie hatte erst ein Jahr in Kiruna gearbeitet, als er in Pension gegangen war, und sie waren niemals zusammen im Einsatz gewesen. Also konnte sie nicht behaupten, ihn zu kennen. Er hatte einen entwicklungsgestörten Sohn, das fiel ihr jetzt ein. Sie wusste auch noch, woher sie das wusste. Lars-Gunnar und ein Kollege hatten in einer Gaststätte eine Heroinsüchtige aufgegriffen. Lars-Gunnar hatte sie gefragt, ob sie Spritzen in der Tasche habe. Nein, zum Teufel, die lägen bei ihr zu Hause. Also hatte Lars-Gunnar die Hand in ihre Tasche geschoben und sich an einer Spritze gestochen. Die Frau war mit einer Oberlippe auf der Wache erschienen, die so dick wie ein geplatzter Fußball gewesen war, und das Blut war ihr nur so aus der Nase geströmt. Der Kollege hatte

Lars-Gunnar an einer Selbstanzeige gehindert, das hatte Anna-Maria gehört. Das war 1990 gewesen. Damals dauerte es sechs Monate, ein verlässliches Ergebnis für einen HIV-Test zu erhalten. In der folgenden Zeit war oft die Rede von Lars-Gunnar und seinem sechsjährigen Sohn gewesen. Die Mutter hatte ihr Kind im Stich gelassen, und Lars-Gunnar war der Einzige, den er hatte.

»Lars-Gunnar hat nach dem Brand also mit Magnus gesprochen?«, fragte Anna-Maria.

»Nein, das war nach der Sache mit der Katze.«

Anna-Maria wartete schweigend.

»Ich hatte eine Katze«, sagte Anki und räusperte sich, als ob sie husten müsste. »Als ich ausgezogen bin, wollte ich sie rufen, aber sie hatte sich schon seit einer Weile nicht mehr sehen lassen. Ich dachte, ich könnte sie ja später noch abholen. Ich war so nervös. Ich wollte Magnus nicht sehen. Er rief immer wieder an. Auch bei Mama. Manchmal mitten in der Nacht. Jedenfalls rief er mich bei der Arbeit an und sagte, er habe eine Tüte mit Sachen von mir an meine Wohnungstür gehängt.«

Sie verstummte.

Die Mutter blies Anna-Maria eine Rauchwolke ins Gesicht. Die Wolke teilte sich zu dünnen Schleiern.

»Und in der Tüte lag die Katze«, sagte sie, als ihre Tochter weiterhin schwieg. »Mit ihren Jungen. Fünf Stück. Allen fehlte der Kopf. Sie waren nur noch Blut und Fell.«

»Was haben Sie gemacht?«

»Was hätte sie denn wohl tun sollen?«, fragte die Mutter. »Ihr könnt ja nichts machen. Das hat sogar Lars-Gunnar gesagt. Wenn man zur Polizei geht, muss ein Verbrechen vorliegen. Es hätte ja Tierquälerei sein können, wenn sie gelitten hätten. Aber da er ihnen die Köpfe abgehauen hatte, hatten sie sicher nicht nennenswert leiden müssen. Es wäre Schadensersatz fällig geworden, wenn sie irgendeinen finanziellen Wert gehabt hätten, wie Rassekatzen oder ein teurer Jagdhund. Aber das waren ja nur Hauskatzen.«

»Ja«, sagte Anki Lindmark. »Aber ich glaube doch nicht, dass er einen Mord…«

»Aber danach?«, fragte die Mutter. »Als du hergezogen warst? Weißt du nicht mehr, wie das mit Peter war?«

Die Mutter drückte ihre Zigarette aus und nahm sich gleich eine neue.

»Peter wohnt in Poikkijärvi. Er ist auch geschieden, aber Gott, was für ein feiner, lieber Junge. Also, er und Anki haben sich dann ab und zu getroffen…«

»Nur als gute Freunde«, warf Anki ein.

»Eines Morgens, als Peter auf dem Weg zur Arbeit war, verstellte Magnus ihm mit seinem Auto den Weg. Magnus hielt an und sprang heraus. Peter konnte nicht weiterfahren, denn Magnus hatte sich quer über diesen schmalen Kiesweg gestellt. Und Magnus springt also aus dem Wagen und geht zu seinem Kofferraum und nimmt einen Baseballschläger heraus. Dann geht er zu Peters Auto. Und Peter sitzt da und denkt, dass er jetzt sterben muss, und er denkt an seine eigenen Kinder und denkt, dass er vielleicht zum Krüppel geschlagen wird. Dann grinst Magnus einfach nur, steigt wieder in sein Auto und fährt weg, dass der Kies nur so spritzt. Und danach war Schluss mit diesen Treffen, nicht wahr, Anki?«

»Ich will keinen Ärger mit ihm. Er ist nett zu den Kindern.«

»Na, du traust dich doch kaum in den Supermarkt. Es gibt so gut wie keinen Unterschied zu früher, als ihr noch verheiratet wart. Ich hab das alles so verdammt satt. Polizei! Die können doch keinen Finger rühren.«

»Warum war er so wütend auf Mildred?«, fragte Anna-Maria.

»Er meinte, dass sie mich dazu gebracht hätte, ihn zu verlassen.«

»Und stimmte das?«

»Nein, wissen Sie, was«, sagte Anki. »Ich bin ja doch ein erwachsener Mensch. Ich entscheide selbst. Und das habe ich auch zu Magnus gesagt.«

»Und was hat er da gesagt?«

»›Hat Mildred dir gesagt, dass du das sagen sollst?‹«

»Wissen Sie, was er in der Nacht vor Mittsommer gemacht hat?«

Anki Lindmark schüttelte den Kopf.

»Hat er Sie jemals geschlagen?«

»Aber die Jungen nicht.«

Es war Zeit zu gehen.

»Noch ein Letztes«, sagte Anna-Maria. »Als Sie bei Mildred gewohnt haben. Was für einen Eindruck hatten Sie da von Mildreds Mann? Wie war diese Ehe?«

Anki Lindmark und ihre Mutter wechselten einen Blick.

Das lokale Gesprächsthema, dachte Anna-Maria.

»Sie kam und ging wie die Katze«, sagte Anki. »Aber er schien sich dabei wohl zu fühlen… nein, sie haben sich nie gestritten oder so.«

DER ABEND ZOG HERAUF. Die Hühner gingen in den Stall und drückten sich auf ihren Stangen aneinander. Der Wind ließ nach und legte sich im Gras zur Ruhe. Details wurden verwischt. Gras, Bäume und Häuser verschwammen mit dem dunkelblauen Himmel. Die Geräusche kamen näher, wurden schärfer.

Lisa Stöckel horchte auf den Kies unter ihren Schritten, als sie die Straße zum Lokal hinunterging. Sie hatte ihren Hund Majken bei sich. In einer Stunde würde das Frauennetzwerk Magdalena bei Micke sein Herbsttreffen mit Abendessen abhalten.

Sie wollte nüchtern bleiben und alles ruhig angehen. Sich dieses ganze Gerede, dass alles ohne Mildred weitergehen müsse, gefallen lassen. Dass Mildred noch so nah sei wie zu ihren Lebzeiten. Sie konnte sich nur von innen in die Lippe beißen, sich am Stuhl festhalten, statt aufzuspringen und zu rufen: Mit uns ist es aus! Nichts kann ohne Mildred weitergehen! Sie ist nicht in der Nähe. Sie ist eine verwesende Masse in der Erde. Sie wird zum Staub zurückkehren. Und ihr, ihr werdet wieder zu Stubenhockerinnen, Fybromyalgietanten und Klatschbasen werden. Und ihr werdet Illustrierte und die Reklamebroschüren der Supermärkte lesen und eure Kerle bedienen.

Sie betrat das Lokal, und der Anblick ihrer Tochter riss sie aus ihren Gedanken.

Mimmi. Sie fuhr mit einem Lappen über Tische und Fensterbänke. Die dreifarbigen Haare als zwei dicke Schnecken über den Ohren. Am BH eine rosa Spitzenkante, die aus dem Ausschnitt des engen schwarzen Pullovers herauslugte. Schweißnasse, rosige Wangen, vermutlich hatte sie vorher am Herd gestanden.

»Und was gibt's?«

»Ein kleines Mittelmeerthema. Olivenbrot mit Belag als Vorspeise«, antwortete Mimmi, ohne das Tempo des Lappens zu verringern. Jetzt nahm sie sich den blanken Tresen vor. Sie wischte mit dem Handtuch hinterher, das sie immer zusammengefaltet unter dem Schürzenbund stecken hatte.

»Es gibt Tsatsiki, Tapenade und Hummus«, fügte sie hinzu.

»Und danach Bohnensuppe mit Pistou. Ich dachte, ich könnte auch gleich für alle vegetarisch kochen, die Hälfte von euch frisst doch ohnehin nur Gras.«

Sie grinste Lisa an, die gerade die Mütze abnahm.

»Aber Mütterchen«, rief Mimmi. »Wie siehst du denn auf dem Kopf aus? Lässt du dir neuerdings von den Hunden die Haare abnagen, wenn sie zu lang werden?«

Lisa fuhr sich mit der Hand über ihre Stoppeln, wie um sie zu glätten. Mimmi schaute auf die Uhr.

»Ich bring das schon in Ordnung«, sagte sie. »Nimm dir einen Stuhl und setz dich.«

»Mascarponeeis und Moltebeeren als Nachtisch«, rief sie aus der Küche. »Das ist total…«

Sie stieß als Abschluss einen lobenden Gassenbubenpfiff aus.

Lisa zog sich einen Stuhl heran, hängte ihren Steppmantel darüber und setzte sich. Sofort legte Majken sich zu ihren Füßen, schon der kurze Spaziergang hierher hatte sie müde gemacht, oder sie hatte Schmerzen, vermutlich Letzteres.

Lisa saß still wie in der Kirche da, während Mimmis Finger ihr durch die Haare fuhren und die Schere alles auf einen Zentimeter Länge zurechtstutzte.

»Was soll jetzt werden, ohne Mildred?«, fragte Mimmi. »Hier hast du drei Wirbel in der Mitte.«

»Wir machen ganz normal weiter, stelle ich mir vor.«

»Womit denn?«

»Essen für Mütter und Kinder, die Saubere Unterhose und die Wölfin.«

Die Saubere Unterhose hatte als Sammelprojekt angefangen. Bei der praktischen Hilfe, die das Sozialamt misshandelten Frauen anbot, hatte es sich ergeben, dass diese Hilfe vor allem auf Männer zugeschnitten war. Es gab Einmalrasierer und Herrenunterhosen im Versorgungspaket, aber keine Damenslips und keine Tampons. Frauen mussten sich mit windelartigen Binden und Herrenunterhosen begnügen. Magdalena hatte dem Sozialamt eine Zusammenarbeit angeboten, die aus dem Einkauf von Damenunterhosen und Tampons und Hygieneartikeln wie Deo und Hautcreme bestand. Außerdem hatten sie Kontaktpersonen ernannt. Der Name der Kontaktperson wurde Hausbesitzern mitgeteilt, die bereit waren, einer misshandelten Frau eine Wohnung zu überlassen. Wenn es Probleme gab, konnte der Vermieter die Kontaktperson anrufen.

»Was habt ihr mit der Wölfin vor?«

»Wir hoffen ja, dass sie in Zusammenarbeit mit dem Naturschutz überwacht werden kann. Wenn der Schnee kommt und man Schneemobil fahren kann, ist sie gefährdet, wenn wir das mit der Überwachung nicht auf die Reihe kriegen. Aber die Stiftung hat jetzt doch Geld, wir werden also sehen.«

»Jetzt kommst du nicht mehr raus, aber das weißt du ja sicher«, sagte Mimmi.

»Wie meinst du das?«

»Du musst jetzt der Motor von Magdalena werden.«

Lisa blies einige kitzelnde Haare weg, die sich unter ihrem Auge niedergelassen hatten.

»Nie im Leben«, sagte sie.

Mimmi lachte.

»Glaubst du, du hast eine Wahl? Ich finde das wirklich witzig, du warst doch nie ein Vereinsmensch, das hättest du sicher nie erwartet. Himmel, als ich gehört habe, dass du zur Vorsitzenden gewählt worden bist! Micke musste mir Erste Hilfe leisten!«

»Kann ich mir denken«, sagte Lisa trocken.

Nein, dachte sie. Das hätte ich niemals erwartet. Es gab vieles, was ich nie von mir erwartet hätte.

Mimmis Finger fuhren durch ihre Haare. Sie hörte die Schere klappern.

An diesem Frühlingsabend …, dachte Lisa.

Ihr fiel ein, wie sie in der Küche gesessen und einen neuen Überwurf für das Hundebett genäht hatte. Die Schere hatte sich rhythmisch bewegt. Swisch, swisch, klipp, klapp. Im Wohnzimmer lief der Fernseher. Zwei Hunde lagen auf dem Wohnzimmersofa, man hätte fast meinen können, dass sie sich die Nachrichten ansahen. Lisa hörte beim Schneiden mit halbem Ohr zu. Dann ließ sie die Nähmaschine über die Stoffe donnern und trat das Trittbrett bis unten durch.

Karelin lag auf dem Hundebett in der Diele und schnarchte. Nichts kann alberner aussehen als ein schlafender, schnarchender Hund. Er lag auf dem Rücken und hatte die Hinterbeine nach oben und zu den Seiten ausgestreckt. Ein Ohr hing wie eine Augenklappe über einem Auge. Majken lag auf dem Bett im Schlafzimmer und hatte die Pfote über die Schnauze gelegt. Ab und zu kamen aus ihrer Kehle kleine Laute, und sie zuckte mit den Beinen. Der neue Springerspaniel lag gelassen neben ihr.

Dann plötzlich fährt Karelin aus dem Schlaf hoch. Er fährt auf und bellt los wie verrückt. Die Hunde im Wohnzimmer kommen angestürzt und bellen ebenfalls. Majken und der Springerspaniel schließen sich ihnen an und rennen Lisa, die ebenfalls aufgestanden ist, fast über den Haufen.

Als ob sie immer noch nichts begriffen hätte, kommt Karelin in die Küche und erzählt Lisa lauthals, dass jemand auf der Treppe steht, dass sie Besuch haben, dass da jemand kommt.

Es ist Mildred Nilsson, die Pastorin. Sie steht draußen vor der Tür. Die Abendsonne hinter ihr verwandelt ihre Haarspitzen in eine goldene Krone.

Die Hunde springen an ihr hoch. Sie sind überglücklich über den Besuch. Bellen, fiepen und winseln, Bruno singt sogar ein wenig. Ihre Schwänze schlagen gegen Türrahmen und Geländer.

Mildred bückt sich und begrüßt sie. Das ist gut. Sie und Lisa können einander nicht zu lange ansehen. Kaum hatte Lisa sie dort draußen entdeckt, hatte sie auch schon das Gefühl, durch eine Stromschnelle zu waten. Jetzt haben sie ein wenig Zeit zur Umstellung. Sie wechseln einen hastigen Blick und wenden sich dann wieder ab. Die Hunde lecken Mildreds Gesicht. Die Wimperntusche landet unter ihren Augenbrauen, ihre Kleidung ist mit Haaren übersät.

Die Strömung ist stark. Jetzt muss sie sich auf den Beinen halten. Lisa klammert sich an die Türklinke. Sie befiehlt die Hunde auf die Betten. Sonst brüllt und schimpft sie, das ist ihr normaler Umgangston mit den Kötern, und die finden das nicht weiter schlimm. Jetzt aber kommt der Befehl fast wie ein Flüstern.

»Geht aufs Bett«, sagt sie und macht eine lahme Handbewegung in Richtung Haus.

Die Hunde schauen sie vorwurfsvoll an, will sie denn nicht mit ihnen zusammen bellen? Aber immerhin trotten sie jetzt davon.

Mildred holt Luft. Lisa sieht, dass sie wütend ist. Lisa ist einen Kopf größer, sie senkt den Kopf ein wenig.

»Wo hast du gesteckt?«, fragt Mildred zornig.

Lisa hebt die Augenbrauen.

»Hier«, sagt sie.

Die Augen bleiben an Mildreds Sommerspuren haften. Die Pastorin hat Sommersprossen. Und der Flaum in ihrem Gesicht, auf der Oberlippe und den Wangenknochen, ist blond geworden.

»Du weißt, was ich meine«, sagt Mildred. »Warum kommst du nicht mehr zur Bibelgruppe?«

»Ich...«, fängt Lisa an und zermartert sich das Gehirn nach einer brauchbaren Entschuldigung.

Dann wird sie wütend. Warum soll sie das überhaupt erklären? Ist sie nicht erwachsen? Zweiundfünfzig, da wird sie doch wohl machen können, was sie will?

»Ich hatte wohl etwas anderes vor«, sagt sie. Ihre Stimme klingt schnippischer, als Lisa es will.

»Was denn?«

»Das weißt du doch.«

Sie stehen einander kriegerisch gegenüber. Ihre Brustkörbe heben und senken sich.

»Du weißt doch, warum ich nicht komme«, sagt Lisa endlich.

Jetzt sind sie bis an die Achselhöhlen hinausgewatet. Die Pastorin verliert in der Strömung den Boden unter den Füßen. Macht einen Schritt auf Lisa zu, überrascht und wütend zugleich. Und in ihrem Blick liegt noch etwas anderes. Ihr Mund öffnet sich. Sie schnappt nach Luft, wie eine, die gleich im Wasser verschwinden wird.

Die Strömung reißt Lisa mit. Sie verliert die Türklinke aus dem Griff. Fängt Mildred auf. Ihre Hand schließt sich um Mildreds Nacken. Deren Haare fühlen sich unter Lisas Fingern an wie die eines Kindes. Sie zieht Mildred an sich.

Mildred in ihren Armen. Ihre Haut ist so weich. Eng umschlungen taumeln sie in die Diele, die Tür bleibt offen und schlägt hin und her. Zwei Hunde laufen hinaus.

Lisas einziger vernünftiger Gedanke ist: Die bleiben auf dem Grundstück.

Sie stolpern über Schuhe und Hundebetten in der Diele. Lisa geht rückwärts. Die Arme noch immer um Mildred geschlungen, einen um die Taille, einen um den Nacken. Mildred, dicht an sie geschmiegt, treibt Lisa weiter, die Hände unter Lisas Pullover, ihre Finger auf Lisas Brustwarzen.

Sie stolpern durch die Küche, fallen im Schlafzimmer aufs Bett. Da liegt Majken und riecht nach nassem Hund, sie konnte früher am Abend einem Bad im Fluss nicht widerstehen.

Mildred liegt auf dem Rücken. Weg mit den Kleidern. Lisas Lippen auf Mildreds Gesicht. Zwei Finger tief in ihrem Schoß.

Majken hebt den Kopf und sieht sie an. Legt sich danach seufzend wieder hin, den Kopf zwischen den Pfoten. Sie sieht nicht zum ersten Mal, wie Mitglieder des Rudels sich paaren. Das ist nicht weiter bemerkenswert.

Später kochen sie Kaffee und lassen Rosinenbrötchen auftauen. Essen wie ausgehungert, finden kein Ende. Mildred füttert auch die Hunde und lacht, bis Lisa ihr in scharfem Tonfall befiehlt aufzuhören, die werden sonst krank, aber auch sie lacht, während sie versucht, streng zu sein.

Sie sitzen in der Küche in der hellen Sommernacht. In Decken gewickelt auf ihren Stühlen einander am Tisch gegenüber. Die Hunde sind von der festlichen Stimmung angesteckt worden und stapfen umher.

Ab und zu strecken sich die Hände zu einer Begegnung über den Tisch aus.

Mildreds Zeigefinger fragt Lisas Handrücken: »Bist du noch da?« Lisas Handrücken antwortet: »Ja.« Lisas Zeigefinger und Mittelfinger fragen die Innenseite von Mildreds Handgelenk: »Schuldgefühle? Reue?« Mildreds Handgelenk antwortet: »Nein.«

Und Lisa lacht.

»Ich sollte wohl wieder zur Bibelgruppe kommen«, sagt sie.

Mildred lacht ebenfalls. Ein Stück halb zerkautes Brötchen fällt aus ihrem Mund und auf den Tisch.

»Ja, Herrgott, was tut frau nicht alles, um die Leute zum Bibelstudium zu bewegen!«

Mimmi trat vor Lisa hin und musterte ihr Werk. Die Schere in ihrer Hand wie ein gezücktes Schwert.

»So«, sagte sie. »Jetzt braucht man sich wenigstens nicht mehr zu schämen.«

Sie fuhr eilig mit der Hand durch Lisas Haare. Dann zog sie das Küchenhandtuch aus ihrem Schürzenbund und wischte damit energisch Haare von Lisas Nacken und Schultern.

Lisa fuhr sich mit der Hand über die Stoppeln.

»Willst du nicht mal in den Spiegel schauen?«, fragte Mimmi.

»Nein, das ist sicher gut.«

DAS FRAUENNETZWERK MAGDALENA hatte Herbsttreffen. Micke Kiviniemi hatte draußen einen kleinen Tisch gedeckt, genau vor der Tür, neben der Treppe zum Restaurant. Es war jetzt dunkel draußen, fast schwarz. Und ungewöhnlich warm für diese Jahreszeit. Er hatte einen kleinen Weg von der Landstraße über den Hofplatz zur Treppe mit Kerzen in Glasbehältern markiert. Auf der Treppe und auf dem Tisch standen mehrere selbst gebastelte Leuchter.

Er bekam auch seine Belohnung. Hörte ihr ›Ah‹ und ›Oh‹ schon vorne an der Straße. Jetzt kamen sie. Sie trippelten, gingen, stiegen durch den Kies. An die dreißig Frauen. Die Jüngste fast dreißig, die Älteste soeben fünfundsiebzig geworden.

»Wie schön«, sagten sie zu ihm. »Wir kommen uns ja vor wie im Ausland.«

Er lächelte. Gab aber keine Antwort. Suchte hinter seinem Tisch Schutz. Kam sich vor wie ein Tierforscher, der sich versteckt. Sie würden nicht auf ihn achten. Sie würden sich natürlich verhalten, als wäre er nicht anwesend. Er fand das lustig, er kam sich vor wie ein kleiner Junge, der sich zwischen den Bäumen im Wald versteckt und spioniert.

Der Hofplatz vor der Kneipe, wie ein großer dunkler Raum voller Geräusche. Ihre Füße im Kies, Kichern, Plaudern, Gekakel, Klatsch. Die Geräusche wanderten weiter. Streckten sich übermütig zur schwarzen Sternendecke hoch. Liefen hemmungslos über den Fluss, erreichten die Häuser am anderen Ufer. Wurden aufgesaugt vom Wald, von den schwarzen Tannen, dem durstigen Moos. Rannten die Landstraße entlang und erinnerten die Stadt daran: Es gibt uns.

Sie dufteten und hatten sich fein gemacht. Auch wenn ihnen anzusehen war, dass sie nicht reich waren. Ihre Kleider waren unmodern. Lange geknöpfte Baumwolljacken über geblümten Glockenröcken. Selbst gelegte Dauerwellen. Schuhe von der Heilsarmee.

Sie brachten die Tagesordnungspunkte in einer guten halben Stunde hinter sich. Die Auftragslisten füllten sich rasch mit Freiwilligen, mehr Hände in der Luft als unbedingt nötig.

Danach wurde gegessen. Die meisten waren das Trinken nicht gewöhnt, zu ihrer leicht entzückten Bestürzung waren sie bald beschwipst. Mimmi lachte ihnen zu, während sie zwischen den Tischen hin und her lief. Micke hielt sich in der Küche auf.

»Ach, Gott«, rief eine Frau, als Mimmi den Nachtisch brachte. »So hab ich nicht mehr gelacht seit…«

Sie verstummte und fuchtelte suchend mit ihrem schmalen Arm. Der ragte wie ein Streichholz aus ihrem Ärmel.

»…seit Mildreds Beerdigung«, rief eine andere.

Alles schwieg für eine Sekunde. Dann brachen alle in hysterisches Lachen aus, schrien wild durcheinander, das sei wahr, dass Mildreds Beerdigung einfach… zum Sterben komisch gewesen sei, und dann machten sie weiter und lachten so sehr, wie dieser miese Witz es nur hergab.

Die Beerdigung. Damals standen sie da in ihren schwarzen Kleidern, als der Sarg hinuntergelassen wurde. Der Frühling stach ihnen mit seiner scharfen Sonne in die Augen. Die Hummeln, die über den Kränzen tanzten. Das Birkenlaub zart und leuchtend, wie gewachst. Die Baumkronen wie grüne Kirchen, zum Bersten gefüllt mit paarungswilligen Vogelmännchen und aufnahmebereiten Weibchen. Auf diese Weise sagte die Natur: Mir ist das egal, ich halte niemals an, zum Staub sollst du zurückkehren.

Dieser ganze überirdisch schöne Frühling als Hintergrund für das entsetzliche Loch im Boden, für den hart lackierten Sarg.

Die Bilder in ihren Köpfen davon, wie sie aussah. Der Schädel wie ein zerschlagenes Gefäß unter der Haut.

Majvor Kangas, eine der Netzwerkfrauen, hatte sie nach dem Begräbniskaffee noch zu sich nach Hause eingeladen.

»Kommt mit«, hatte sie gesagt. »Mein Alter ist auf die Hütte gefahren, und ich will nicht allein sein.«

Also waren sie zu ihr gefahren. Hatten schweigend auf dem schwarzen, weichen Ledersofa der guten Stube gesessen. Hatten nicht viel zu sagen gehabt, nicht einmal über das Wetter.

Aber Majvor hatte etwas Aufrührerisches in sich.

»Und jetzt ihr«, hatte sie gesagt. »Helft mir.«

Sie hatte einen Trittleiter mit zwei Sprossen aus der Küche geholt, war hinaufgestiegen und hatte den kleinen Schrank über der Garderobe in der Diele geöffnet. Von dort hatte sie ungefähr ein Dutzend Flaschen heruntergereicht: Whisky, Cognac, Likör, Calvados. Und die anderen hatten angenommen.

»Das sind ja edle Tropfen«, hatte eine gesagt und die Etiketten betrachtet. »Zwölf Jahre, Single Malt.«

»Das bringt unsere Schwiegertochter immer von ihren Auslandsreisen mit«, hatte Majvor erklärt. »Aber Tord, der rührt die doch nie an, der bietet doch nur selbst gebrannten Fusel mit Limo an. Und ich bin ja auch nicht so sehr dafür, aber gerade heute…«

Sie hatte diesen Satz mit einer wirkungsvollen Pause beendet. Sie ließ sich von der Trittleiter herunterhelfen wie eine Königin von ihrem Thron. Eine Frau auf jeder Seite hielt ihre Hände.

»Was wird Tord dazu sagen?«

»Was soll der sagen?«, hatte Majvor gefragt. »Nicht einmal, als er voriges Jahr sechzig geworden ist, hat er eine aufgemacht.«

»Soll der doch sein eigenes Rattengift trinken!«

Und dann hatten sie sich so langsam einen hinter die Binde gegossen. Hatten Choräle gesungen. Hatten einander ihre Zuneigung versichert. Hatten Reden gehalten.

»Auf Mildred«, hatte Majvor gerufen. »Sie war die stärkste Frau, die mir je begegnet ist.«

»Sie war verrückt!«

»Jetzt müssen wir allein verrückt sein!«

Sie hatten gelacht. Ein wenig geweint. Vor allem aber gelacht.
Das war die Beerdigung gewesen.

Jetzt sah Lisa Stöckel sie an. Sie aßen Mascaponeeis und machten Mimmi Komplimente, wenn sie vorüberfegte.

Sie werden es schaffen, dachte sie. Die kommen zurecht.

Und zugleich: Die Einsamkeit hatte sie gepackt, bohrte sich durch ihr Herz, setzte sich in ihr fest.

Nach dem Herbsttreffen ging Lisa durch die Dunkelheit nach Hause. Es war kurz nach Mitternacht. Sie ging am Friedhof vorbei und wanderte dann am Flussufer bergauf. Sie kam an Lars-Gunnars Haus vorbei, konnte es im Mondschein gerade noch erahnen. Es war dunkel hinter den Fenstern.

Sie dachte an Lars-Gunnar.

Der Häuptling hier in der Stadt, wie er dachte. Der starke Mann am Ort. Der den Bauunternehmer, der für das Schneeräumen verantwortlich war, dazu brachte, erst die Straße nach Poikkijärvi frei zu räumen, dann erst die nach Jukkasjärvi. Der Micke half, wenn es Probleme mit der Schanklizenz gab.

Nicht weil Lars-Gunnar selbst so oft in der Kneipe gesessen hätte. Jetzt trank er nur noch sehr selten. Früher war das anders gewesen. Früher hatten alle Männer getrunken. Freitag, Samstag und auf jeden Fall auch noch einmal in der Woche. Und dann wurde richtig gesoffen. Außerdem tranken sie fast jeden Tag Bier. So war es eben. Irgendwie musste man sich doch beruhigen, wenn man nicht durchdrehen wollte.

Nein, Lars-Gunnar war vorsichtig, was den Schnaps anging. Lisa hatte ihn zuletzt vor sechs Jahren richtig blau erlebt. Ein Jahr ehe Mildred in die Stadt gekommen war.

Damals war er zu ihr gekommen. Sie sah ihn noch immer vor sich, wie er in ihrer Küche saß. Der Stuhl verschwindet unter ihm. Seine Ellbogen liegen auf seinen Knien, seine Stirn auf seiner Handfläche. Er keucht. Es ist kurz nach elf Uhr abends.

Es ist nicht nur, dass er getrunken hat. Die Flasche steht vor ihm auf dem Tisch. Er hatte sie in der Hand, als er gekommen ist. Wie eine Flagge: Ich habe getrunken, und verdammt, ich werde auch noch eine gute Weile weitertrinken.

Sie war schon im Bett gewesen, als er an die Tür geklopft hatte. Nicht dass sie sein Klopfen gehört hatte, aber die Hunde hatten ihr schon Bescheid gesagt, als er den Fuß auf die Treppe setzte.

Er beweist ihr natürlich eine Art Vertrauen, wenn er auf diese Weise zu ihr kommt. Geschwächt von Alkohol und Gefühlen. Sie weiß nur nicht, was sie damit anfangen soll. Sie ist daran nicht gewöhnt. Dass Leute sich ihr anvertrauen. Sie ist keine, die dazu einlädt.

Aber sie und Lars-Gunnar sind doch miteinander verwandt. Und sie hält den Mund, das weiß er.

Sie steht im Bademantel da und hört sich seinen Spruch an. Über sein unglückliches Leben. Die unglückliche und verratene Liebe. Und Teddy.

»Verzeihung«, murmelt Lars-Gunnar in seine Faust. »Ich hätte nicht herkommen dürfen.«

»Ist schon gut«, sagt sie zögernd. »Red nur, ich kann so lange...«

Ihr fällt nichts ein, was sie machen könnte, aber sie muss etwas unternehmen, um nicht einfach aus dem Haus zu stürzen.

»...das Essen für morgen vorbereiten.«

Also redet er, während sie Fleisch und Gemüse für einen Eintopf schneidet. Mitten in der Nacht. Sellerieknollen und Karotten und Porree und Rüben und Kartoffeln und den Teufel und seine Großmutter. Aber Lars-Gunnar scheint das überhaupt nicht seltsam zu finden. Er hat genug mit sich selbst zu tun.

»Ich musste von zu Hause weg«, gesteht er. »Ehe ich... ich bin nicht nüchtern, das gebe ich zu. Ehe ich mit dem Gewehr an Teddys Kopf auf seiner Bettkante ende.«

Lisa sagt nichts. Schneidet Karotten, als habe sie nichts gehört.

»Ich habe mir überlegt, wie das werden soll«, seufzt er. »Wer soll sich um ihn kümmern, wenn ich nicht mehr da bin? Er hat doch niemanden sonst.«

Und das stimmt ja, dachte Lisa.

Sie hatte jetzt ihr Hexenhäuschen oben auf dem Hügel erreicht. Der Mond legte eine dünne Silberschicht über das Schnitzwerk an Veranda und Fensterrahmen.

Sie ging die Treppe hoch. Die Hunde bellten und sprangen drinnen wie wahnsinnig herum. Sie hatten ihre Schritte erkannt. Als sie aufmachte, flogen sie aus der Tür, um an der Grundstücksgrenze ihre Abendpinkelrunde zu machen.

Sie ging ins Wohnzimmer. Alles, was es dort gab, waren das klaffend leere Bücherregal und das Sofa.

Teddy hat niemanden, dachte sie.

GELBBEIN

Es wird Frühling. Einzelne Schneeflocken unter den blaugrauen Tannen und den kerzengeraden Kiefern. Warme Brise von Süden. Die Sonne sickert durch das Astwerk. Überall rascheln kleine Tiere durch das Gras des Vorjahres. In der Luft treiben Hunderte von Düften umher wie in einem großen Tiegel. Harz und frisch gesprungene Birke. Warme Erde. Offenes Wasser. Niedliche Hasen. Listige Füchse.

Die Rudelwölfin gräbt in diesem Frühjahr einen neuen Bau. Es ist ein altes Fuchsloch, das zweihundert Meter oberhalb eines Weihers an einem Südhang liegt. Im Sandboden lässt es sich leicht graben, aber die Rudelwölfin hat doch genug damit zu tun, den Gang zum Fuchsbau so zu erweitern, dass sie hindurchpasst, allen alten Abfall aus der Zeit der Füchse zu entfernen und drei Meter unter dem Hang eine Wohnkammer auszugraben. Gelbbein und die anderen Wölfinnen haben ab und zu helfen dürfen, aber das meiste hat sie selbst gemacht. Jetzt verbringt sie ihre Tage in der Nähe des Baus. Liegt vor der Öffnung in der Sonne und döst. Die anderen Wölfe bringen ihr Fressen. Wenn das Alphamännchen etwas bringt, erhebt sie sich und geht ihm entgegen. Leckt ihn und knurrt hingebungsvoll, ehe sie die Gaben verschlingt.

Dann geht die Rudelwölfin eines Morgens in den Bau und kommt an diesem Tag nicht mehr zum Vorschein. Am späten Abend presst sie die Jungen aus sich heraus. Verschlingt alle Häutchen, Nabelschnüre und Mutterkuchen. Schiebt sich die Welpen unter den Bauch. Sie braucht kein Totgeborenes hinauszutragen. Fuchs und Rabe müssen auf diese Mahlzeit verzichten.

Das restliche Rudel lebt draußen sein Leben. Reißt vor allem kleine Beutetiere, hält sich in der Nähe. Ab und zu hören sie ein leises Fiepen, wenn ein Wolfsjunges in die falsche Richtung gekrabbelt ist. Oder wenn es von seinen Geschwistern weggestupst worden ist. Nur das Alphamännchen darf in den Bau kriechen und der Rudelwölfin Fressen hinspucken.

Nach drei Wochen und einem Tag trägt die Rudelwölfin die Jungen zum ersten Mal aus dem Bau. Fünf Stück. Die anderen Wölfe wissen vor Freude nicht mehr ein noch aus. Vorsichtig begrüßen sie sie. Beschnüffeln sie, stupsen sie an. Lecken die kugelrunden Bäuche der Kleinen und die Haut unter ihren Schwänzen. Nach kurzer Zeit schon trägt die Rudelwölfin sie wieder in den Bau. Die Kleinen sind von den vielen Eindrücken schon total erschöpft. Die beiden Einjährigen machen einen glücklichen Abstecher in den Wald und jagen einander.

Jetzt beginnt für das Rudel eine wunderbare Zeit. Alle wollen sich an der Pflege der Kleinen beteiligen. Die spielen unermüdlich. Und ihre Verspieltheit steckt alle an. Sogar die Rudelwölfin lässt sich zum Tauziehen mit einem alten Zweig verführen. Die Kleinen wachsen und haben immer Hunger. Ihre Schnauzen werden länger und ihre Ohren spitzer. Es geht schnell. Mit einem Jahr wetteifern sie darum, wer vor dem Bau Wache halten darf, während die anderen auf Jagd sind. Wenn die Erwachsenen zurückkehren, kommen die Jungen angeschwänzelt. Betteln und fiepen und lecken die Mundwinkel der Großen. Als Antwort werfen die erwachsenen Wölfe ihnen rote Haufen von zerkautem Fleisch hin. Wenn etwas übrig bleibt, bekommen das die jungen Wachtposten.

Gelbbein verschwindet nicht zu eigenen Wanderungen. Während dieser Zeit bleibt sie beim Rudel und den neuen Welpen. Sie liegt auf dem Rücken und spielt für zwei davon die hilflose Beute. Die machen sich über sie her, das eine Junge bohrt seine spitzen Welpenzähne in ihre Lippen, das andere greift wütend ihren Schwanz an. Sie stößt das Junge um, das eben noch an ihrer Lippe hing, und bedeckt es mit ihrer riesigen Pfote. Das Kleine hat alle Mühe, sich zu befreien. Es krabbelt und kämpft. Am Ende kann es sich losmachen. Dreht auf seinen wolligen Pfoten eine Runde um Gelbbein und greift dann mit übermütigem Knurren ihren Kopf an. Beißt sie streitlustig in die Ohren. Dann schlafen sie ganz plötzlich ein. Das eine zwischen ihren Vorderbeinen, das andere mit dem Kopf auf dem Bauch seiner Geschwister. Gelbbein gönnt sich nun auch ein Nickerchen. Sie schnappt halbherzig nach einer Wespe, die ihr zu nahe kommt, verpasst sie, lauscht dem Brummen der Insekten über den Blumen. Die Morgensonne steigt über die Tannenwipfel. Die Vögel jagen durch die Luft, auf der Jagd nach Futter, das sie dann in die weit aufgerissenen Schnäbel ihrer Jungen spucken können.

Man wird müde vom Welpenspiel. Das Glück durchströmt sie wie Frühlingswasser.

Freitag, 8. September

POLIZEIINSPEKTOR SVEN-ERIK STÅLNACKE erwachte um halb fünf Uhr morgens.

Verdammtes Vieh, war sein erster Gedanke.

Normalerweise wurde er um diese Zeit von Kater Manne geweckt. Der Kater nahm dann auf dem Boden Anlauf und landete überraschend gewichtig auf Sven-Eriks Bauch. Wenn Sven-Erik dann nur grunzte und sich auf die andere Seite drehte, wanderte Manne auf Sven-Erik herum wie ein Bergsteiger auf einem Felskamm. Ab und zu stieß er ein elendes Jammern aus, was bedeutete, dass er entweder fressen oder nach draußen wollte. Meistens beides. Und zwar sofort.

Ab und zu versuchte Sven-Erik, das Aufstehen zu verweigern, er murmelte »ist doch mitten in der Nacht, Katzenarsch« und wickelte sich in die Decke. Dann wurden die Spaziergänge über seinen Körper mit immer weiter ausgefahrenen Krallen unternommen. Am Ende kratzte Manne Sven-Erik auf dem Kopf.

Den Kater auf den Boden zu werfen oder ihn aus dem Schlafzimmer zu jagen und die Tür zu verschließen half nicht viel. Dann ging Manne mit aller Energie auf weiche Möbel und Vorhänge los.

»Das Vieh ist zu intelligent, verdammt«, sagte Sven-Erik oft. »Er weiß, dass ich ihn dann rauswerfe. Und das will er ja schon die ganze Zeit.«

Sven-Erik war eine ziemlich respektable Erscheinung. Hatte starke Oberarme, breite Handrücken. Etwas in Gesicht und Haltung zeigte die langjährige Gewohnheit, mit fast allem zu kämpfen, menschlichem Elend, betrunkenen Streithammeln. Und er genoss es, von einem Kater besiegt zu werden.

Aber an diesem Morgen wurde er nicht von Manne geweckt. Er erwachte trotzdem. Aus alter Gewohnheit. Vielleicht aus Sehnsucht nach dem gestreiften Tier, das ihn immer wieder mit seinen Wünschen und Einfällen terrorisierte.

Er setzte sich auf die Bettkante. Jetzt würde er nicht wieder einschlafen können. Es war die vierte Nacht, in der dieser verdammte Kater ausgeblieben war. Er konnte durchaus für eine Nacht verschwinden, manchmal auch für zwei. Das war kein Grund zur Sorge. Aber vier!

Er ging die Treppe hinunter und öffnete die Haustür. Die Nacht war grau wie Wolle, auf dem Weg in den Tag. Er stieß einen langen Pfiff aus, ging in die Küche, holte eine Dose Katzenfutter, trat vor die Tür und schlug mit einem Löffel an die Dose. Kein Manne. Am Ende musste er aufgeben, es war zu kalt, nur in der Unterhose.

So ist das, dachte er. Das ist der Preis der Freiheit. Das Risiko, dass man überfahren oder vom Fuchs geholt wird. Früher oder später.

Er gab Kaffeepulver in die Kaffeemaschine.

Trotzdem besser so, dachte er. Besser, als wenn Manne krank geworden wäre und er ihn zum Tierarzt hätte bringen müssen. Das wäre ein verdammter Mist gewesen.

Die Kaffeemaschine fing an zu gurgeln, Sven-Erik ging hinauf in sein Schlafzimmer und zog sich an.

Vielleicht hatte Manne sich ja anderswo häuslich niedergelassen. Es wäre nicht das erste Mal. Dass er nach zwei oder drei Tagen zurückkäme und absolut keinen Hunger hätte. Sichtlich wohl genährt und ausgeschlafen. Sicher hatte irgendein Frauenzimmer Mitleid mit ihm gehabt und ihn reingelassen. Eine Rentnerin, die nichts anderes zu tun hatte, als ihm Lachs zu kochen und Sahne einzuschenken.

Sven-Erik wurde plötzlich von einer unsinnigen Wut auf diese unbekannte Person erfüllt, die einfach eine Katze hereinließ und versorgte, die ihr gar nicht gehörte. Begriff diese Kreatur denn nicht, dass es jemanden gab, der sich schreckliche Sorgen um das Tier machte? Es war Manne doch anzusehen, dass er nicht heimatlos war. Sein Fell war blank, und er war zutraulich. Er hätte für Manne ein Halsband anschaffen sollen. Und zwar schon vor langer Zeit. Nur hatte er Angst gehabt, sein Kater könne damit irgendwo hängen bleiben. Das hatte ihn daran gehindert, die Vorstellung, dass Manne in einer Schlinge oder an einem Baum festhing und verhungerte.

Er verzehrte ein reichhaltiges Frühstück. In den ersten Jahren, nachdem Hjördis ihn verlassen hatte, hatte er sich meistens mit Kaffee im Stehen begnügt. Aber inzwischen hatte er sich gebessert. Zerstreut aß er einen Löffel fettarmen Joghurt mit Müsli nach dem anderen. Die Kaffeemaschine war verstummt, und in der Küche duftete es nach frischem Kaffee.

Er hatte Manne von seiner Tochter übernommen, als die nach Luleå gezogen war. Das hätte er niemals tun dürfen. Das merkte er jetzt. Es war nur ein verdammter Nervkram, ein verdammter Nervkram.

Anna-Maria Mella saß mit ihrem Morgenkaffee am Küchentisch. Es war sieben Uhr. Jenny, Petter und Marcus schliefen noch. Gustav war wach. Er wuselte oben im Schlafzimmer herum und kroch auf Robert hin und her.

Vor ihr auf dem Tisch lag eine Kopie der scheußlichen Zeichnung der erhängten Mildred. Rebecka Martinsson hatte auch allerlei Unterlagen kopiert, aber Anna-Maria begriff rein gar nichts davon. Sie hasste Zahlen und solchen Kram.

»Morgen!«

Ihr Sohn Marcus kam in die Küche geschlendert. Angezogen! Er riss die Kühlschranktür auf. Marcus war sechzehn Jahre alt.

»Ja, sag mal«, sagte Anna-Maria und schaute auf die Uhr. »Brennt's oben oder was?«

Marcus grinste. Nahm sich Milch und Cornflakes und setzte sich neben Anna-Maria.

»Wir schreiben heute einen Test«, sagte er und spachtelte Milch und Flocken. »Da kann man nicht einfach aus dem Bett springen und hinstürzen. Man muss den Körper aufladen.«

»Wer bist du?«, fragte Anna-Maria. »Was hast du mit meinem Sohn gemacht?«

Das ist Hanna, dachte sie. Gott segne sie.

Hanna war Marcus' Freundin. Ihr schulischer Ehrgeiz war offenbar ansteckend.

»Cool«, sagte Marcus und zog die Zeichnung zu sich herüber. »Was ist das denn?«

»Gar nichts«, antwortete Anna-Maria, nahm ihm die Zeichnung ab und legte sie mit dem Bild nach unten auf den Tisch.

»Also echt! Lass doch mal sehen!«

Er riss das Bild wieder an sich.

»Was bedeutet das?«, fragte er und zeigte auf den Grabhügel, der hinter dem baumelnden Leichnam zu sehen war.

»Tja, dass sie sterben und begraben werden soll, vielleicht.«

»Aber was bedeutet das hier? Siehst du das nicht?«

Anna-Maria schaute das Bild an.

»Das ist ein Symbol«, sagte Marcus.

»Das ist ein Grabhügel mit einem Kreuz.«

»Sieh doch richtig hin! Die Konturen sind doppelt so dick wie die Konturen auf dem restlichen Bild. Und das Kreuz ragt in den Boden hinein und endet mit einem Haken.«

Anna-Maria sah genauer hin. Er hatte Recht!

Sie sprang auf und sammelte die Papiere ein. Widerstand dem Impuls, ihren Sohn zu küssen, und fuhr ihm stattdessen durch die Haare.

»Viel Glück beim Test«, sagte sie.

Im Auto rief sie Sven-Erik an.

»Ja«, sagte er, nachdem er sich seine Kopie des Bildes geholt hatte. »Das ist ein Kreuz, das durch einen Halbkreis geht und dann in einem Haken endet.«

»Wir müssen herausfinden, was das bedeutet. Wer kann so etwas wissen?«

»Was hat das Labor gesagt?«

»Sie bekommen die Bilder wohl heute. Wenn es darauf sichtbare Abdrücke gibt, dann bekommen wir die heute Nachmittag, sonst kann es länger dauern.«

»Es müsste doch irgendwelche Religionswissenschaftler geben, die das Symbol erklären können«, sagte Sven-Erik nachdenklich.

»Du bist klug wie ein Buch«, sagte Anna-Maria. »Fred Olsson soll einen aufstöbern, dann faxen wir ihm das Bild. Zieh dich jetzt an, dann hol ich dich ab.«

»Ach?«

»Du musst mit nach Poikkijärvi kommen. Ich muss mit Rebecka Martinsson sprechen, wenn sie noch dort ist.«

Anna-Maria bog mit ihrem Ford in Richtung Poikkijärvi ab. Sven-Erik saß neben ihr und drückte reflexmäßig die Füße gegen den Boden. Dass sie aber auch immer wie ein Verkehrsrowdy fahren musste!

»Rebecka Martinsson hat mir ja die Kopien gegeben«, sagte sie. »Ich versteh das alles nicht. Also, es geht jedenfalls um Finanzen, aber du weißt doch…«

»Können wir da nicht die Kollegen von der Wirtschaft fragen?«

»Die haben doch immer Unmengen zu tun. Man fragt und kriegt die Antwort nach einem Monat. Also können wir auch gleich Rebecka fragen. Sie hat den Kram ja schon gesehen. Und sie weiß, warum sie ihn uns gegeben hat.«

»Ist das wirklich eine gute Idee?«

»Hast du eine bessere?«

»Aber will sie denn in diese Sache hineingezogen werden?«

Anna-Maria schleuderte ungeduldig ihren Zopf nach hinten.

»Sie hat mir doch die Kopien und die Briefe gegeben! Und sie wird in gar nichts hineingezogen. Wie lange kann das dauern? Zehn Minuten von ihrem Urlaub.«

Anna-Maria bremste hastig, nahm links die Straße nach Jukkasjärvi, beschleunigte auf neunzig, bremste wieder und bog nach rechts in Richtung Poikkijärvi ab. Sven-Erik hielt sich an der Autotür fest, seine Gedanken wanderten zu der Tablette gegen Reisekrankheit, die er nicht genommen hatte, und dann zu dem Kater, der das Autofahren hasste.

»Manne ist verschwunden«, sagte er und schaute auf die in der Sonne funkelnden Tannen, die draußen vorüberfegten.

»Ach je«, sagte Anna-Maria. »Seit wann?«

»Seit vier Tagen. So lange ist er noch nie ausgeblieben.«

»Der kommt schon zurück«, sagte sie. »Es ist doch noch warm, natürlich will er da draußen sein.«

»Nein«, sagte Sven-Erik mit fester Stimme. »Er ist überfahren worden. Dieses Tier werde ich niemals wiedersehen.«

Er sehnte sich nach Widerspruch. Sie sollte protestieren und ihn beruhigen. Er würde in seiner Überzeugung verharren, dass der Kater für ihn auf ewig verloren sei. Um ein wenig von seiner Unruhe und seinem Kummer loszuwerden. Aber sie wechselte das Thema.

»Wir fahren nicht bis zur Hütte«, sagte sie. »Ich glaube nicht, dass ihr diese Aufmerksamkeit lieb wäre.«

»Was macht sie hier eigentlich?«, fragte Sven-Erik.

»Weiß nicht.«

Anna-Maria hätte fast gesagt, sie glaube, dass es Rebecka vielleicht nicht besonders gut gehe, aber das verkniff sie sich. Denn dann würde Sven-Erik sie sicher zwingen, auf diesen Besuch zu verzichten. Er war in solchen Dingen immer weicher als sie. Vielleicht lag es daran, dass sie Kinder hatte, die zu Hause wohnten. Und deshalb wurde ihr Vorrat an Beschützerinstinkt und Fürsorge größtenteils dort verbraucht.

Rebecka Martinsson öffnete die Tür ihrer Hütte. Als sie Anna-Maria und Sven-Erik entdeckte, bildete sich zwischen ihren Augenbrauen eine tiefe Furche.

Anna-Maria stand näher vor ihr, etwas Eifriges lag in ihrem Blick, wie bei einem Setter, der Witterung aufnimmt. Sven-Erik hinter ihr, ihn hatte Rebecka nicht mehr gesehen, seit sie vor fast zwei Jahren im Krankenhaus gelegen hatte. Die kräftigen Haare, die um seine Ohren wuchsen, waren jetzt nicht mehr grau, sondern silbern. Der Schnurrbart hing noch immer wie ein totes Nagetier unter seiner Nase. Er sah verlegen aus, schien zu begreifen, dass sie hier nicht willkommen waren.

Auch wenn ihr mir das Leben gerettet habt, dachte Rebecka.

Gedanken jagten durch ihren Kopf. Wie Seidentücher durch die Hand eines Zauberkünstlers. Sven-Erik vor ihrem Krankenhausbett: »Wir waren in seiner Wohnung, und dann wussten wir, dass wir dich finden mussten. Den Mädchen geht es gut.«

Ich kann mich vor allem an vorher und nachher erinnern, dachte Rebecka. Vorher und nachher. Eigentlich müsste ich Sven-Erik fragen. Er kann mir vom Blut und den Toten erzählen.

Du willst von ihm hören, dass du Recht hattest, sagte eine Stimme in ihr. Dass es Notwehr war. Dass du keine Wahl hattest. Frag ihn doch einfach, bestimmt wird er dir sagen, was du hören willst.

Sie setzten sich in die Hütte. Sven-Erik und Anna-Maria auf Rebeckas Bett, Rebecka auf den einzigen Stuhl. An dem kleinen Heizkörper hingen ein T-Shirt, ein Paar Strümpfe und eine Unterhose über einem Aufkleber mit der Aufschrift »Nicht bedecken«.

Rebecka bedachte die feuchten Kleidungsstücke mit einem hastigen verlegenen Blick. Aber was hätte sie machen sollen? Die nasse Unterhose zusammenknüllen und unters Bett pfeffern? Oder aus dem Fenster vielleicht?

»Also«, fragte sie kurz. Sie mochte nicht höflich sein.

»Es geht um die Kopien, die du mir gegeben hast«, erklärte Anna-Maria Mella. »Daran kapier ich so einiges nichts.«

Rebecka umfasste ihre Knie.

Aber warum, dachte sie. Warum muss man sich erinnern? In Gedanken alles wieder und wieder durchgehen? Was soll das bringen? Wer kann garantieren, dass es hilft? Dass man nicht einfach nur in der Finsternis ertrinkt?

»Wisst ihr …«, begann sie.

Sie sprach mit sehr leiser Stimme. Sven-Erik sah ihre dünnen Finger an, die ihre Kniescheiben umklammerten.

»Ich muss euch bitten zu gehen«, sagte Rebecka jetzt. »Ich habe euch die Kopien und die Briefe gegeben. Ich habe sie durch ein Vergehen an mich gebracht. Wenn das herauskommt, bin ich meinen Job los. Außerdem wissen die Leute hier nicht, wer ich bin. Also, sie wissen, wie ich heiße. Aber sie wissen nicht, dass ich mit der Sache draußen in Jiekajärvi zu tun hatte.

»Bitte«, flehte Anna-Maria und blieb wie angewachsen auf ihrem Hintern sitzen, obwohl Sven-Erik sich schon erheben wollte. »Ich muss mir wegen einer ermordeten Frau den Kopf zerbrechen. Wenn jemand fragt, was wir hier wollten, dann sag, dass wir einen entlaufenen Hund suchen.«

Rebecka sah sie an.

»Sehr gut«, sagte sie langsam. »Zu zweit und in Zivil auf der Suche nach einem entlaufenen Hund. Da sollten die Polizeibehörden aber wirklich mal überlegen, ob sie ihre Mittel sinnvoll einsetzen.«

»Es könnte doch mein Hund sein«, sagte Anna-Maria stur.

Sie schwiegen eine Weile. Sven-Erik hätte vor Unbehagen sterben mögen, wie er da auf der Bettkante saß.

»Also, zeigt mal«, sagte Rebecka endlich und streckte die Hand nach dem Ordner aus.

»Es geht um das hier«, sagte Anna-Maria, zog ein Papier hervor und zeigte darauf.

»Das stammt aus einer Buchführung«, sagte Rebecka. »Und dieser Posten ist besonders markiert.«

Rebecka zeigte auf eine Zahl in einer Spalte mit der Überschrift 1930.

»Neunzehn dreißig ist ein Konto für eingehende Summen, Schecks und so. Darauf gibt es 179 000 Kronen, die mit Konto sechsundsiebzig zwo verrechnet werden müssen. Das sind die übrigen Personalkosten. Aber irgendwer hat mit Bleistift an den Rand ›Weiterbildung‹ geschrieben.«

Rebecka strich sich eine Haarsträhne hinter das Ohr.

»Und das hier?«, fragte Anna-Maria. »Ver, was bedeutet das?«

»Verifikat, Anlage. Kann eine Rechnung oder etwas anderes sein, woraus hervorgeht, wofür das Geld ausgelegt worden ist. Sie scheint sich über diesen Posten gewundert zu haben. Deshalb habe ich die Seite kopiert.«

»Aber was ist das für ein Unternehmen?«, fragte Anna-Maria Mella.

Rebecka zuckte mit den Schultern. Dann zeigte sie auf die obere rechte Ecke des Blattes.

»Die Betriebsnummer beginnt mit 81. Dann ist es eine Stiftung.«

Sven-Erik schüttelte den Kopf.

»Die Wildschutzstiftung Jukkasjärvi«, sagte Anna-Maria nach einigen Sekunden. »Eine Stiftung, die sie gegründet hat.«

»Sie hat über diesen Posten Weiterbildung gestaunt«, sagte Rebecka.

Wieder schwiegen sie. Sven-Erik schlug nach einer Fliege, die immer wieder auf ihm zu landen versuchte.

»Sie scheint allerlei Leute gegen sich aufgebracht zu haben«, sagte Rebecka.

Anna-Maria lachte freudlos.

»Ich hab gestern mit einem von diesen Aufgebrachten gesprochen«, sagte sie. »Er hat Mildred Nilsson gehasst, weil seine Frau mit den Kindern bei ihr gewohnt hat, nachdem sie ihn verlassen hatte.«

Sie erzählte Rebecka von den geköpften Katzenjungen.

»Und wir können ja nichts tun«, fügte sie hinzu. »Solche Hauskatzen stellen keinen finanziellen Wert da, also ist es keine Sachbeschädigung. Sie haben vermutlich auch nicht gelitten, also ist es keine Tierquälerei. Und dann fühlt man sich ohnmächtig. Als könne man in der Gemüseabteilung des Supermarktes nützlichere Arbeit leisten. Ich weiß nicht, geht es dir manchmal auch so?«

Rebecka grinste.

»Ich beschäftige mich ja fast nie mit Strafrecht«, antwortete sie ausweichend. »Und das hier wäre ein Wirtschaftsverbrechen. Aber natürlich kommt es vor, dass ich auf der Seite der Verdächtigten stehe... Ab und zu empfinde ich eine Art Widerwillen gegen mich selbst. Wenn ich jemanden vertrete, der einfach kein Gewissen hat. Dann wiederhole ich ›Alle haben das Recht auf Verteidigung‹ wie eine Beschwörung gegen...«

Sie sagte nichts von Selbstverachtung, sondern beendete ihren Satz mit einem Schulterzucken.

Anna-Maria registrierte, dass Rebecka Martinsson oft mit den Schultern zuckte. Sie schüttelte vielleicht unwillkommene Gedanken ab. Oder sie war wie Marcus. Dessen ewiges Schulterzucken sollte seine Distanz zum Rest der Welt ausdrücken.

»Du hast dir noch nie überlegt, die Seiten zu wechseln?«, fragte Sven-Erik. »Es werden doch immer Staatsanwälte gesucht, hier oben bleibt ja niemand.«

Rebecka lächelte leicht verlegen.

»Natürlich«, sagte Sven-Erik, und ihm war anzusehen, dass er sich vorkam wie ein Idiot. »Du verdienst sicher dreimal so viel wie eine Staatsanwältin.«

»Das ist es nicht«, sagte Rebecka. »Im Moment arbeite ich überhaupt nicht, die Zukunft ist also...«

Wieder zuckte sie mit den Schultern.

»Aber du hast mir doch gesagt, dass du aus beruflichen Gründen hergekommen bist«, sagte Anna-Maria.

»Ja, ab und zu arbeite ich ein bisschen. Und als einer der Teilhaber hier zu tun hatte, wollte ich mitkommen.«

Sie ist krankgeschrieben, dachte Anna-Maria.

Sven-Erik blickte sekundenschnell herüber, auch er hatte das jetzt erfasst.

Rebecka erhob sich, um klarzustellen, dass das Gespräch zu Ende war. Sie verabschiedeten sich.

Als Sven-Erik und Anna-Maria einige Schritte gegangen waren, hörten sie Rebecka Martinssons Stimme hinter sich.

»Grober Unfug«, sagte sie.

Sie drehten sich um. Rebecka stand auf der kleinen Treppe der Hütte. Sie stemmte die Hand gegen einen der Pfosten, die das Vordach trugen, und beugte sich ein wenig vor.

Sie sieht so jung aus, dachte Anna-Maria. Vor zwei Jahren war sie eine typische Karrierefrau gewesen. Sie hatte superschlank und superteuer ausgesehen, und die langen dunklen Haare waren zu einer richtigen Frisur geschnitten und wurden nicht einfach quer gekappt, wie Anna-Marias. Jetzt hatte Rebecka längere Haare, quer gekappt. Sie trug Jeans und T-Shirt. Und benutzte kein Make-up. Ihre Hüftknochen standen am Jeansbund vor, und diese müde, aber verbissen gerade Haltung, die sie am Pfosten eingenommen hatte, erinnerte Anna-Maria an die Art von erwachsenen Kindern, die ihr manchmal über den Weg liefen. Vernachlässigte Kinder, die sich um ihre alkoholisierten oder psychisch kranken Eltern kümmerten, die für ihre kleinen Geschwister Essen machten, die die Fassade nach besten Kräften aufrechterhielten und Polizei und Sozialamt anlogen.

»Das mit den Kätzchen«, sagte Rebecka. »Das ist grober Unfug. Sein Verhalten sollte der Exfrau doch offenbar Angst einjagen. Und das Gesetz verlangt nicht, dass eine Drohung ausgesprochen wird. Sie hat sich doch gefürchtet, oder? Vielleicht

Hausfriedensbruch. Kommt ein wenig darauf an, was er noch gemacht hat, aber es müsste als Begründung für ein Besuchsverbot eigentlich ausreichen.«

Als Sven-Erik Stålnacke und Anna-Maria Mella an der Hauptstraße entlang zu ihrem Auto zurückgingen, kam ihnen ein wüstengelber Mercedes entgegen. Darin saßen Lars-Gunnar und Teddy Vinsa. Lars-Gunnar schaute sie lange an. Sven-Erik hob die Hand zu einem Gruß, Lars-Gunnar war doch noch nicht viele Jahre in Rente.

»Ja, genau«, sagte Sven-Erik und schaute hinter dem Mercedes her, der unten bei Mickes Bar & Küche verschwand. »Der wohnt doch hier im Ort. Wie es wohl mit seinem Jungen geht?«

PROBST BERTIL STENSSON hielt in der Kirche von Kiruna den Mittagsgottesdienst ab. Einmal alle zwei Wochen konnte die Bevölkerung der Stadt in der Mittagspause das Abendmahl empfangen. An die zwanzig Personen hatten sich in dem kleinen Raum versammelt.

Pastor Stefan Wikström saß in der fünften Reihe zum Gang hin und bereute es, gekommen zu sein.

In seinem Kopf tauchte eine Erinnerung auf. Sein Vater, ebenfalls Probst, zu Hause auf der Küchenbank. Stefan neben ihm, vielleicht zehn Jahre alt. Der Junge plappert drauflos, er hält etwas in der Hand, etwas, das er zeigen will, er weiß nicht mehr, was es war. Der Vater mit der Zeitung vor dem Gesicht, wie dem Vorhang im Tempel. Und plötzlich bricht der Junge in Tränen aus. Dann hinter ihm die bittende Stimme der Mutter: Du kannst ihm doch einen Moment zuhören, er hat schon den ganzen Tag auf dich gewartet. Aus dem Augenwinkel sieht Stefan, dass sie ihre Schürze vorgebunden hat. Es muss also kurz vor dem Essen sein. Und jetzt lässt der Vater die Zeitung sinken, er ärgert sich über diese Unterbrechung seiner Lektüre, in der einzigen Ruhepause vor dem Essen, außerdem ist er beleidigt über den Vorwurf, der in der Luft schwebt.

Stefans Vater war seit vielen Jahren tot. Und seine arme Mutter auch. Aber der Probst sorgte gerade dafür, dass er sich genauso fühlte wie damals. Wie der quengelnde Knabe, der nach Aufmerksamkeit verlangt.

Stefan hatte versucht, sich vor dem Mittagsgottesdienst zu drücken. Eine innere Stimme hatte entschieden gesagt: Geh da nicht hin. Trotzdem war er gegangen. Er hatte sich eingeredet, dass er nicht dem Probst Bertil Stensson zuliebe ging, sondern weil er ein Bedürfnis nach dem Abendmahl hatte.

Er hatte geglaubt, alles werde leichter werden, jetzt, wo Mildred nicht mehr da war, aber nun war das Gegenteil der Fall. Es war viel schwerer.

Das ist wie beim verlorenen Sohn, dachte er.

Er war der pflichtgetreue, gehorsame Sohn gewesen, der zu Hause geblieben war. In all den Jahren hatte er Bertil so viel abgenommen, hatte langweilige Beerdigungen gemacht, langweilige Gottesdienste in Krankenhaus und Altersheim, er hatte den Probst bei den Büroarbeiten entlastet, Bertil war hoffnungslos, wenn es um Verwaltungsfragen ging, und er hatte freitagabends die Jugendandachten abgehalten.

Bertil Stensson war eitel. Er hatte die gesamte Zusammenarbeit mit dem Eishotel in Jukkasjärvi an sich gerissen. Trauungen und Taufen in der Eiskirche waren ihm vorbehalten. Alle Ereignisse, die auch nur die geringste Chance hatten, in der Lokalpresse erwähnt zu werden, nahm er ebenfalls für sich in Anspruch, wie die Krisengruppe nach dem Busunfall, bei dem sieben jugendliche Skiurlauber ums Leben gekommen waren, oder die vom samischen Parlament bestellten Gottesdienste. Ansonsten hatte der Probst sehr gern dienstfrei. Und das ermöglichte Stefan, er griff ein und wiegelte peinliche Fragen ab.

Mildred Nilsson war wie der verlorene Sohn gewesen. Oder genauer gesagt: wie der verlorene Sohn gewesen sein musste, als er noch zu Hause gewesen war. Ehe die Unruhe ihn in fremde Länder getrieben hatte. Mit seiner Unruhe und seiner Sturheit war er dem Vater sicher auf die Nerven gegangen, genau wie Mildred.

Alle glaubten, er, Stefan, habe Mildred am wenigsten ausstehen können. Aber da irrten sie sich, nur hatte Bertil seine Abneigung besser versteckt.

Als sie noch lebte, war alles anders gewesen. Bei allem, was diese Frau sich vorgenommen hatte, hatte es Krach und Ärger gegeben, und Bertil war froh und dankbar gewesen, weil er Stefan hatte, den zu Hause gebliebenen Sohn. Stefan sah vor sich, wie Bertil sein Zimmer im Gemeindehaus betrat. Er hatte eine besondere Art, ein Codesystem, das signalisierte: Du bist mein Auserwählter. Er stand in der Tür, eulenhaft mit seinem silbernen Schopf und seinem untersetzten Körper und mit der Brille, die entweder schief auf seinem Kopf saß oder tief unten auf der Nase. Stefan blickte dann von seinen Papieren auf. Bertil schaute sich fast unmerklich über seine Schulter um, schlüpfte herein und zog die Tür hinter sich zu. Mit einem erleichterten Seufzer ließ er sich dann in Stefans Besuchersessel sinken. Und lächelte.

Und jedes Mal wurde Stefan ganz warm ums Herz. Meistens hatte der Probst ein besonderes Anliegen, es konnte sich auch um eine ganze Reihe von kleinen Anliegen handeln, aber man hatte vor allem den Eindruck, dass er eine Weile seine Ruhe haben wollte. Alle kamen zu Bertil, Bertil verdrückte sich zu Stefan.

Aber seit Mildreds Tod hatte sich das geändert. Sie war nicht mehr da, wie eine drückende Naht im Schuh des Probstes. Und jetzt schien ihn plötzlich Stefans Pflichtbewusstsein zu stören. Jetzt sagte Bertil oft: »Wir brauchen wohl nicht so förmlich zu sein« und »Gott hat sicher nichts gegen praktische Lösungen«, Maximen, die er von Mildred übernommen hatte.

Und wenn Bertil über Mildred sprach, dann dermaßen übertrieben positiv, dass es Stefan von all den Lügen buchstäblich schlecht wurde.

Und Bertil hatte aufgehört, Stefan in seinem Zimmer zu besuchen. Stefan saß da, wusste nicht, was er machen sollte, quälte sich und wartete.

Ab und zu kam der Probst an der offenen Tür vorbei. Aber jetzt galten andere Codes, andere Signale: rasche Schritte, ein Blick durch die Türöffnung, ein Nicken, ein flüchtiges Lächeln. Hab's eilig, wie sieht's aus, sollte das bedeuten. Und ehe Stefan dieses Lächeln auch nur erwidern konnte, war der Probst schon wieder verschwunden.

Früher hatte er immer gewusst, wo der Probst sich aufhielt, jetzt hatte er keine Ahnung. Die Sekretärinnen fragten nach Bertil und schauten Stefan seltsam an, wenn der sich ein Lächeln abrang und den Kopf schüttelte.

Die tote Mildred war einfach nicht zu besiegen. In der Fremde war sie zum Lieblingskind des Vaters geworden.

Jetzt würde der Gottesdienst bald zu Ende sein. Sie sangen noch einen letzten Choral und gingen hin in Frieden.

Stefan hätte jetzt auch gehen sollen. Einfach aus der Kirche und nach Hause. Aber er schaffte es nicht, seine Füße trugen ihn auf Bertil zu.

Der plauderte gerade mit einem Gottesdienstbesucher, schaute Stefan kurz von der Seite an, ließ ihn aber nicht am Gespräch teilnehmen. Stefan musste warten.

So schlimm war es jetzt. Wenn Bertil ihn nur begrüßt hätte, dann hätte Stefan sich für den Gottesdienst bedanken und gehen können. Jetzt sah es aus, als habe er etwas auf dem Herzen. Nun musste er sich ein Anliegen aus den Fingern saugen.

Endlich ging der redselige Gottesdienstbesucher. Stefan fühlte sich gezwungen, seine Anwesenheit zu erklären.

»Ich hatte das Gefühl, das Abendmahl zu brauchen«, sagte er zu Bertil.

Bertil nickte. Der Küster trug Wein und Oblaten hinaus und schaute kurz zum Probst hinüber. Stefan folgte Bertil und dem Küster in die Sakristei und beteiligte sich, ohne dazu eingeladen worden zu sein, am Gebet über Brot und Wein.

»Hast du etwas von dieser Kanzlei gehört?«, fragte er, als sie ihr Gebet beendet hatten. »Über die Wolfsstiftung und so?«

Bertil streifte Talar, Stola und Albe ab.

»Ich weiß nicht«, sagte er. »Vielleicht werden wir sie doch nicht auflösen. Ich habe mich noch nicht entschieden.«

Der Küster ließ sich ungeheuer viel Zeit damit, den Wein in die Piscina zu stellen und die Oblaten im Ziborium zu verstauen. Stefan knirschte mit den Zähnen.

»Ich dachte, wir hätten uns geeinigt, dass die Kirche keine solche Stiftung unterhalten darf«, sagte er leise.

Und außerdem hat das doch der Gemeindevorstand zu entscheiden und nicht du allein, dachte er.

»Ja, ja, aber bis auf weiteres existiert sie eben«, sagte der Probst, und jetzt hörte Stefan aus der milden Stimme eine deutliche Ungeduld heraus. »Ob ich also finde, wir sollten uns den Schutz der Wölfin leisten, oder ob ich meine, dass das Geld der Weiterbildung dienen soll, ist eine Frage, die wir später im Herbst aufgreifen werden.«

»Und die Verpachtung des Jagdreviers?«

Jetzt lächelte Bertil strahlend.

»Ach, du und ich wollen uns doch darüber nicht den Kopf zerbrechen. Das wird der Gemeindevorstand entscheiden, wenn die Zeit dafür reif ist.«

Der Probst klopfte Stefan auf die Schulter und ging.

»Bestell Kristin einen schönen Gruß«, rief er, ohne sich umzusehen.

Stefan spürte einen Kloß im Hals. Er schaute seine Hände an, die steifen langen Finger. Echte Pianistenhände, hatte seine Mutter immer gesagt. Später, in ihrer Wohnung im Seniorenheim, als sie ihn sehr oft mit dem Vater verwechselt hatte, hatte dieses Gerede über seine Finger ihn gequält. Sie hielt seine Hände fest und befahl dem Pflegepersonal, sich die anzusehen, seht euch diese Hände an, keine Spur von körperlicher Arbeit. Pianistenfinger, Schreibtischfinger.

Bestell Kristin einen schönen Gruß.

Wenn er es nun endlich wagte, die Dinge so zu sehen, wie sie sich eben verhielten, dann würde die Heirat mit ihr als der große Fehler seines Lebens erscheinen.

Stefan spürte, wie er innerlich hart wurde. Er verhärtete sich gegen Bertil und gegen seine Frau.

Ich habe sie lange genug getragen, dachte er. Das muss jetzt ein Ende haben.

Seine Mutter musste das mit Kristin begriffen haben. Was ihm an Kristin gefallen hatte, war ihre Ähnlichkeit mit der Mutter gewesen. Die kleine, puppenhafte Gestalt, ihr angenehmes Wesen, ihr guter Geschmack.

Natürlich hatte seine Mutter das gesehen. »Wie persönlich«, hatte sie über Kristins Wohnung gesagt, als sie die Freundin des Sohnes zum ersten Mal besuchte, »gemütlich«. Damals hatte er in Uppsala studiert. Gemütlich und persönlich, zwei gute Wörter, bei denen man Zuflucht sucht, wenn man nicht, ohne zu lügen, »schön« oder »geschmackvoll« sagen kann. Und ihm fiel das fast belustigte Lächeln der Mutter ein, als Kristin ihre Arrangements aus Immortellen und getrockneten Rosen vorgeführt hatte.

Nein, Kristin war ein Kind, das einigermaßen gut imitierte und nachahmte. Sie war niemals die Art von Pastorenfrau geworden, die seine Mutter gewesen war. Und was war es für ein Schock gewesen, als er das erste Mal das Haus der chaotischen Mildred betreten hatte. Alle Kollegen samt Familien waren dort zum Weihnachtspunsch eingeladen. Eine interessante Mischung von Leuten war dabei herausgekommen, die geladenen Familien, Mildred selbst, ihr Mann mit Bart und Schürze, wie eine Parodie auf den Pantoffelhelden, und die drei Frauen, die damals gerade im Pfarrhaus von Poikkijärvi Zuflucht gesucht hatten. Eine dieser Frauen hatte zwei Kinder gehabt, bei denen zweifellos alle existierenden Buchstabenkombinationen diagnostiziert werden konnten.

Aber Mildreds Haus, das hatte ausgesehen wie ein Gemälde von Carl Larsson. Die gleiche helle Leichtigkeit, gepflegt, aber nicht überladen, die gleiche geschmackvolle Schlichtheit wie in Stefans Elternhaus. Stefan hatte das nicht mit Mildreds Wesen in Einklang bringen können. So wohnt sie also, hatte er gedacht. Er hatte mit einem bohemehaften Chaos gerechnet, mit Stapeln von Zeitungsartikeln in Lagerregalen, mit orientalischen Kissen und Teppichen.

Ihm fiel ein, wie Kristin damals reagiert hatte. »Warum wohnen nicht wir im Pfarrhaus von Poikkijärvi«, hatte sie gefragt. »Das ist größer, es wäre für uns besser geeignet, wir haben ja schließlich Kinder.«

Sicher hatte seine Mutter gemerkt, dass diese Zerbrechlichkeit in Kristin, die Stefan so anzog, nicht nur zerbrechlich war, sondern auch brüchig. Es war etwas Zerbrochenes und Spitzes, an dem Stefan sich früher oder später verletzen würde.

Ihn überkam eine plötzlich auflodernde Wut auf seine Mutter. Warum hat sie nichts gesagt, fragte er sich. Sie hätte mich warnen müssen.

Und Mildred. Mildred, die die arme Kristin benutzt hatte.

Er musste an den Tag Anfang Mai denken, als sie diese Briefe geschwenkt hatte.

Er versuchte, sich Mildred aus dem Kopf zu schlagen, Aber sie war genauso aufdringlich wie damals. Trampelte los. Genau wie damals.

»Schön«, sagt Mildred und stürzt in Stefans Büro.

Es ist der 5. Mai. In knapp zwei Monaten wird sie tot sein. Jetzt aber ist sie mehr als lebendig. Ihre Wangen und ihre Nase sind rot wie frisch polierte Äpfel. Sie schließt die Tür hinter sich mit einem Tritt.

»Nein, bleib sitzen«, sagt sie zu Bertil, der aus dem Besuchersessel zu fliehen versucht. »Ich will zu euch beiden sprechen.«

Zu euch sprechen. Was soll man zu so einer Einleitung sagen? Allein die macht doch deutlich, wie Mildred sein konnte.

»Ich habe über die Sache mit der Wölfin nachgedacht«, sagt sie nun.

Das eine Knie von Bertil schiebt sich über das andere. Die Arme verschränken sich auf seiner Brust. Stefan lässt sich in seinem Sessel zurücksinken. Weg von ihr. Sie fühlen sich zurechtgewiesen und zusammengestaucht, obwohl Mildred noch nicht einmal gesagt hat, was sie auf dem Herzen hat.

»Die Kirche verpachtet ihren Grundbesitz an den Jagdverein von Poikkijärvi für tausend Kronen im Jahr«, sagt sie nun. »Die

Vereinbarung gilt für sieben Jahre und verlängert sich automatisch, wenn sie nicht gekündigt wird. Das ist seit 1957 so. Da wohnte der damalige Probst im Pfarrhaus von Poikkijärvi. Und der war ein begeisterter Jäger.«

»Aber was hat das mit…«, setzt Bertil an.

»Lass mich ausreden! Natürlich kann alle Welt in den Verein eintreten, aber die Vereinsleitung und die Jagdgesellschaft haben den alleinigen Nutzen der Pacht. Und da die Jagdgesellschaft aufgrund ihrer Statuten nur zwanzig Mitglieder haben darf, kommen keine neuen dazu. Eigentlich wird erst ein neues Mitglied gewählt, wenn eins stirbt. Und die Vereinsleitung gehört natürlich der Gesellschaft an. In den vergangenen dreizehn Jahren ist nicht ein einziges neues Mitglied dazugekommen.«

Sie verstummt und starrt Stefan an.

»Außer dir, natürlich. Als Elis Wiss freiwillig ausgetreten ist, bist du gewählt worden, das war vor sechs Jahren, nicht?«

Stefan gibt keine Antwort, das liegt daran, wie sie das Wort »freiwillig« ausgesprochen hat. Er wird innerlich ganz weiß vor Zorn. Mildred redet weiter:

»Gemäß den Statuten darf nur die Jagdgesellschaft Kugelwaffen benutzen, und deshalb hat die Jagdgesellschaft die gesamte Elchjagd mit Beschlag belegt. Was die übrige Jagd angeht, da können andere Mitglieder des Jagdvereins Tageskarten kaufen, aber alles, was erlegt wird, wird unter den Aktiven im Verein verteilt, und dabei entscheidet – *surprise!* – die Vereinsleitung, wie die Verteilung geschehen soll. Ich denke also so: Sowohl die Grubengesellschaft LKAB als auch Yngve Bergqvist interessieren sich für die Jagd. Die LKAB für ihre Angestellten und Yngve für Touristen. In beiden Fällen könnten wir die Pachtsumme beträchtlich erhöhen. Und ich meine wirklich beträchtlich. Für dieses Geld könnten wir vernünftige Forstwirtschaft betreiben. Denn ehrlich gesagt, was macht Torbjörn Ylitalo eigentlich? Spielt für die Jagdgesellschaft den Laufburschen. Wir liefern also diesem Altmännerhaufen sogar einen Gratis-Angestellten.«

Torbjörn Ylitalo ist der Jagdmeister der Kirche. Er gehört zu den zwanzig Mitgliedern der Jagdgesellschaft und ist Vorsitzender des Jagdvereins. Stefan weiß, dass sehr viel von Torbjörns Arbeitszeit dafür draufgeht, dass er zusammen mit dem Jagdleiter Lars-Gunnar die Jagd plant und Jagdhütten und Hochsitze der Kirche wartet und Jagdscheine ausstellt.

»Also«, endet Mildred. »Wir hätten dann Geld für die Forstpflege, vor allem aber Geld für den Wolfsschutz. Die Kirche kann die Pachtsumme der Stiftung überlassen. Die Naturschutzbehörden haben die Wölfin ja jetzt markiert, aber wir brauchen mehr Geld für ihre Überwachung.«

»Ich verstehe nicht einmal, warum du dieses Thema mir und Stefan gegenüber zur Sprache bringst«, fällt Bertil ihr ins Wort. »Änderungen im Pachtsystem sind doch wohl eine Frage für den Gemeindevorstand?«

»Weißt du«, sagt Mildred. »Ich finde, das ist eine Frage für die Gemeinde.«

Alle schweigen. Bertil nickt einmal. Stefan spürt einen Schmerz in der linken Schulter, einen Schmerz, der sich seinen Nacken hinaufstiehlt.

Sie wissen genau, was Mildred meint. Sie können sich sehr gut vorstellen, wie die Diskussion verlaufen wird, wenn sie in der Gemeinde und, natürlich, in der Lokalpresse geführt wird. Die Altherrentruppe, die gratis auf dem Grund der Kirche jagt und sogar die Tiere für sich behält, die sie nicht selber erlegt hat.

Stefan ist Mitglied der Jagdgesellschaft, für ihn gibt es kein Pardon.

Aber der Probst hat ebenfalls seine Gründe, der Jagdgesellschaft die Stange zu halten. Die Jagdgesellschaft sorgt dafür, dass seine Tiefkühltruhe immer gut gefüllt ist. Bertil kann jederzeit Elchfilet und Waldvögel anbieten. Und die Jagdgesellschaft hat den Probst auch noch auf andere Weise für sein schweigendes Einverständnis entschädigt. Bertils hölzernes Ferienhaus zum Beispiel. Die Jagdgesellschaft hat es gebaut und unterhält es jetzt.

Stefan denkt an seinen Platz in der Jagdgesellschaft. Nein, er betastet ihn. Wie einen glatten, warmen Stein in seiner Tasche. Das ist er nämlich, sein geheimer Glücksstein. Er kann sich noch gut daran erinnern, wie er den Platz bekommen hat. Bertils Arm um seine Schultern, als er dem Jagdmeister Torbjörn Ylitalo vorgestellt wurde. »Stefan jagt«, hatte der Probst gesagt. »Er fände es nett, einen Platz in der Gesellschaft zu bekommen.« Und Torbjörn, der Feudalherr im Waldreich der Kirche, nickte, nicht einmal eine zweiflerische Miene hatte er sich erlaubt. Zwei Monate später hatte Elis Wiss seinen Platz in der Jagdgesellschaft zur Verfügung gestellt. Nach dreiundvierzig Jahren. Stefan wurde einer von den zwanzig.

»Das ist ungerecht«, sagt Mildred.

Der Probst erhebt sich aus Stefans Besuchersessel.

»Ich kann nicht darüber diskutieren, solange du dich so auf-regst«, sagt er zu Mildred.

Dann geht er. Lässt Stefan mit ihr allein.

»Wie soll das gehen«, sagt Mildred zu Stefan. »Sowie ich daran denke, rege ich mich schon auf.«

Dann lacht sie strahlend.

Stefan sieht sie überrascht an. Wieso grinst sie so? Hat sie nicht begriffen, dass sie sich soeben voll und ganz unmöglich gemacht hat? Dass sie eben eine Kriegserklärung sondergleichen überreicht hat? In dieser nach außen hin ziemlich intelligenten Frau, denn das ist sie, das muss er zugeben, scheint eine lallende Idiotin zu woh-nen. Was soll er jetzt machen? Er kann nicht aus dem Raum stür-zen, es ist doch sein Zimmer. Unschlüssig bleibt er in seinem Ses-sel sitzen.

Dann sieht sie ihn plötzlich mit ernster Miene an, öffnet ihre Handtasche, nimmt drei Briefumschläge heraus und hält sie ihm hin. Es ist die Handschrift seiner Frau.

Er erhebt sich und nimmt die Briefe entgegen. Sein Zwerchfell krampft sich zusammen. Kristin. Kristin! Er weiß, was das für Briefe sind, ohne sie gelesen zu haben. Er lässt sich wieder in den Sessel fallen.

»Zwei sind in einem ziemlich unangenehmen Ton gehalten«, sagt Mildred.

Ja, das kann er sich denken. Es ist nicht das erste Mal. Das ist Kristins alte Leier. Mit kleinen Variationen bleibt sie sich immer gleich. Zweimal hat er das schon durchgemacht. Sie kommen an einen neuen Ort. Kristin leitet den Kinderchor und die Sonntagsschule, ein bezauberndes Singvögelchen, das in allen Tonarten das Lob des neuen Ortes singt. Aber wenn die erste Verliebtheit, ja, so muss er das nennen, verflogen ist, dann setzt ihre Unzufriedenheit ein. Wirkliche und eingebildete Ungerechtigkeiten, die sie sammelt wie Glanzbilder in einem Album. Eine Phase mit Kopfschmerzen, Arztbesuchen und Vorwürfen gegen Stefan, der nicht einmal ihre Leiden ernst nimmt. Dann kriselt es endgültig zwischen ihr und einem Angestellten oder einem Gemeindemitglied. Und bald zieht sie im Ort auf Kriegszug aus. An Stefans letzter Stelle gab es einen richtigen Zirkus, die Gewerkschaft wurde eingeschaltet, und die Angestellte aus dem Pfarrbüro wollte ihren Nervenzusammenbruch als Berufskrankheit eingestuft sehen. Und Kristin, die sich zu Unrecht angeklagt fühlte. Und am Ende der Umzug, unvermeidlich. Beim ersten Mal hatten sie ein Kind, beim zweiten drei. Jetzt geht der älteste Junge in die Oberstufe, das ist eine sehr schwierige Zeit.

»Ich habe noch zwei von der Sorte«, sagt Mildred.

Als sie gegangen ist, hält Stefan die Briefe in der Hand.

Er ist ihr in die Falle gegangen wie ein Schneehuhn, das weiß er jetzt, und er weiß nicht einmal, ob er Mildred meint oder seine Frau.

REBECKA MARTINSSONS CHEF, Måns Wenngren, saß in seinem quietschenden Schreibtischsessel. Ihm war noch nie aufgefallen, dass der Sessel so nervtötend quietschte, wenn er höher oder tiefer gedreht wurde. Er dachte an Rebecka Martinsson. Dann dachte er nicht mehr an sie.

Er hatte eigentlich jede Menge zu tun. Musste Anrufe und Mails beantworten. Kunden und Mandanten auf dem Laufenden halten. Seine Referendare hatten Unterlagen und gelbe Klebezettel mit Mitteilungen auf den Sitz des Sessels gelegt, damit er sie auch ja sah. Aber jetzt war es nur noch eine Stunde bis zur Mittagspause, und da konnte er doch gleich alles ein wenig verschieben.

Er bezeichnete sich selbst oft als ruhelos. Er konnte seine Frau Madelene fast sagen hören: »Ja, das klingt ja auch besser als launisch und immer auf der Flucht vor dir selbst.« Aber ruhelos war er eben auch. Diese Unruhe hatte ihn schon in der Wiege erfasst. Seine Mutter hatte ihm erzählt, dass er im ersten Jahr die Nächte durchgeschrien hatte. »Als er laufen lernte, wurde er ein wenig ruhiger. Für kurze Zeit.«

Sein drei Jahre älterer Bruder hatte tausendmal erzählt, wie sie Weihnachtsbäume verkauft hatten. Ein Pächter der Familie hatte Måns und dessen Bruder einen Aushilfsjob beim Baumverkauf angeboten. Sie waren beide noch klein, Måns war gerade erst in die Schule gekommen. Aber rechnen konnte er schon, wie sein Bruder bezeugen konnte. Vor allem mit Geld.

Sie hatten also Weihnachtsbäume verkauft. Zwei kleine Händler von sieben und zehn. »Und Måns hat verdammt viel mehr verdient als wir anderen«, erzählte der Bruder. »Wir konnten ja nicht begreifen, wie das möglich war, wir kriegten doch alle nur vier Kronen pro Baum als Provision. Aber während wir anderen nur froren und darauf warteten, dass endlich Feierabend wäre, wuselte Måns hin und her und redete mit allen Onkeln und Tanten, die sich Bäume ansahen. Und wenn jemand eine Tanne zu hoch fand, bot er an, sie an Ort und Stelle zu kürzen, und da konnte niemand widerstehen, so ein kleiner Wicht mit einer Säge, die genauso lang war wie er selbst. Und jetzt kommt die Pointe! Von den abgesägten Resten entfernte er die Zweige, und aus den Zweigen band er große Tannenwedel, die er für einen Fünfer pro Stück verkaufte. Und dieser Fünfer verschwand dann in seiner Tasche. Der Pächter – wie, zum Teufel, hieß der doch noch gleich, Mårtensson vielleicht – war stocksauer. Aber was hätte er schon tun können?«

Hier unterbrach der Bruder seine Geschichte und hob seine Augenbrauen zu einer Miene, die alles darüber sagte, wie ohnmächtig der Pächter dem verschlagenen Sohn des Verpächters ausgeliefert gewesen war. »Businessman«, endete er dann. »Schon immer ein Businessman.«

Bis in seine mittleren Jahre hatte Måns sich gegen diese Kategorisierung gewehrt. »Jura ist nicht dasselbe wie Business«, hatte er gesagt.

»Natürlich ist es das«, widersprach dann sein Bruder. »Verdammt, natürlich ist es dasselbe.«

Der Bruder selbst war schon früh in seinem Erwachsenenleben ins Ausland gegangen, hatte Gott weiß was und noch allerlei anderes getrieben, war dann doch nach Schweden zurückgekehrt, hatte eine Ausbildung zum Sozialbeamten geschafft und leitete jetzt das Sozialamt in Kalmar.

Nach und nach hatte Måns dann aufgehört, sich zu wehren. Und warum sollte man sich überhaupt immer für Erfolg entschuldigen?

»Sicher«, sagte er jetzt ständig. »Business und Geld auf der Bank.« Und dann erzählte er von seinem letzten Autokauf oder von der Geschäftslage oder einfach von seinem neuen Mobiltelefon.

Über den Hass des Bruders konnte Måns sich in den Augen seiner Schwägerin informieren.

Måns begriff das nicht. Die Ehe des Bruders hatte gehalten. Seine Kinder besuchten ihn.

Nein, jetzt tu ich es, dachte er und erhob sich aus dem quietschenden Sessel.

Maria Taube zwitscherte ein »Bis dann« ins Telefon und legte auf. Verdammte Mandanten, riefen an und saugten sich Fragen aus den Fingern, die so ungenau und vage waren, dass sie einfach nicht beantwortet werden konnten. Es dauerte eine halbe Stunde, auch nur herauszufinden, was sie wollten.

Jemand klopfte an ihre Tür, und ehe sie etwas sagen konnte, steckte Måns den Kopf ins Zimmer.

Hast du in deinem feinen Internat eigentlich gar nichts gelernt, dachte sie gereizt. Zum Beispiel das »Herein« abzuwarten.

Als habe er den Gedanken hinter ihrem Lächeln gelesen, fragte er: »Hast du Zeit?«

Wann hat er zuletzt ein Nein auf diese Frage gehört, dachte Maria, wies auf ihren Besuchersessel und drückte einen eingehenden Anruf weg.

Er zog die Tür hinter sich zu. Ein schlechtes Zeichen. Ihre Gedanken liefen davon, auf die Jagd nach etwas, das sie übersehen oder vergessen haben könnte, nach einem Mandanten, der Grund zur Unzufriedenheit hatte. Ihr fiel nichts ein. Das war das Schlimmste an dieser Stelle. Sie konnte Stress und Hierarchie und Überstunden aushalten, aber nicht diesen finsteren Abgrund, der sich möglicherweise unter ihren Füßen auftat. Wie der Patzer, der Rebecka da unterlaufen war. Es konnte so verdammt leicht passieren, ein paar Millionen zu verschusseln.

Måns setzte sich und schaute sich um, seine Finger trommelten auf seinem Oberschenkel herum.

»Schöne Aussicht«, sagte er grinsend.

Vor dem Fenster drängten sich die schmutzig braunen Fassaden der Nachbarhäuser aneinander. Maria lachte höflich, schwieg ansonsten aber.

Jetzt spuck es schon aus, dachte sie.

»Wie geht es eigentlich…«

Måns ließ eine vage Geste in Richtung der Papierstapel auf ihrem Tisch die Frage beantworten.

»Gut«, antwortete sie und riss sich zusammen, statt von ihrer Arbeit zu erzählen.

Das will er doch gar nicht wissen, ermahnte sie sich.

»Und… hast du was von Rebecka gehört?«, fragte Måns.

Maria Taubes Schultern senkten sich einen Zentimeter.

»Ja.«

»Hab von Torsten gehört, dass sie noch länger da oben geblieben ist.«

»Ja.«

»Was macht sie?«

Maria zögerte.

»Das weiß ich gar nicht so genau.«

»Sei jetzt doch nicht so verdammt schwierig, Taube. Ich weiß, dass es dein Vorschlag war, dass sie hinfahren sollte. Und ich kann wohl ehrlich sagen, dass ich das nicht für eine so großartige Idee halte. Und jetzt will ich wissen, wie es ihr geht.«

Er legte eine Pause ein.

»Sie arbeitet ja nun einmal hier«, fügte er dann hinzu.

»Frag sie doch selbst«, sagte Maria.

»Das ist nicht so leicht. Als ich das zuletzt versucht habe, hat sie mir eine Wahnsinnsszene gemacht, falls du dich erinnerst.«

Maria dachte daran, wie Rebecka vom Betriebsfest weggerudert war. Sie war wirklich nicht gescheit.

»Ich kann nicht mit dir über Rebecka sprechen. Das musst du doch begreifen, sie wäre dann stocksauer.«

»Und was ist mit mir?«, fragte Måns.

Maria Taube ließ ein hohles Lachen hören.

»Du bist doch immer stocksauer«, sagte sie.

Måns grinste, diese kleine Respektlosigkeit hob gleich seine Laune.

»Ich weiß noch, wie du bei mir angefangen hast«, sagte er. »Lieb und freundlich warst du. Hast immer getan, worum man dich bat.«

»Ich weiß«, sagte sie. »Aber was diese Kanzlei aus den Leuten macht…«

Rebecka Martinsson und Teddy tauchten wie zwei Tagelöhner vor Sivving Fjällbergs Tür auf. Er empfing sie wie ersehnte Gäste und führte sie in seinen Heizungskeller. Bella lag auf einem Lager aus Flickenteppichen in einem Holzkasten und schlief, die Welpen lagen übereinander unter ihrem Bauch. Sie öffnete nur ein Auge und schlug mit dem Schwanz, als die Gäste hereinkamen.

Gegen ein Uhr war Rebecka zu Teddy gefahren und hatte geklingelt. Teddys Vater Lars-Gunnar hatte geöffnet. Füllte den Türrahmen ganz aus. Sie hatte draußen auf der Treppe gestanden und war sich vorgekommen wie eine Fünfjährige, die die Eltern eines Spielkameraden fragt, ob der Freund wirklich zum Spielen mitkommen darf.

Sivving setzte Kaffee auf und holte dicke Porzellanbecher mit großen Blumenmustern in Gelb, Orange und Braun. Er füllte einen Brotkorb mit Zwiebäcken und fischte Margarine und eine Packung gesprenkelter Wurst aus dem Kühlschrank.

Es war kühl hier unten im Keller. Der Geruch von Hund und frischem Kaffee mischte sich mit dem vagen Geruch nach Erde und Beton. Die Herbstsonne fiel durch das schmale Fenster oben unter der Decke.

Sivving sah Rebecka an. Offenbar hatte sie sich am Kleiderschrank der Großmutter bedient. Er erkannte den schwarzen Anorak mit den weißen Schneeflocken. Er fragte sich, ob sie wohl wusste, dass der ihrer Mutter gehört hatte. Vermutlich nicht.

Und sicher hatte ihr auch niemand gesagt, wie ähnlich sie ihrer Mutter sah. Die gleichen dunkelbraunen langen Haare und betonten Augenbrauen. Diese viereckige Augenform und die undefinierbare helle Sandfarbe der mit einem dunklen Ring versehenen Iris.

Die Hundebabys wurden wach. Große Pfoten und Ohren, Bäuche und Leben, Schwänze, die wie kleine Propeller gegen die Kante des Holzkastens schlugen. Rebecka und Teddy setzten sich auf den Boden und teilten die Brote mit den Kleinen, während Sivving sich zurückzog.

»Nichts riecht so gut«, sagte Rebecka und schmiegte ihre Nase an einen Hundebauch.

»Und der ist noch nicht vergeben«, sagte Sivving. »Willst du zuschlagen?«

Der Kleine kaute mit nadelspitzen Zähnen auf Rebeckas Hand herum. Sein Fell war schokoladenbraun und so kurz und weich, dass es ihr wie glatte Haut vorkam. Die Hinterbeine waren zur Hälfte in Weiß getunkt.

Sie setzte ihn in den Kasten und erhob sich.

»Das geht nicht. Ich warte draußen.«

Sie hätte fast gesagt, dass sie zu viel arbeitete, um sich um einen Hund kümmern zu können.

Rebecka und Sivving nahmen Kartoffeln aus. Sivving ging vor ihr her und zog den Strunk mit seiner gesunden Hand aus dem Boden. Rebecka lief mit der Hacke hinterher.

»Gerade graben und hacken«, sagte Sivving. »Das ist wie verhext. Sonst hätte ich Lena gebeten, sie kommt jetzt am Wochenende mit den Jungs.«

Lena war seine Tochter.

»Ich tu das doch gern«, sagte Rebecka.

Sie zog die Hacke durch den lockeren Sandboden und las dann die Mandelkartoffeln auf, die sich vom Strunk gelöst hatten und noch in der Erde steckten.

Teddy lief mit einem Auerhahnflügel an einer Schnur auf der Wiese hin und her und spielte mit den Welpen. Ab und zu reckten Rebecka und Sivving ihre Rücken und schauten zu ihnen hinüber.

Es war wirklich zum Lachen. Teddy mit der Hand, die die Schnur hoch über ihm in der Luft hielt, er sprang johlend mit angezogenen Knien auf und ab. Die Welpen jagten mit ihrer ganzen ungezügelten Jagdlust wie eine Meute hinter ihm her. Bella lag auf der Seite im Gras und wärmte sich in der Herbstsonne. Hob ab und zu den Kopf, um nach einer lästigen Bremse zu schnappen oder nach ihren Kleinen zu sehen.

Ich bin natürlich nicht normal, dachte Rebecka. Kann nicht mit gleichaltrigen Arbeitskollegen umgehen, aber bei einem alten Mann und einem Zurückgebliebenen, ja, da habe ich das Gefühl, ich selbst zu sein.

»Ich weiß noch, als ich klein war«, sagte sie. »Wenn ihr Erwachsenen die Kartoffeln ausgenommen hattet, gab es abends auf dem Feld immer ein Feuer. Und wir Kinder durften die übrig gebliebenen Kartoffeln backen.«

»Außen schwarz verbrannt, am Rand ein bißchen weich, innen roh. Das weiß ich auch noch. Und wenn ihr dann reingekommen seid. Verrußt und mit Lehm beschmiert von Kopf bis Fuß.«

Rebecka lachte bei dieser Erinnerung. Sie hatten gelernt, vor dem Feuer Respekt zu haben, eigentlich durften Kinder gar keins machen. Aber der Abend nach der Kartoffelernte war eine Ausnahme. Dann gehörte das Feuer ihnen. Rebecka, ihren Vettern und Kusinen und Sivvings Kindern Mats und Lena. Sie saßen am dunklen Herbstabend vor dem Feuer und schauten in die Flammen. Stocherten mit Stöckchen darin herum. Kamen sich vor wie Indianer in einem Jungenbuch.

Erst gegen zehn, elf Uhr abends gingen sie hinein zur Großmutter, das war ja fast schon mitten in der Nacht. Glücklich und verschmutzt. Die Erwachsenen waren schon längst in der Sauna gewesen und saßen beim Abendkaffee. Die Großmutter und Onkel Affes Frau Inga-Lill und Sivvings Frau Maj-Lis tranken allerdings Tee. Sivving und Onkel Affe zogen ein Bier vor. Ihr fielen die alten Männer auf dem Bild »Jedes Mal« ein.

Sie und die anderen Kinder waren klug genug gewesen, in der

Diele stehen zu bleiben. Und nicht den halben Kartoffelacker in die Küche zu schleppen.

»Ach, hier kommen die Hottentotten«, lachte Sivving. »Ich weiß ja nicht, wie viele das sind, denn in der Diele ist es doch dunkel wie in einem Bergwerk, und sie sind allesamt kohlrabenschwarz. Lacht doch mal, damit wir eure Zähne sehen können.«

Sie lachten. Ließen sich von der Großmutter Handtücher geben. Rannten zur Sauna am Flussufer und badeten in der Wärme, die die Erwachsenen hinterlassen hatten.

TORBJÖRN YLITALO, der Vorsitzende des Jagdvereins von Poikki-järvi, stand auf dem Hof und hackte Holz, als Anna-Maria Mella kam. Sie hielt an und stieg aus dem Auto. Er kehrte ihr den Rücken zu. Die roten Schutzklappen über seinen Ohren hatten dafür gesorgt, dass er sie nicht gehört hatte. Sie schaute sich deshalb zuerst ungestört um.

Gepflegte Pelargonien hinter klein karierten Küchenvorhängen. Vermutlich also verheiratet. Beete ohne Unkraut. Nicht ein einziges heruntergefallenes Blatt auf dem Rasen. Der Zaun sorgfältig falunrot mit weißen Spitzen gestrichen.

Anna-Maria dachte an ihren fleckigen Zaun und die Farbe, die in dicken Flocken von der Südwand abblätterte.

Nächsten Sommer müssen wir anstreichen, dachte sie.

Aber hatte sie das nicht schon im vergangenen Herbst gedacht?

Torbjörn Ylitalos Säge fraß sich mit durchdringendem Kreischen durch das Holz. Als er das letzte Stück zur Seite warf und sich nach einem neuen meterlangen Klotz bückte, rief Anna-Maria seinen Namen.

Er drehte sich um, schob sich den Gehörschutz von den Ohren und schaltete die Säge aus. Torbjörn Ylitalo war ein Mann von etwa sechzig. Ein wenig grobschlächtig, aber irgendwie doch gepflegt. Die auf seinem Kopf noch vorhandenen Haare waren wie sein Bart grau und sorgfältig geschnitten. Als er die Schutzbrille abgenommen hatte, öffnete er seine glänzend blaue Arbeitsjacke und zog eine randlose Svennisbrille hervor, die er auf seiner großen klumpigen Nase festklemmte. Oberhalb seines weißen Halses war er sonnenverbrannt und wettergegerbt. Seine Ohrläppchen waren zwei große Hautlappen, aber Anna-Maria registrierte, dass der Rasierapparat auch über sie hinweggefahren war.

Nicht wie Sven-Erik, dachte sie.

Aus dessen Ohren wuchsen ganze Hecken.

Sie setzten sich in die Küche. Anna-Maria nahm eine Tasse Kaffee dankend an, als Torbjörn Ylitalo gesagt hatte, er wolle auch eine trinken.

Er füllte die Kaffeemaschine, suchte hilflos im Kühlschrank und schien erleichtert, als Anna-Maria keine Plätzchen wollte.

»Haben Sie jetzt vor der Elchjagd Ferien?«, fragte Anna-Maria.

»Nein, aber ich kann mir meine Arbeitszeit so ziemlich selbst einteilen, wissen Sie.«

»Ja, Sie sind Jagdmeister bei der Kirche.«

»Richtig.«

»Und Vorsitzender des Jagdvereins und Mitglied der Jagdgesellschaft.«

Er nickte.

Sie plauderten eine Weile über Jagd und Beerenpflücken.

Anna-Maria holte Block und Kugelschreiber aus der Tasche ihrer Jacke, die sie weggehängt hatte. Sie legte beides vor sich auf den Tisch.

»Wie ich draußen schon gesagt habe, geht es um Mildred Nilsson. Sie haben sich nicht so gut mit ihr verstanden, habe ich gehört.«

Torbjörn Ylitalo sah sie an. Er lächelte nicht, das hatte er bisher noch kein einziges Mal gemacht. Er trank ohne Eile einen Schluck Kaffee, stellte die Tasse auf die Untertasse und fragte: »Wer hat das gesagt?«

»Stimmt es also?«

»Was soll ich sagen, ich spreche nur ungern schlecht über die Toten, aber sie hat hier im Ort doch sehr viel Streit und Verbitterung gesät.«

»Auf welche Weise denn?«

»Ich sage es ganz offen: Sie war eine Männerhasserin. Ich glaube wirklich, dass sie wollte, dass die Frauen hier am Ort sich von ihren Männern scheiden ließen. Und da kann man dann nicht viel machen.«

»Sind Sie verheiratet?«

»Aber sicher.«

»Hat sie Ihre Frau überreden wollen, Sie zu verlassen?«

»Nein, die nicht. Aber andere.«

»Aber in welchem Zusammenhang hatten Sie und Mildred dann Ihre Meinungsverschiedenheiten?«

»Tja, das mit der Quotierung in der Jagdgesellschaft war so eine Scheißidee von ihr. Mehr Kaffee?«

Anna-Maria schüttelte den Kopf.

»Sie wissen schon, jeden zweiten Platz für eine Frau. Das hielt sie für eine gute Bedingung, um unsere Pacht zu verlängern.«

»Und Sie hielten es für eine schlechte Idee.«

Jetzt kam ein wenig Nachdruck in seine fast lässige Redeweise.

»Außer ihr hat das wohl niemand für eine gute Idee gehalten. Und ich bin wirklich kein Frauenfeind, aber man muss sich doch wohl unter den gleichen Bedingungen für Unternehmensleitungen und das Parlament und eben auch für unseren kleinen Jagdverein bewerben. Es wäre doch ungerecht, wenn Sie einen Posten nur bekämen, weil Sie eine Frau sind. Und wie wollten Sie sich dann Respekt verschaffen? Und außerdem: Was ist denn so schlimm daran, wenn die Männer weiter jagen dürfen? Ab und zu halte ich die Jagd für den letzten Außenposten. Lassen Sie uns doch wenigstens dabei in Ruhe. Verdammt, ich hab ja wohl auch nicht darauf bestanden, bei ihrer Frauenbibelgruppe mitzumachen.«

»Dann waren Sie also nicht einer Ansicht, Sie und Mildred?«

»Was heißt nicht einer Ansicht, sie hat gewusst, wie ich das sah.«

»Magnus Lindmark hat gesagt, Sie hätten ihr gern den Lauf in den Schlund gedrückt.«

Anna-Maria überlegte, ob es wohl richtig gewesen war, das zu sagen. Aber das geschah diesem Scheißkerl, der kleinen Katzen den Kopf abhackte, nur recht.

Torbjörn Ylitalo wirkte nicht weiter empört. Er lächelte sogar zum ersten Mal. Es war ein müdes, fast unmerkliches Lächeln.

»Daraus sprechen wohl eher Magnus' eigene Empfindungen«, sagte er. »Aber Magnus hat sie nicht umgebracht. Und ich auch nicht.«

Anna-Maria gab keine Antwort.

»Wenn ich sie umgebracht hätte, dann hätte ich sie erschossen und im Moor versenkt«, sagte er.

»Haben Sie gewusst, dass sie den Pachtvertrag kündigen wollte?«

»Ja, aber sie hatte niemanden vom Gemeindevorstand auf ihrer Seite, also spielte das keine Rolle.«

Nun erhob Torbjörn Ylitalo sich.

»Wenn das alles war, dann würde ich jetzt gern wieder an die Arbeit gehen.«

Anna-Maria erhob sich ebenfalls. Sie sah, wie er die Tassen in den Spülstein stellte.

Dann nahm er die Kaffeekanne und stellte sie mitsamt dem warmen Kaffee in den Kühlschrank.

Dazu sagte sie nichts. Und sie nahmen auf dem Hof ganz gelassen voneinander Abschied.

Anna-Maria Mella fuhr von Torbjörn Ylitalos Hof. Sie wollte noch einmal zu Erik Nilsson. Wollte ihn fragen, ob er wusste, wer seiner Frau die Zeichnung geschickt hatte.

Sie hielt vor dem Zaun, der das Pfarrhaus umgab. Der Briefkasten quoll über vor Zeitungen und Post, der Deckel ragte nach oben. Bald würde es hineinregnen. Zeitungen, Werbung und Rechnungen würden einen großen Klumpen aus Pappmaché bilden. Anna-Maria sah nicht zum ersten Mal einen solchen überlaufenden Briefkasten. Nachbarn rufen an, der Briefkasten sieht so und so aus, die Polizei bricht die Tür auf, und dahinter wartet der Tod. Auf die eine oder andere Weise.

Sie holte Atem. Zuerst wollte sie bei der Tür nachsehen. Wenn der Mann der Pastorin drinnen lag, dann konnte die Tür sehr gut offen sein. Wenn abgeschlossen wäre, würde sie durch die Fenster ins Erdgeschoss schauen.

In dem Moment, als sie die Hand auf die Türklinke legte, wurde die Tür von innen geöffnet. Anna-Maria schrie nicht. Vermutlich verzog sie keine Miene. Innerlich aber zitterte sie. Ihr Magen krampfte sich zusammen.

Eine Frau kam heraus, wäre fast mit Anna-Maria zusammengestoßen und stieß einen erschrockenen Schrei aus.

Sie war um die vierzig, weit aufgerissene dunkelblaue Augen mit langen dichten Wimpern. Nicht viel größer als Anna-Maria, also klein. Aber sie war zarter und feingliedriger. Die Hand, die zu ihrer Brust hochjagte, hatte lange Finger und ein schmales Handgelenk.

»Oi«, sagte sie lächelnd.

Anna-Maria Mella stellte sich vor.

»Ich suche Erik Nilsson.«

»Aha«, sagte die Frau. »Der ist... nicht hier.«

Ihre Stimme schwebte dahin.

»Er ist weggezogen«, sagte sie. »Also, das Pfarrhaus gehört doch der Kirche. Und es hat ihn wirklich niemand vertrieben, aber... Verzeihung, ich heiße Kristin Wikström.«

Sie hielt Anna-Maria ihre schmale Hand hin. Dann hatte sie etwas Verlorenes und schien das Bedürfnis zu haben, ihre Anwesenheit zu erklären.

»Mein Mann, Stefan Wikström, wird hier einziehen, jetzt, wo Mildred... ich meine, nicht nur er. Ich und die Kinder natürlich auch.«

Sie lachte kurz.

»Erik Nilsson hat seine Möbel und seine Habseligkeiten nicht abgeholt, und wir wissen nicht, wo er steckt und... ja, ich bin hergekommen, um zu sehen, wie viel hier zu tun ist.«

»Sie wissen also nicht, wo Erik Nilsson sich aufhält?«

Kristin Wikström schüttelte den Kopf.

»Und Ihr Mann?«, fragte Anna-Maria.

»Der weiß das auch nicht.«

»Nein, was ich meine, war: Wo steckt der?«

Kristin Wikströms Oberlippe zeigte plötzlich kleine Furchen.

»Was wollen Sie von ihm?«

»Ihm ein paar Fragen stellen.«

Kristin Wikström schüttelte langsam und mit betrübter Miene den Kopf.

»Ich wünschte wirklich, er würde in Ruhe gelassen«, sagte sie. »Er hatte einen sehr harten Sommer. Keinen Urlaub. Die ganze Zeit Polizei. Und die Presse, die haben sogar nachts angerufen, wissen Sie, und wir wagen nicht, den Telefonstecker herauszuziehen, weil meine Mutter alt und krank ist, und was, wenn sie gerade dann anruft. Und die Angst, die wir alle haben, weil es vielleicht ein Verrückter ist, der... Man wagt ja nicht einmal, die Kinder allein aus dem Haus zu lassen. Und die ganze Zeit mache ich mir Sorgen um Stefan.«

Aber von Trauer um die tote Kollegin ist hier keine Rede, stellte Anna-Maria kalt fest.

»Ist er zu Hause?«, fragte sie schonungslos.

Kristin Wikström seufzte. Sah Anna-Maria an, als sei die ein Kind, das sie enttäuscht hatte. Zutiefst enttäuscht.

»Ich weiß es nicht«, sagte sie. »Ich bin keine, die die ganze Zeit die totale Kontrolle über ihren Mann haben muss.«

»Dann versuche ich mein Glück zuerst im Pfarrhaus in Jukkasjärvi, und wenn er da nicht ist, dann fahre ich in die Stadt«, sagte Anna-Maria Mella und unterdrückte den Drang, die Augen zu verdrehen.

Kristin Wikström bleibt auf der Treppe vor dem Pfarrhaus von Poikkijärvi stehen. Sie schaut hinter dem roten Escort her. Diese Polizistin war ihr nicht sympathisch. Niemand ist ihr sympathisch. Halt, das stimmt natürlich nicht. Sie liebt Stefan. Und die Kinder. Sie liebt ihre Familie.

In ihrem Kopf hat sie einen Filmprojektor. Sie glaubt nicht, dass das so häufig vorkommt. Manchmal zeigt er nur Unfug. Aber jetzt will sie sich einen Film ansehen, den sie sehr gern mag. Die Herbstsonne wärmt ihr Gesicht. Es ist noch immer Spätsommer, man kann gar nicht glauben, dass das hier Kiruna ist, so warm, wie es ist. Und es ist ja auch nur gut so. Denn der Film stammt aus dem vergangenen Frühjahr.

Die Frühlingssonne scheint durch das Fenster und wärmt Kristins Gesicht. Die Farben sind sanft. Das Bild ist so weich getönt, dass sie einen Heiligenschein zu haben scheint. Sie sitzt auf einem Stuhl in der Küche. Auf dem Stuhl daneben sitzt Stefan. Er beugt sich vor und legt den Kopf in ihren Schoß. Ihre Hände wandern über seine Haare. Sie sagt: »Schhhhh.« Er weint. »Mildred«, sagt er. »Bald kann ich nicht mehr.« Er will doch nur Ruhe und Frieden. Arbeitsruhe. Ruhe zu Hause. Aber solange Mildred in der Gemeinde ihr Gift ausstreut… Sie streichelt seine weichen Haare. Es ist ein heiliger Moment. Stefan ist so stark. Er sucht nie bei ihr Trost. Sie genießt es, das alles für ihn sein zu können. Etwas bringt sie dazu aufzuschauen. In der Türöffnung steht ihr ältester Sohn. Benjamin. Gott, wie der aussieht, mit den langen Haaren und den engen schwarzen, zerfetzten Jeans. Er starrt seine Eltern an. Sagt keinen Mucks. Hat nur einen total wilden Blick. Sie runzelt die Stirn, um ihm klar zu machen, dass er verschwinden soll. Sie weiß, dass Stefan nicht will, dass die Kinder ihn so sehen.

Der Film ist zu Ende. Kristin legt die Hand auf das Treppengeländer. Das hier wird ihr und Stefans Haus sein. Wenn Mildreds Mann glaubt, einfach seine Möbel hinterlassen zu können, weil niemand es wagen wird, sie zu entfernen, dann hat er sich geirrt. Als sie zum Auto geht, lässt sie in ihrem Kopf noch einmal den Film ablaufen. Diesmal schneidet sie ihren Sohn Benjamin heraus.

ANNA-MARIA FUHR auf den Hofplatz des Pfarrhauses von Jukkasjärvi. Sie klingelte, aber niemand machte auf.

Als sie sich umdrehte, kam ein Junge auf das Haus zugegangen. Er war in Marcus' Alter, fünfzehn vielleicht. Er hatte lange, glänzend schwarz gefärbte Haare. Unter seinen Augen hatte er schwarze Kajalstriche gezogen. Er trug eine abgenutzte schwarze Lederjacke und enge schwarze Jeans mit riesigen Löchern an den Knien.

»Hallo«, rief Anna-Maria. »Wohnst du hier? Ich suche Stefan Wikström, weißt du, ob...«

Weiter kam sie nicht. Der Junge starrte sie an. Dann machte er auf dem Absatz kehrt und rannte davon. Rannte an der Straße entlang. Einen Moment lang wollte Anna-Maria hinterherstürzen und ihn festhalten, dann überlegte sie sich die Sache anders. Wozu hätte das gut sein sollen?

Sie setzte sich ins Auto und fuhr in Richtung Stadt. Hielt dort Ausschau nach dem schwarz gekleideten Jungen, konnte ihn aber nicht entdecken.

Konnte er zur Pastorenfamilie gehören? Oder war er jemand, der vielleicht einbrechen wollte? Und der überrascht gewesen war, weil jemand dort war.

Noch etwas anderes ließ ihr keine Ruhe.

Stefan Wikströms Frau. Die hieß Kristin Wikström.

Kristin. Diesen Namen kannte sie doch.

Dann fiel es ihr ein. Sie fuhr an den Straßenrand und hielt an. Streckte die Hand nach den Briefen an Mildred aus, die Fred Olsson interessant gefunden und deshalb ausgesondert hatte.

Zwei davon waren mit »Kristin« unterschrieben.

Anna-Maria überflog sie. Der eine war vom März datiert und in einer gepflegten Handschrift gehalten.

»Lass uns in Ruhe. Wir wollen Ruhe und Frieden. Mein Mann braucht Arbeitsruhe. Soll ich auf die Knie fallen? Ich falle auf die Knie. Und flehe: Lass uns in Ruhe.«

Der zweite war etwas über einen Monat später datiert. Es war zu sehen, dass er von derselben Person stammte, aber die Handschrift war heftiger, die Haken am G waren lang, und einige Wörter waren unsauber durchgestrichen:

»Du glaubst vielleicht, wir WÜSSTEN nicht. Aber alle begreifen, dass es kein Zufall ist, dass du dich ein Jahr, nachdem mein Mann seinen Dienst hier am Ort angetreten hat, um die Stelle in Kiruna beworben hast. Und ich VERSICHERE dir, wir WISSEN. Du arbeitest mit Gruppen und Organisationen zusammen, die als EINZIGES Ziel haben, gegen ihn zu arbeiten. Mit deinem HASS vergiftest du Brunnen. Aber diesen HASS wirst du selbst trinken.«

Was mache ich jetzt, überlegte Anna-Maria. Zurückfahren und sie an die Wand stellen?

Sie rief Sven-Erik Stålnacke an.

»Wir reden lieber mit ihrem Kerl«, schlug der vor. »Ich bin ohnehin auf dem Weg ins Pfarrbüro, um mir die Buchhaltung dieser Wolfsstiftung zu holen.«

STEFAN WIKSTRÖM SEUFZTE tief hinter seinem Schreibtisch. Sven-Erik Stålnacke hatte sich im Besuchersessel niedergelassen. Anna-Maria Mella lehnte mit verschränkten Armen an der Tür.

Ab und zu ist sie so ... unpädagogisch, dachte Sven-Erik und sah Anna-Maria an.

Eigentlich hätte er sich diesen Wicht allein vornehmen sollen, das wäre besser gewesen. Anna-Maria konnte ihn nicht leiden und machte sich auch nicht die Mühe, das zu verbergen. Sicher, Sven-Erik hatte ja auch über den Streit zwischen Mildred und diesem Pastor gelesen, aber jetzt waren sie doch dienstlich hier.

»Ja, ich weiß von diesen Briefen«, sagte der Pastor.

Er stützte den linken Ellbogen auf den Schreibtisch und legte die Stirn gegen Fingerspitzen und Daumen.

»Meine Frau ... sie ... manchmal geht es ihr nicht so gut. Nicht dass sie psychisch krank wäre, aber ab und zu ist sie eben labil. Das hier ist sie im Grunde gar nicht.«

Sven-Erik Stålnacke und Anna-Maria Mella schwiegen.

»Sie sieht bisweilen am helllichten Tag Gespenster. Sie würde niemals ... Sie glauben doch wohl nicht ...?«

Er ließ die Stirn los und schlug mit der Handfläche auf den Tisch.

»Wenn ja, dann wäre das total absurd. Herrgott, Mildred hatte doch Hunderte von Feinden.«

»Unter anderem Sie?«, fragte Anna-Maria.

»Das nun wirklich nicht. Stehe ich jetzt auch schon unter Verdacht? Ich und Mildred waren in Sachfragen oft unterschiedlicher Meinung, das ja, aber dass ich oder die arme Kristin etwas mit dem Mord zu tun haben sollten ...«

»Das haben wir ja auch gar nicht behauptet«, sagte Sven-Erik.

Er runzelte die Stirn auf eine Weise, die Anna-Maria dazu brachte zu schweigen und zuzuhören.

»Was hat Mildred zu diesen Briefen gesagt?«, fragte Sven-Erik.

»Sie hat mich darüber informiert, dass sie sie bekommen hat.«

»Warum hat sie sie aufbewahrt, was meinen Sie?«

»Ich weiß nicht, ich selbst bewahre sogar alle Weihnachtskarten auf.«

»Haben noch andere davon gewusst?«

»Nein, und ich wäre dankbar, wenn das so bleiben könnte.«

»Mildred hat also sonst mit niemandem darüber gesprochen?«

»Nein, nicht dass ich wüsste.«

»Waren Sie ihr dafür dankbar?«

Stefan Wikström kniff die Augen zusammen.

»Was?«

Fast hätte er losgelacht. Dankbar. Er hätte Mildred dankbar sein sollen? Was für eine unsinnige Vorstellung. Aber was sollte er sagen? Er konnte doch nicht darüber sprechen. Mildred hielt ihn noch immer gefangen. Und benutzte seine Frau als Riegel. Und sie hatte von ihm Dankbarkeit erwartet.

Mitte Mai hatte er sich gedemütigt und war zu Mildred gegangen, um sie um die Briefe zu bitten. Er hatte ihr auf dem Weg ins Krankenhaus Gesellschaft geleistet. Sie wollte dort jemanden besuchen. Es war die schlimmste Zeit im Jahr gewesen. Natürlich nicht zu Hause in Lund. Aber in Kiruna. Die Straßen waren voller Kies und jeder Menge Abfall, der aus dem Schnee herausgeschmolzen war.

Nichts Grünes. Nur Schmutz, Schrott und haufenweise Kies.

Stefan hatte mit seiner Frau telefoniert. Sie besuchte mit den jüngsten Kindern ihre Mutter in Katrineholm. Sie hörte sich fröhlicher an.

Stefan sieht Mildred an. Auch sie kommt ihm fröhlich vor. Hält ihr Gesicht in die Sonne und atmet tief und genüsslich. Es muss ein Segen sein, keinen Schönheitssinn zu haben. Dann können Schmutz und Kies die Stimmung wohl nicht verderben.

Es ist schon seltsam, denkt er, nicht ohne Bitterkeit, dass Kristin froher wird und neue Kraft findet, wenn sie eine Weile von ihm getrennt ist. So sieht sein Bild von der Ehe eigentlich nicht aus, man sollte beieinander Kraft und Hilfe finden. Dass sie nicht die Stütze ist, auf die er gehofft hatte, hat er schon vor langer Zeit akzeptiert. Aber jetzt hat er das Gefühl, dass er für sie auch nicht mehr genug ist. »Ach, noch eine Weile«, antwortet sie vage, wenn er fragt, wie lange sie noch fortbleiben wird.

Mildred will ihm die Briefe nicht geben.

»Du kannst jederzeit mein Leben ruinieren«, sagt er mit schiefem Lächeln zu ihr.

Sie schaut ihm fest in die Augen.

»Dann musst du üben, Vertrauen zu mir zu haben«, sagt sie.

Er sieht sie von der Seite an. Wenn sie so nebeneinander gehen, fällt ihm auf, wie klein sie ist. Ihre Vorderzähne sind wirklich unnatürlich winzig. Sie sieht in jeder Hinsicht wie eine Wühlmaus aus.

»Ich habe vor, die Frage der Verpachtung an den Jagdverein mit dem Gemeindevorstand zu besprechen. Der Pachtvertrag läuft zu Weihnachten doch aus. Und wenn wir an jemanden verpachten, der bezahlen kann…«

Er traut seinen Ohren nicht.

»So ist das also«, sagt er und staunt darüber, wie ruhig seine Stimme klingt. »Du willst mir drohen. Wenn ich mich für die weitere Verpachtung an den Jagdverein einsetze, dann wirst du von Kristins Briefen erzählen. Das ist übel, Mildred. Jetzt zeigst du wirklich dein wahres Ich.«

Er spürt, wie sein Mund in seinem Gesicht ein Eigenleben führt. Er verzieht sich zu einer weinerlichen Grimasse.

Wenn Kristin sich nur ausruhen kann, dann wird sie ihr Gleich-

gewicht zurückgewinnen. Aber wenn das mit den Briefen herauskommt. Er kann schon hören, wie sie sich darüber beklagt, dass
hinter ihrem Rücken getuschelt wird. Sie wird sich noch mehr
Feinde zulegen. Bald wird sie an mehreren Fronten Krieg führen.
Und dann werden sie untergehen.

»Nein«, sagt Mildred. »Ich drohe nicht. Ich werde auf jeden
Fall schweigen. Ich wünschte nur, du…«

»Wärst ein bisschen dankbar?«

»Könntest mir in einer einzigen Angelegenheit entgegenkommen«, sagt sie müde.

»Gegen mein Gewissen?«

Und jetzt geht sie hoch. Zeigt ihr wahres Ich.

»Ach, hör doch auf! Das ist ja wohl kaum eine Gewissens-
frage!«

Sven-Erik Stålnacke wiederholte seine Frage: »Waren Sie ihr dankbar? Wenn wir bedenken, dass Sie nicht gerade die besten Freunde
waren, dann war es doch großzügig von ihr, niemandem von den
Briefen zu erzählen.«

»Ja«, würgte Stefan nach einer Weile aus sich heraus.

Sven-Erik schmunzelte. Anna-Marias Rücken löste sich von
der Tür.

»Noch etwas«, sagte Sven-Erik. »Die Buchführung der Wolfsstiftung. Befindet die sich hier im Pfarrbüro?«

Stefan Wikströms Augen begannen unruhig zu flattern.

»Was?«

»Die Buchführung der Wolfsstiftung, haben Sie die hier?«

»Ja.«

»Die würden wir uns gern ansehen.«

»Brauchen Sie dafür nicht irgendeine Vollmacht vom Staatsanwalt?«

Anna-Maria und Sven-Erik tauschten einen raschen Blick.
Sven-Erik stand auf.

»Verzeihung«, sagte er. »Ich muss zur Toilette. Wo…«

»Links, durch die Tür zum Sekretariat und dann wieder links.«
Sven-Erik verschwand.

Anna-Maria zog die Kopie der Zeichnung der gehängten Mildred hervor.

»Das hat jemand an Mildred Nilsson geschickt. Haben Sie das schon einmal gesehen?«

Stefan Wikström nahm das Bild. Seine Hand zitterte nicht.

»Nein«, sagte er.

Er gab ihr die Zeichnung zurück.

»Sie haben nichts in dieser Art bekommen?«

»Nein.«

»Und Sie haben keine Ahnung, wer ihr das geschickt haben kann? Sie hat es nie erwähnt?«

»Ich und Mildred waren nicht vertraulich miteinander.«

»Sie können mir vielleicht eine Liste von Leuten machen, mit denen ich Ihrer Ansicht nach sprechen sollte. Ich meine, die, die in der Kirche oder hier im Pfarrbüro arbeiten.«

Anna-Maria sah ihm beim Schreiben zu. Sie hoffte, dass Sven-Erik draußen rasche Arbeit leistete.

»Sie haben Kinder?«, fragte sie.

»Ja, drei Jungen.«

»Wie alt ist Ihr Ältester?«

»Fünfzehn.«

»Wie sieht er aus? Hat er Ähnlichkeit mit Ihnen?«

Stefan Wikströms Stimme wurde ein wenig undeutlich.

»Das ist unmöglich zu sagen. Man weiß ja gar nicht, wie er unter Haarfarbe und Schminke überhaupt aussieht. Er ist … in einer Phase.«

Er schaute auf und lächelte. Anna-Maria begriff, dass dieses väterliche Lächeln und diese Kunstpause und das Wort »Phase« etwas waren, das er routinemäßig benutzte, wenn er über seinen Sohn sprach.

Stefan Wikströms Lächeln verschwand.

»Warum fragen Sie nach Benjamin?«, wollte er wissen.

Anna-Maria nahm ihm die Liste aus der Hand.

»Danke für Ihre Hilfe«, sagte sie und ging.

Sven-Erik Stålnacke ging von Stefan Wikströms Zimmer gleich weiter ins Pfarrbüro. Dort hielten sich drei Frauen auf. Eine goss die Blumen auf den Fensterbänken, die anderen beiden saßen an ihren Computern. Sven-Erik ging zu einer und stellte sich vor. Sie war in seinem Alter, um die sechzig, blanke Nasenspitze und freundliche Augen.

»Wir möchten gern einen Blick in die Buchführung der Wolfsstiftung werfen«, sagte er.

»Okay.«

Sie lief zu einem Regal und brachte einen Ordner, der fast keinen Inhalt hatte. Sven-Erik musterte ihn nachdenklich. Buchführung bedeutete doch eigentlich dicke Haufen aus Unterlagen, Rechnungen, Spalten und Quittungen.

»Ist das alles?«, fragte er ungläubig.

»Ja«, sagte sie. »Es hat nicht viele Bewegungen gegeben, vor allem wohl Einzahlungen.«

»Ich möchte das kurz ausleihen.«

Sie lächelte.

»Das können Sie behalten, das sind nur Ausdrucke und Kopien. Ich kann das jederzeit wieder ausdrucken.«

»Sagen Sie«, fragte Sven-Erik und senkte die Stimme. »Ich würde Ihnen gern eine Frage stellen, könnten wir…«

Die Frau ging mit ihm aus dem Zimmer.

»Es gibt eine Rechnung über Weiterbildung«, sagte Sven-Erik. »Einen ziemlich großen Posten.«

»Ja«, sagte die Frau. »Ich weiß, was Sie meinen.«

Sie dachte eine Weile nach und schien Anlauf zu nehmen.

»Das war nicht richtig«, sagte sie. »Mildred war sehr böse. Stefan und seine Familie sind Ende Mai in Urlaub in die USA gefahren. Mit dem Geld der Stiftung.«

»Wie war das möglich?«

»Er und Mildred und Bertil waren auch einzeln unterschriftsberechtigt für die Stiftung. Das war also kein Problem. Er dachte wohl, niemand würde es merken, oder er wollte ihr eins auswischen, was weiß ich.«

»Was ist passiert?«

Die Frau sah ihn an.

»Nichts«, sagte sie. »Sie haben wohl einen Strich darunter gezogen. Und Mildred hat gesagt, er habe Yellowstone besucht, wo ein Wolfsprojekt betrieben wird. Ja, soviel ich weiß, hat es also keinen Ärger gegeben.«

Sven-Erik bedankte sich, und sie kehrte an ihren Computer zurück. Er spielte mit dem Gedanken, auch Stefan nach dieser Reise zu fragen. Aber das eilte ja nicht, sie könnten auch morgen noch darüber sprechen. Instinktiv wusste er, dass er erst darüber nachdenken musste. Und so lange brachte es doch nichts, den Leuten Angst einzujagen.

»Er hat keine Miene verzogen«, sagte Anna-Maria im Auto zu Sven-Erik. »Als ich Stefan Wikström die Zeichnung gezeigt habe, hat er keine Miene verzogen. Entweder ist er total gefühlskalt, oder er brauchte all seine Energie, um seine Gefühle zu verstecken. Du weißt doch, man kann so unbedingt ruhig bleiben wollen, dass man vergisst, dass man trotzdem irgendwie reagieren müsste.«

Sven-Erik schmunzelte.

»Zumindest hätte er ein wenig Interesse zeigen müssen«, sagte Anna-Maria jetzt. »Sich das Bild ansehen. So hätte ich reagiert. Wäre außer mir gewesen, wenn es jemanden betroffen hätte, den ich kenne. Und ein wenig gekitzelt von der Sensation, wenn ich sie nicht kenne oder nicht leiden kann. Ich hätte eine Weile hingesehen.«

Meine letzte Frage hat er gar nicht beantwortet, dachte sie danach. Als ich gefragt habe, ob er eine Vorstellung davon hätte, wer das geschickt haben könnte. Er hat nur gesagt, er und Mildred seien nicht vertraulich miteinander gewesen.

Stefan Wikström ging hinaus ins Sekretariat. Ihm war ein wenig schlecht. Er sollte wohl nach Hause fahren und etwas essen.

Die Sekretärinnen schauten ihn neugierig an.

»Sie haben Routinefragen wegen Mildred gestellt«, sagte er. Was für ein Wort. Routinefragen.

»Haben sie mit euch gesprochen?«, fragte er.

Die Frau, mit der Sven-Erik geredet hatte, antwortete.

»Ja, dieser große Bursche wollte die Buchführung der Wolfs-stiftung sehen.«

Stefan erstarrte.

»Die hast du ihm doch wohl nicht gegeben? Sie sind nicht be-fugt...«

»Natürlich habe ich sie ihm gegeben. Darin stehen doch wohl keine Geheimnisse?«

Sie musterte ihn forschend. Er spürte auch die Blicke der ande-ren. Dann drehte er auf dem Absatz um und lief mit schnellen Schritten in sein Zimmer.

Sollte der Probst doch sagen, was er wollte. Jetzt musste Stefan mit ihm reden. Er wählte Bertils Nummer.

Der Probst saß gerade im Auto. Ab und zu war seine Stimme nicht zu hören.

Stefan erzählte, dass die Polizei im Pfarrbüro gewesen sei. Und die Buchführung der Stiftung mitgenommen habe.

Bertil wirkte nicht sonderlich erschüttert. Stefan sagte, da sie beide der Stiftungsleitung angehörten, sei kein formaler Fehler begangen worden, aber trotzdem.

»Wenn das an die Presse gerät, dann wissen wir doch, was die schreiben werden. Dann werden wir als Schmarotzer dargestellt.«

»Das kommt schon in Ordnung«, sagte der Probst gelassen. »Du, ich muss hier aussteigen, wir reden später weiter.«

Diese Gelassenheit verriet Stefan, dass der Probst ihm nicht den Rücken stärken würde, wenn die Sache mit der Reise in die USA an die Öffentlichkeit geriete. Er würde niemals zugeben, dass sie darüber gesprochen hatten. »Die Stiftung hat im Moment doch so viel Geld, von dem niemand etwas hat«, hatte der Probst selbst gesagt. Und dann hatten sie von einer Art kompetenzerweiternden Reise gesprochen. Sie gehörten dem Vorstand einer Stiftung zum Schutz wilder Tiere an, hatten aber keine Ahnung von Wölfen, weshalb sie beschlossen hatten, Stefan nach Yellowstone zu schicken. Und auf irgendeine Weise hatte es sich so ergeben, dass auch Kristin und die kleinen Jungen mitgekommen waren, denn damit hatte er sie zur Heimkehr aus Katrineholm bewegen können.

Zwischen den Zeilen hatte wohl gestanden, dass Mildred nicht erfahren sollte, dass das Reisegeld von der Stiftung stammte. Aber natürlich hatte eine von den Sekretärinnen der Versuchung, ihr sofort alles weiterzuerzählen, nicht widerstehen können.

Sie hatte ihn nach seiner Rückkehr von der Reise damit konfrontiert. Er hatte gelassen die Notwendigkeit erklärt, dass ein Angehöriger des Vorstandes sich Kenntnisse zulegte. Und da war er doch der Geeignete, er als Jäger und Waldläufer. Er konnte auf diese Weise doch Respekt und Verständnis erwecken, wie Mildred es in tausend Jahren nicht erlangen würde.

Er hatte mit einem Wutausbruch gerechnet. Ganz hinten in seinem Unterbewusstsein freute er sich fast darauf. Freute sich auf die rote Vorführung ihrer verlorenen Beherrschung vor dem tiefblauen Hintergrund seiner eigenen Ruhe und Besonnenheit.

Stattdessen hatte sie sich auf seinen Schreibtisch gestützt. Schwer, auf eine Weise, die ihm für einen Moment den Gedanken eingegeben hatte, sie leide an einer heimlichen Krankheit, etwas mit den Nieren oder dem Herzen. Sie hatte ihm ihr Gesicht zugekehrt. Weiß unter der Sonnenbräune des zeitigen Frühlings. Die Augen zwei schwarze Kreise. Ein albernes Stofftier mit Knopfaugen, das zum Leben erwacht, anfängt zu reden und einem plötzlich eine Heidenangst einjagt.

»Wenn ich vor Weihnachten mit dem Gemeindevorstand über die Pacht spreche, dann hast du dich zurückzuhalten, ist das klar?«, fragte sie. »Ansonsten kann die Polizei feststellen, ob das hier verboten war oder nicht.«

Er hatte zu sagen versucht, sie mache sich lächerlich.

»Du hast die Wahl«, hatte sie gesagt. »Ich habe nicht vor, dir in alle Ewigkeit alles durchgehen zu lassen.«

Er hatte verdutzt hinter ihr hergesehen. Wann hatte sie ihm denn etwas durchgehen lassen? Sie war doch wie eine Rute aus Brennnesseln.

Stefan dachte an den Probst. Er dachte an seine Frau. Er dachte an Mildred. Er dachte an die Blicke der Sekretärinnen. Plötzlich schien er die Kontrolle über seine Atmung verloren zu haben. Er keuchte wie ein Hund in einem Auto. Er musste versuchen, sich zu beruhigen.

Ich kann aus der Sache herauskommen, dachte er. Was mache ich denn bloß falsch?

Schon als Junge hatte er sich immer Freunde gesucht, die ihn unterdrückten und ausnutzten. Er war ihr Laufbursche, der ihnen seine Süßigkeiten aushändigte. Später musste er Reifen aufschlitzen und Steine werfen, um zu beweisen, dass der Sohn des Probstes kein Weichei war. Und jetzt als Erwachsenen zog es ihn zu Menschen und Situationen hin, wo er wie Dreck behandelt wurde.

Er griff zum Telefon. Nur ein Gespräch.

LISA STÖCKEL SITZT AUF DER TREPPE ihres Hexenhäuschens. Das Gesellenstück eines drogensüchtigen Zuckerbäckers, wie Mimmi es nennt. Bald wird sie zur Kneipe hinuntergehen. Sie isst jetzt jeden Tag dort. Mimmi scheint sich darüber nicht weiter zu wundern. In der Küche hat Lisa nur noch einen Suppenteller, einen Löffel und einen Büchsenöffner für das Katzenfutter. Die Hunde springen an der Grundstücksgrenze hin und her. Beschnüffeln und bepissen die schwarzen Johannisbeeren. Sie hat fast das Gefühl, dass sie sie fragend anstarren, weil sie sie nicht ruft.

Pisst doch, wo ihr wollt, denkt sie mit der Andeutung eines Lächelns.

Die Härte des Menschenherzens ist schon seltsam. Wie Fußsohlen im Sommer. Man kann über Tannenzapfen und Kieselsteine laufen. Aber wenn die Ferse einreißt, dann tut es schrecklich weh.

Die Härte war immer schon ihre Stärke. Jetzt ist sie ihre Schwäche. Sie versucht, die richtigen Worte für Mimmi zu finden, aber das geht einfach nicht. Alles, was gesagt werden müsste, hätte schon vor langer Zeit gesagt werden müssen, und jetzt ist es zu spät.

Und was sollte sie überhaupt sagen? Die Wahrheit? Wohl kaum. Sie denkt daran, wie Mimmi sechzehn war. Lisa und Tommy waren schon viele Jahre geschieden. Er trank sich durch die Wochenenden. Es war nur gut, dass er ein so tüchtiger Fliesenleger war. Solange er Arbeit hatte, begnügte er sich von Montag bis Donnerstag mit Bier. Mimmi machte sich Sorgen. Natürlich. Fand, Lisa solle mit ihm reden. Fragte: »Ist Papa dir denn ganz egal?« Lisa hatte geantwortet: »Nein.« Das war gelogen gewesen. Und dabei hatte sie doch beschlossen, dass mit den Lügen Schluss sein sollte. Aber Mimmi war eben Mimmi. Lisa war es scheißegal, was Tommy machte. »Warum hast du Papa eigentlich geheiratet?«, fragte Mimmi ein anderes Mal. Lisa musste einsehen, dass sie keine Ahnung hatte. Die Erinnerung an diese Zeit war einfach in Nebel gehüllt. Sie hatte sich nicht daran erinnern können, was sie gedacht oder empfunden hatte, damals, als sie sich kennen gelernt hatten, miteinander ins Bett gegangen waren, sich verlobt hatten, als sie seine Zinke um ihren Finger tragen musste. Und dann war Mimmi gekommen. Sie war immer ein wunderbares Kind gewesen. Aber zugleich die Fessel, die Lisa für immer an Tommy band. Sie zweifelte bisweilen an ihren mütterlichen Gefühlen. Was sollte eine Mutter für ihr Kind empfinden? Das wusste sie nicht. Ich könnte für sie sterben, hatte sie manchmal gedacht, wenn sie am Bett der schlafenden Mimmi stand. Aber das war doch nur leeres Gerede. Es war so, wie eine Auslandsreise zu versprechen, falls man eine Million im Lotto gewinnt. Es war leichter, theoretisch für ein Kind zu sterben, als sich hinzusetzen und ihm eine Viertelstunde lang vorzulesen. Die schlafende Mimmi machte sie krank vor Sehnsucht und Gewissensqualen. Die wache Mimmi mit ihren Händchen, die in ihrem Gesicht und in ihren Armen Haut und Nähe suchten, machten ihr eine Gänsehaut.

Es war ihr wie eine Unmöglichkeit erschienen, aus der Ehe herauszukommen. Und als sie dann endlich gegangen war, war sie erstaunt, wie leicht es ihr fiel. Sie brauchte ja nur zu packen und umzuziehen. Tränen und Geschrei waren wie Öl im Wasser.

Mit Hunden gibt es nie solche Probleme. Die interessieren sich nicht für Lisas wechselhafte Stimmungen. Sie sind absolut ehrlich und von unermüdlicher Fröhlichkeit.

Wie Teddy. Beim Gedanken an ihn muss Lisa lachen. Sie kann es seiner neuen Freundin ansehen, dieser Rebecka Martinsson. Als Lisa sie am Dienstagabend zum ersten Mal sah, trug Rebecka den knöchellangen Mantel und den leuchtenden Schal, sicher aus reiner Seide. Steife Chefsekretärin oder was sie war. Und dann war da etwas an ihr gewesen, ein sekundenschnelles Zögern vielleicht. Als ob sie immer überlegte, ehe sie antwortete, gestikulierte oder auch nur den Mund zu einem Lächeln verzog. Teddy ist das alles egal. Er trampelt in die Herzen der Menschen, ohne sich auch nur die Schuhe auszuziehen. Ein Tag mit Teddy, und schon trug Rebecka Martinsson einen Anorak aus den siebziger Jahren und band sich die Haare mit einem braunen Gummiband hoch, so einem, das die halbe Kopfhaut abreißt, wenn man es abnehmen will.

Und er weiß nicht, wie man lügt. Jeden zweiten Donnerstag serviert Mimmi im Lokal einen Afternoon-Tea. Inzwischen kommen sogar die Frauen aus der Stadt zu diesem Anlass nach Poikkijärvi. Frisch gebackene Scones und Marmelade, sieben Sorten Plätzchen. Am vergangenen Donnerstag hatte Mimmi mit strenger Stimme gerufen: »Wer hat in meine Plätzchen gebissen?« Teddy, der gerade mit einem kleinen Imbiss beschäftigt gewesen war, mit Broten und Milch, hatte blitzschnell aufgezeigt und sofort gestanden: »Ich war das.«

Der gesegnete Teddy, dachte Lisa.

Genau das hatte Mildred tausendmal gesagt.

Mildred. Als Lisas Härte geborsten war, war Mildred in sie hineingeströmt. Lisa war durch und durch kontaminiert worden.

Es ist erst drei Monate her, dass sie auf dem Ausziehsofa in der Küche gelegen haben. Das ergab sich oft so, wenn die Hunde das Bett besetzten, und Mildred bat: »Jag sie nicht weg, siehst du nicht, wie wohl sie sich da fühlen?«

Anfang Juni hat Mildred eigentlich alle Hände voll zu tun. Es gibt Schulabschlussfeiern, Konfirmationen, Feste von Kindergruppen, Jugendgruppen, kirchliche Feste und jede Menge Trauungen. Lisa liegt auf der linken Seite und stützt sich auf den Ellbogen. In der rechten Hand hält sie eine Zigarette. Mildred schläft, vielleicht ist sie auch wach oder irgendwo dazwischen. Ihr Rücken ist über und über behaart, bedeckt von weichem Flaum, der an ihrem Rückgrat wächst. Das ist ein zusätzliches Geschenk für die hundeverrückte Lisa, dass ihre Geliebte einen Rücken hat wie der Bauch eines Hundebabys. Oder wie eine Wölfin vielleicht.

»Was ist eigentlich mit dir und dieser Wölfin«, fragt Lisa.

Mildred hatte einen richtigen Wolfsfrühling. Sie hatte neunzig Sekunden in den Fernsehnachrichten und hat über Wölfe gesprochen. Es gab ein Benefizkonzert für die Stiftung. Sie hat sogar über die Wölfin gepredigt.

Mildred dreht sich auf den Rücken. Sie nimmt Lisa die Zigarette weg. Lisa malt Zeichen auf Mildreds Bauch.

»Ach«, sagt Mildred, und es fällt ihr hörbar schwer, diese Frage zu beantworten. »Frauen und Wölfe, das ist eben etwas Besonderes. Wir haben Ähnlichkeit miteinander. Ich sehe diese Wölfin an, und dann fällt mir ein, wozu wir geschaffen worden sind. Wölfe sind unglaublich geduldig. Denk doch nur daran, dass sie bei fünfzig Grad minus in Polargebieten und bei fünfzig Grad plus in der Wüste leben. Sie sind revierbewusst, sie verteidigen beinhart ihre Grenzen. Und sie ziehen weit und frei umher. Im Rudel helfen sie einander, sind loyal, lieben ihre Welpen über alles. Sie sind wie wir.«

»Du hast doch keine Welpen«, sagt Lisa und bereut das fast sofort, aber Mildred macht es nichts aus.

»Ich habe doch euch«, lacht sie. »Sie wagen es zu bleiben, wenn es sein muss«, setzt Mildred ihre Predigt fort. »Sie wagen es aufzubrechen, wenn es sein muss, sie wagen es, um sich zu beißen, wenn es nötig ist. Sie sind … lebendig. Und glücklich.«

Sie stößt Rauch aus, versucht, Ringe zu blasen, während sie überlegt.

»Es hat mit meinem Glauben zu tun«, sagt sie dann. »In der Bibel wimmelt es doch nur so von Männern mit wichtigen Aufträgen, die allem vorgehen müssen, Frau und Kindern und … ja, allem. Da hast du Abraham und Jesus und … mein Vater ist in seinem Amt als Pastor in ihren Fußstapfen gewandelt, das kann ich dir sagen. Meine Mutter war verantwortlich für Wohnung und

Zahnarztbesuche und Weihnachtskarten. Aber für mich ist Jesus derjenige, der es Frauen gestattet, daran zu denken wegzugehen, wenn es sein muss, wie eine Wölfin zu sein. Und wenn ich verbittert und quengelig bin, dann sagt er zu mir: Schluss damit, sei lieber glücklich.«

Lisa zeichnet weiter auf Mildreds Bauch, ihr Zeigefinger läuft über Brust und Hüftknochen.

»Du weißt doch, dass sie sie hassen, oder?«, fragt sie.

»Wer denn?«, fragt Mildred zurück.

»Die Typen aus dem Ort«, sagt Lisa. »Die Jagdgesellschaft. Torbjörn Ylitalo. Zu Beginn der achtziger Jahre ist er wegen Wilderei verurteilt worden. Er hat unten in Dalarna einen Wolf erschossen. Seine Frau kommt doch von dort.«

Mildred setzt sich auf.

»Du machst Witze.«

»Ich mache keine Witze. Eigentlich hätte ihn das den Waffenschein kosten müssen. Aber du weißt ja, Lars-Gunnar war doch bei der Polizei. Und da die Polizeibehörden solche Entscheidungen treffen und Lars-Gunnar an den Strippen gezogen hat... wo willst du hin?«

Mildred ist vom Küchensofa aufgesprungen. Die Hunde kommen angestürzt. Sie glauben, dass sie jetzt nach draußen dürfen. Sie achtet nicht auf sie. Streift hastig ihre Kleider über.

»Wo willst du hin?«, fragt Lisa noch einmal.

»Zu diesem verdammten Altmännerverein«, brüllt Mildred. »Wie kannst du nur? Wie kannst du das die ganze Zeit gewusst haben?«

Lisa setzt sich auf. Sie hat es immer gewusst. Sie war doch mit Tommy verheiratet, und Tommy war mit Torbjörn Ylitato befreundet. Sie sieht Mildred an, die ihre Armbanduhr nicht umbinden kann und sie deshalb in die Tasche steckt.

»Sie jagen gratis«, faucht Mildred. »Die Kirche lässt ihnen alles durchgehen, und sie lassen kein Schwein rein, schon gar keine Frau. Aber die Frauen, die arbeiten und tun und machen, sollen auf ihren Lohn im Himmel warten. Ich hab das ja so verdammt satt. Das zeigt wirklich zu deutlich, wie die Kirche Männer und Frauen sieht, aber jetzt, verdammt!«

»Mensch, wie du fluchst!«

Mildred fährt zu Lisa herum.

»Das solltest du auch tun«, sagt sie.

MAGNUS LINDMARK STAND in der Dämmerung am Küchenfenster. Er hatte kein Licht gemacht. Alle Umrisse und Gegenstände draußen und drinnen wurden vage, fingen an, sich aufzulösen, waren kurz davor, mit der Dunkelheit zu verschwimmen.

Trotzdem sah er deutlich, dass der Jagdleiter Lars-Gunnar Vinsa und der Vorsitzende des Jagdvereins, Torbjörn Ylitalo, über die Landstraße auf sein Haus zukamen. Er blieb hinter dem Vorhang. Was, zum Teufel, wollten die? Und warum kamen sie nicht mit dem Auto? Hatten sie ein Stück weit entfernt geparkt, um das letzte Stück zu Fuß zu gehen? Aber warum? Ein tiefes Unbehagen überkam ihn.

Was immer sie wollten, er würde ihnen schon sagen, dass er keine Zeit hätte. Anders als diese Burschen hatte er ja schließlich seine Arbeit. Ja, natürlich, Torbjörn Ylitalo war ja Jagdmeister, aber dass er arbeitete, das konnte doch kein Idiot behaupten.

Magnus Lindmark bekam jetzt nicht mehr oft Besuch, seit Anki mit den Jungs durchgegangen war. Damals hatte er es verdammt anstrengend gefunden, dass ihre ganzen Verwandten und die Freunde der Kinder aufgekreuzt waren. Und es war nicht sein Stil zu heucheln und zu grinsen. Also hatten ihre Schwestern und die anderen Kinder sich immer verzogen, ehe er nach Hause gekommen war. So war ihm das nur recht gewesen. Er fand es unmöglich, wenn Leute stundenlang herumsaßen und Unsinn redeten. Hatten die denn nichts Gescheiteres zu tun?

Jetzt standen die beiden auf der Treppe und klopften an. Magnus' Wagen stand auf dem Hofplatz, deshalb konnte er nicht so tun, als wäre er nicht zu Hause.

Torbjörn Ylitalo und Lars-Gunnar Vinsa kamen herein, ohne darauf zu warten, dass Magnus die Tür öffnete. Jetzt standen sie in der Küche.

Torbjörn Ylitalo schaltete die Küchenlampe ein.

Lars-Gunnar sah sich um. Magnus sah seine Küche plötzlich selber.

»Es war… es war gerade so viel zu tun«, sagte er.

Der Spülstein lief über von verdrecktem Geschirr und alten Milchkartons. Zwei Pappkartons voller stinkender leerer Konservendosen neben der Tür. Kleidungsstücke, die er vor dem Duschen auf den Boden hatte fallen lassen, statt sie in die Waschküche nach unten zu bringen. Der Tisch übersät von Werbung, Post, alten Zeitungen und einem Teller mit Dickmilch, die längst getrocknet und rissig geworden war. Auf der Anrichte neben der Mikrowelle lag ein in seine Bestandteile zerlegter Bootsmotor, den er irgendwann einmal reparieren wollte.

Magnus fragte, aber die Gäste wollten keinen Kaffee. Sie wollten auch kein Bier. Magnus holte sich ein Pils, das fünfte an diesem Abend.

Torbjörn kam gleich zur Sache.

»Was erzählst du eigentlich der Polizei?«, fragte er.

»Wie meinst du das, zum Teufel?«

Torbjörn Ylitalo kniff die Augen zusammen. Lars-Gunnar Vinsa nahm eine seltsam gebückte Haltung an.

»Spiel hier nicht den Dummkopf, Alter«, sagte Torbjörn. »Dass ich die Pastorin so gern abgeknallt hätte.«

»Ach, Scheißgerede. Diese Bullenbraut hatte doch nur Scheiß in der Birne, die…«

Er kam nicht weiter. Lars-Gunnar war einen Schritt vorgetreten und verpasste ihm eine Ohrfeige, wie es kein Grizzlybär kräftiger gekonnt hätte.

»Lüg uns hier ja nicht so frech ins Gesicht!«

Magnus kniff die Augen zusammen und hob die Hand an seine brennende Wange.

»Was, zum Teufel«, quengelte er.

»Ich hab mich für dich eingesetzt«, sagte Lars-Gunnar. »Du bist ein verdammter Versager, das habe ich immer schon gewusst. Aber deinem Vater zuliebe durftest du in den Verein eintreten. Und trotz allem Blödsinn, den du anstellst, hast du drin bleiben dürfen.«

Der Trotz flammte in Magnus auf.

»Na und? Bist du vielleicht ein besserer Mensch? Bist du feiner als ich oder was?«

Jetzt verpasste Torbjörn ihm einen Stoß vor die Brust. Magnus taumelte rückwärts und knallte mit der Wade gegen die Anrichte.

»Jetzt hör mal gut zu, Alter! Ich hab mir alles von dir gefallen lassen«, sagte Lars-Gunnar. »Dass du mit deinen Kumpels mit der neuen Knarre auf Verkehrsschilder geschossen hast. Diese verdammte Schlägerei voriges Jahr in der Jagdhütte. Du kannst keinen Schnaps vertragen. Aber trotzdem säufst du und baust einen Scheiß nach dem anderen.«

»Verdammt, Schlägerei, das war doch Jimmys Vetter, der …«

Torbjörn versetzte ihm noch einen Stoß vor die Brust. Magnus fiel die Bierdose auf den Boden. Da blieb sie liegen. Das Bier floss heraus.

Lars-Gunnar wischte sich den Schweiß von der Stirn. Er lief um seine Augen herum und dann über die Wangen.

»Und diese verdammten kleinen Katzen …«

»Ja, Scheiße«, stimmte Torbjörn zu.

Magnus lachte auf törichte, betrunkene Weise.

»Was, zum Teufel, so ein paar Katzen …«

Lars-Gunnar schlug ihm ins Gesicht. Mit geballter Faust. Voll über der Nase. Sein Gesicht schien zu platzen. Das Blut strömte heiß über seinen Mund.

»Na los«, brüllte Lars-Gunnar. »Hier, hier!«

Er zeigte auf sein eigenes Kinn.

»Na los! Hier! Jetzt hast du die Chance, gegen einen richtigen Kerl zu kämpfen. Du feiger Scheiß-Frauenquäler. Du bist eine verdammte Schande. Na los doch!«

Er formte beide Hände zu Haken, mit denen er Magnus zu sich winkte. Streckte das Kinn als Köder aus.

Magnus hielt sich die rechte Hand unter seine blutende Nase, das Blut lief in seinen Hemdsärmel. Er winkte abwehrend mit der linken Hand.

Plötzlich packte Lars-Gunnar den Küchentisch und stützte sich schwer darauf.

»Ich gehe raus«, sagte er zu Torbjörn Ylitalo, »ehe ich mich unglücklich mache.«

Bevor er verschwand, drehte er sich noch einmal um.

»Du kannst mich anzeigen, wenn du willst«, sagte er. »Mir ist das doch egal. Und es wäre genau das, was ich von dir erwarte.«

»Aber das tust du nicht«, sagte Torbjörn Ylitalo, als Lars-Gunnar gegangen war. »Und du hältst von jetzt an die Klappe, was mich und die Jagdgesellschaft angeht. Hast du gehört?«

Magnus nickte.

»Wenn ich auch nur noch einmal was von deinem lecken Maulwerk höre, dann sorge ich persönlich dafür, dass du das bereust. Ist das klar?«

Wieder nickte Magnus. Er legte den Kopf in den Nacken, damit kein Blut mehr aus seiner Nase laufen konnte. Nun lief es ihm in den Hals und schmeckte nach Eisen.

»Der Pachtvertrag für das Jagdgeländ muss zur Jahreswende erneuert werden«, sagte Torbjörn jetzt. »Und wenn es eine Menge Gerede oder Krach gibt... ja, wer weiß. Auf dieser Welt steht ja nichts fest. Du hast deinen Platz im Verein, aber dann musst du dich zusammenreißen.«

Sie schwiegen eine Weile.

»Also, leg da lieber ein bisschen Eis drauf«, sagte Torbjörn endlich.

Dann ging auch er.

Auf der Treppe saß Lars-Gunnar Vinsa und hatte die Hände um den Kopf gelegt.

»Jetzt hauen wir ab«, sagte Torbjörn Ylitalo.

»Scheiße«, sagte Lars-Gunnar Vinsa. »Mein Alter hat meine Mutter doch geschlagen, weißt du. Und da macht mich so was total fertig. Ich hätte ihn umbringen sollen, meinen Alten, meine ich. Weißt du, als ich auf der Polizeischule fertig war und hierher zurückgekommen bin, hab ich versucht, sie zur Scheidung zu überreden. Aber in den sechziger Jahren musste man zuerst mit dem Pastor sprechen. Und dieses Schwein hat sie dazu gebracht, bei dem Alten zu bleiben.«

Torbjörn Ylitalo schaute auf die überwucherte Wiese, die an Magnus Lindmarks Hof grenzte.

»Komm jetzt«, sagte er.

Lars-Gunnar Vinsa erhob sich mühsam.

Er dachte an diesen Pastor. An dessen blanken kahlen Schädel. Den Hals mit all seinen Speckringen. O verdammt. Die Mutter hatte in ihrem feinen Mantel dagesessen. Die Tasche auf den Knien. Lars-Gunnar neben ihr. Der Pastor hatte gelächelt. Als sei das alles wahnsinnig witzig. »Sie in Ihrem Alter«, hatte er zu ihr gesagt. Die Mutter war damals gerade fünfzig gewesen. Sie hatte noch über dreißig Jahre vor sich. »Wollen Sie sich nicht lieber mit Ihrem Gatten versöhnen?« Danach hatte sie sehr lange geschwiegen. »Jetzt wäre das geklärt«, hatte Lars-Gunnar gesagt. »Jetzt hast du mit dem Pastor gesprochen und kannst die Scheidung einreichen.« Aber die Mutter hatte den Kopf geschüttelt. »Es ist jetzt leichter, wo ihr Kinder nicht mehr zu Hause seid«, hatte sie gesagt. »Und wie sollte er denn zurechtkommen?«

Magnus Lindmark sah die beiden Männer unten auf der Straße verschwinden. Er öffnete den Kühlschrank und wühlte darin herum. Holte eine Plastiktüte mit gefrorenem Hackfleisch heraus, legte sich mit einem neuen Bier auf das Wohnzimmersofa und schaltete den Fernseher ein. Es gab eine Reportage über kleinwüchsige Menschen, die armen Schweine.

REBECKA MARTINSSON KAUFT sich bei Mimmi eine Mahlzeit in einer Alupackung. Sie ist auf dem Weg nach Kurravaara. Wird dort vielleicht übernachten. Mit Teddy zusammen war es einfach nur schön, dort zu sein. Jetzt will sie es auf eigene Faust probieren. Sie will in die Sauna gehen und in den Fluss springen. Sie weiß, was das für ein Gefühl sein wird. Kaltes Wasser, spitze Steine unter den Füßen. Das heftige Einatmen, wenn man sich hineinfallen lässt und mit raschen Zügen losschwimmt. Und dieses unerklärliche Gefühl, alle Alter zugleich zu erleben. Sie ist dort mit sechs Jahren, mit zwölf Jahren, mit dreizehn Jahren geschwommen, bis sie aus der Stadt weggezogen ist. Es sind dieselben Felsen, dieselbe Uferlinie. Die gleiche kühle herbstliche Abendluft, die sich selbst wie ein Fluss über das Wasser zieht. Es ist wie eine russische Puppe, die endlich alle Teile in sich hat und Oberteil und Unterteil zusammendrehen kann und weiß, dass noch das letzte kleine Stück tief drinnen sicher verwahrt ist.

Dann wird sie in der Küche essen und fernsehen. Sie kann beim Spülen das Radio laufen lassen. Vielleicht wird Sivving herüberkommen, wenn er Licht sieht.

»Warst du heute wieder mit Teddy auf Abenteuer aus?«

Diese Frage stammt von Micke, dem Gastwirt. Er hat liebe Augen. Die passen nicht so ganz zu seinen kräftigen tätowierten Armen, seinem Bart und dem Ohrring.

»Ja«, antwortet sie.

»Klasse. Mildred und er waren oft zusammen.«

»Ja«, sagt sie.

Ich habe etwas für sie getan, denkt sie.

Jetzt bringt Mimmi Rebeckas Essen.

»Morgen Abend«, sagt Micke, »hast du da Lust, bei uns hier einzuspringen? Es ist Samstag, alle haben die Ferien hinter sich, die Schule hat wieder angefangen, da wird hier ganz schön viel los sein. Fünfzig Mäuse die Stunde, zwischen acht und eins, und das Trinkgeld.«

Rebecka schaut ihn überrascht an.

»Sicher«, sagt sie und verbirgt ihre Belustigung. »Warum nicht?«

Sie fährt los. Mit dem Gefühl, es faustdick hinter den Ohren zu haben.

GELBBEIN

NOVEMBER. Das Dämmerlicht setzt grau und träge ein. Während der Nacht hat es geschneit, und noch immer segeln daunenleichte Flocken in dem dunklen Wald zu Boden. Von irgendwoher ist der Ruf eines Raben zu hören.

Das Wolfsrudel schläft dicht zugeschneit in einer kleinen Senke. Nicht einmal die Ohren sind zu sehen. Bis auf einen haben alle Welpen den Sommer überlebt. Jetzt gehören elf Tiere zum Rudel.

Gelbbein kommt auf die Beine und schüttelt sich den Schnee aus dem Fell. Wittert. Der Schnee hat sich wie eine Decke über alle alten Duftmarkierungen gelegt. Sie spannt alle Sinne an. Die scharfen Augen. Das wache Ohr. Und jetzt. Sie hört, wie ein Elch sich von seinem Nachtlager erhebt und vom Schnee befreit. Er ist einen Kilometer von ihr entfernt. Der Hunger macht sich in ihrem Bauch wie ein schmerzendes Loch bemerkbar. Sie weckt die anderen und gibt ihnen Zeichen. Sie sind jetzt viele und können große Beute jagen.

Der Elch ist ein gefährliches Wildbret. Er hat starke Hinterbeine und scharfe Klauen. Mit Leichtigkeit kann er ihren Kiefer zerbrechen wie einen Zweig. Aber Gelbbein ist eine gute Jägerin. Und sie ist kühn.

Das Rudel trabt langsam auf den Elch zu. Bald finden sie die Duftmarkierung. Mit gereiztem leisem Bellen und Anstupsen werden die Welpen, die jetzt sieben Monate sind, in die Nachhut verbannt. Sie haben schon angefangen, Kleinwild zu jagen, aber bei der jetzt bevorstehenden Hatz müssen sie sich mit Zuschauen begnügen. Sie wissen, dass etwas Großes bevorsteht, und sie zittern vor unterdrückter Aufregung. Die älteren sparen ihre Kräfte. Nur die ab und zu erhobenen Nasen zeigen, dass hier nicht die Rede von einer normalen Wanderung sein kann, sondern von einer anstrengenden Jagd. Ein Misserfolg ist wahrscheinlicher als ein Erfolg, aber Gelbbeins Schritte künden von Entschiedenheit. Sie hat Hunger. Und jetzt arbeitet sie die ganze Zeit hart für das Rudel. Wagt nicht mehr, die anderen zu verlassen, um ihrer eigenen Wege zu gehen. Sie spürt, dass sie sonst riskiert, aus der Gemeinschaft vertrieben zu werden. Eines schönen Tages darf sie dann vielleicht nicht zu den anderen zurückkehren. Ihre Halbschwester, die Rudelwölfin, hält sie sehr knapp. Gelbbein nähert sich dem Alphapaar nur mit geknickten Hinterbeinen und krummem Rücken, um ihre Unterwürfigkeit zu beweisen. Ihr Hintern schleift über dem Boden. Sie kriecht und leckt die Mundwinkel der beiden. Sie ist die beste Jägerin im Rudel, aber das hilft ihr jetzt nicht mehr. Die anderen kommen ohne sie zurecht, und irgendwie wissen sie alle, dass ihre Tage gezählt sind.

Rein physisch gesehen ist Gelbbein die Überlegene. Sie ist rasch und hat lange Beine. Sie ist das größte Weibchen im Rudel. Aber sie ist eben keine Anführerin. Sie macht gern auf eigene Faust Ausflüge, fort vom Rudel. Will keinen Streit und weicht ihm oft aus, indem sie umherschwänzelt und lieber zum Spiel einlädt. Ihre Halbschwester dagegen springt aus der Ruhestellung auf, reckt sich und scheint sich mit der steinharten Frage im Blick umzusehen: »Na? Will hier irgendwer heute irgendwelchen Scheiß anstellen?« Sie ist kompromisslos und furchtlos. Man passt sich an oder verzieht sich, das werden ihre Jungen auch bald lernen. Niemals würde sie zögern zu töten, wenn es Ärger gäbe. Solange sie die Führung hat, sollten rivalisierende Rudel sich gewaltig hüten, ihnen in die Quere zu kommen. Ihre Unruhe bringt das ganze Rudel dazu, auf der Jagd oder bei einer Wanderung, durch die das Territorium erweitert werden soll, im Gleichschritt dahinzutrotten.

Jetzt hat der Elch das Rudel gewittert. Es ist ein Jungbulle. Sie hören die Zweige, die bersten, als er durch den Wald bricht. Gelbbein setzt zum Galopp an. Der Neuschnee ist nicht tief, das Risiko, dass der Elch ihnen entkommen kann, ist sehr groß. Gelbbein löst sich von den anderen und läuft einen Halbkreis, um ihm den Weg abzuschneiden.

Nach zwei Kilometern hat das Rudel den Elch eingeholt. Gelbbein hat ihn angehalten, sie versucht ihn anzugreifen, bleibt aber außer Reichweite von Geweih und Klauen. Die anderen beziehen um das große Tier herum Posten. Der Bulle trampelt umher, bereit, sich gegen jeden Angriff zu verteidigen. Der erste Angriff wird von einem Männchen versucht. Er beißt sich in der Kniekehle des Elchs fest. Der Elch reißt sich los. Der Biss hinterlässt eine große Wunde, zerfetzte Muskeln und Sehnen. Aber der Wolf weicht nicht schnell genug zurück, und der Elch verpasst ihm einen Tritt, der ihn rückwärts schleudert. Als er wieder auf die Pfoten kommt, hinkt er ein wenig. Zwei Rippen sind gebrochen. Die anderen Wölfe ziehen sich einige Schritte zurück, und der Elch reißt sich los. Mit blutender Kniekehle verschwindet er im Wald.

Er hat noch zu viel Kraft. Soll er lieber blutend weiterlaufen und müde werden. Die Wölfe setzen ihrer Beute nach. Diesmal im gestreckten Trab. Sie haben es nicht eilig. Bald werden sie das große Tier wieder einholen. Der verletzte Wolf hinkt hinter ihnen her. In der nächsten Zeit wird er ganz und gar vom Jagdglück der anderen abhängig sein, wenn er überleben will. Wenn es zu wenig Beute gibt, werden für ihn nur Knochen abfallen. Und wenn sie zu weit auf Jagd ziehen müssen, wird er sie nicht begleiten können. Wenn hoher Schnee liegt, wird für ihn jeder Schritt zur Qual werden.

Nach fünf Kilometern greift die Wolfsmeute wieder an. Jetzt muss Gelbbein die grobe Arbeit machen. Sie führt beim Galopp an. Die Entfernung zwischen Rudel und Elch wird immer kleiner. Die anderen sind so dicht hinter ihr, dass sie ihre Köpfe an ihren Hinterbeinen spürt. Für sie alle gibt es nur noch den Elch. Sein Blut in ihren Nüstern. Sie haben ihn eingeholt. Sie verbeißt sich ins rechte Hinterbein des Tieres. Das ist der gefährlichste Moment, sie lässt nicht los, und gleich darauf hängt ein weiterer Wolf am anderen Bein. Ein dritter übernimmt blitzschnell Gelbbeins Position, als sie loslässt. Sie macht einen raschen Sprung nach vorn und schließt ihre Kiefer um die Kehle des Elchs. Der Elch bricht im Schnee in die Knie. Gelbbein zerrt an seinem Hals. Das große Tier versucht mit aller Kraft, sich zu erheben. Streckt den Kopf gen Himmel. Das Alphamännchen packt das Maul des Elchs und zieht dessen Kopf auf den Boden. Gelbbein packt wieder seinen Hals und zerfetzt ihm die Kehle.

Rasch verrinnt das Leben des Elchs. Der Schnee färbt sich rot. Die Welpen verstehen, was jetzt Sache ist. Freie Bahn. Sie kommen angestürmt und machen sich über das sterbende Tier her. Dürfen den Triumph der Jagd teilen, an Beinen und Maul reißen. Die älteren Wölfe zerlegen mit ihren starken Zähnen den Elch. Der Rumpf dampft in der kalten Morgenluft.

In den Bäumen über ihnen versammeln sich schwarze Vögel.

Samstag, 9. September

ANNA-MARIA MELLA SCHAUTE aus dem Küchenfenster. Die Nachbarin putzte außen am Haus die Fensterbänke. Schon wieder! Das macht sie einmal pro Woche. Anna-Maria war noch nie bei ihr im Haus gewesen, konnte sich aber vorstellen, dass dort alles sauber, staubfrei und außerdem mit Ziergegenständen voll gestellt war.

Dieser Fleiß, den die Nachbarn Haus und Grundstück widmeten. Das ewige Knien vor dem Löwenzahn. Das sorgfältige Schneeschaufeln und der Bau perfekter Schneewälle. Das Fensterputzen. Der Vorhangwechsel. Ab und zu verspürte Anna-Maria eine unsinnige Irritation. Ab und zu auch Mitleid. Und jetzt eine Art Neid. Irgendwann einmal das ganze Haus geputzt zu haben, das wäre doch etwas.

»Jetzt wischt sie wieder die Fensterbänke ab«, sagte sie zu Robert.

Robert brummte etwas hinter dem Sportteil der Zeitung und seiner Kaffeetasse. Gustav saß vor dem Topfschrank und zog den gesamten Inhalt heraus.

Anna-Maria spürte, wie sie eine träge Welle von Unlust überkam. Sie mussten sich an den Wochenendputz machen. Aber dazu musste sie die Initiative ergreifen. Die Ärmel hochkrempeln und die anderen auf Trab bringen. Marcus übernachtete bei Hanna. Dieser Drückeberger. Sie müsste sich natürlich auch freuen. Dass er eine Freundin und Kumpels hatte. Der schlimmste Albtraum war doch, dass die Kinder ausgeschlossen und einsam wären. Aber dieses Zimmer!

»Heute kannst du Marcus sagen, dass er aufräumen muss«, sagte sie zu Robert. »Ich bring das ewige Gequengel nicht mehr über mich. – Hallo«, sagte sie nach einer Weile. »Bin ich noch da oder was?«

Robert schaute von der Zeitung auf.

»Du kannst ja wohl antworten. Damit man weiß, ob du es gehört hast oder nicht!«

»Ja, ich sag es ihm«, sagte Robert. »Warum bist du denn bloß so sauer?«

Anna-Maria riss sich zusammen.

»Entschuldige«, sagte sie. »Es ist nur ... also, Marcus' verdammtes Zimmer. Ich kriege richtig Angst. Ich finde es gefährlich, da reinzugehen. Ich war schon in Junkie-Höhlen, die im Vergleich dazu aus *Schöner Wohnen* zu stammen schienen.«

Robert nickte mit ernster Miene.

»Wo wir schon von schimmeligen Apfelresten reden ...«, sagte er.

»Die machen mir Angst!«

»... die zugedröhnt in den Dämpfen von Bananenschalen tanzen. Wir sollten für unsere neuen Freunde ein paar Hamsterkäfige kaufen. Man soll schließlich das Eisen schmieden, solange ...«

»Wenn du die Küche übernimmst, dann fange ich oben an«, schlug Anna-Maria vor.

Warum auch nicht. Im Obergeschoss herrschte das pure Chaos. Der Boden in ihrem und Roberts Zimmer war übersät von schmutziger Wäsche und halb vollen Plastiktüten und Taschen, die sie nach dem Urlaub noch nicht ausgepackt hatten. Die Fensterbänke waren übersät von toten Fliegen und Blumenblättern. Die Toilette war ein Drecksloch. Und die Zimmer der Kinder ...

Anna-Maria seufzte. Sortieren und Einräumen waren nicht Roberts starke Seite. Er würde eine Ewigkeit dazu brauchen. Da überließ sie ihm besser den Herd, die Spülmaschine und den Staubsauger im Erdgeschoss.

Es war so schrecklich traurig, fand sie. Zweimal hatten sie beschlossen, am Donnerstagabend den wöchentlichen Hausputz vorzunehmen. Dann wäre alles schön und ordentlich, wenn der Freitagnachmittag kam und das Wochenende begann. Und dann könnten sie am Freitag etwas Gutes essen, und das Wochenende wäre länger, und der Samstag könnte einer angenehmeren Beschäftigung gewidmet werden, und alle könnten in dem sauberen Haus unendlich glücklich sein.

Aber es kam eben immer anders. Am Donnerstag waren sie einfach immer total erschöpft, an Aufräumen war da nicht mehr zu denken. Am Freitag konnte man kaum noch die Augen offen halten, lieh sich ein Video aus, bei dem sie immer einschlief, und dann verging der Samstag mit Putzen, und das halbe Wochenende war ruiniert. Ab und zu kamen sie erst am Sonntag dazu, und dann begann die Aktion oft mit einem von Anna-Marias Wutausbrüchen.

Und dann waren da all die Dinge, die nie erledigt wurden. Die Haufen in der Waschküche, sie kam da einfach nie nach, es war unmöglich. Alle versifften Kleiderschränke. Als sie zuletzt in den von Marcus geschaut hatte, um ihm beim Suchen zu helfen, sie wusste schon gar nicht mehr, wonach, hatte sie einen Stapel aus Pullovern und anderen Kram angehoben, und da war ein kleines Krabbeltier eilig in die tieferen Schrankregionen geflohen. Sie wollte nicht daran denken. Wann hatte sie zuletzt die Klappe unter der Badewanne geöffnet? Und die verdammten Küchenschubladen voller Schrott? Wie fanden alle anderen Menschen Zeit für solche Arbeiten? Und die Energie?

Ihr Diensttelefon spielte draußen im Vorraum seine eigene kleine Melodie. Das Display zeigte eine ihr unbekannte 08-Nummer.

Der Anrufer stellte sich als Christian Elsner vor, Professor der Religionswissenschaften. Es gehe um das Symbol, nach dem die Polizei in Kiruna sich erkundigt hatte.

»Ja?«, fragte Anna-Maria.

»Leider habe ich dieses Symbol nicht finden können. Es hat Ähnlichkeit mit dem akademischen Zeichen für Probe oder Test, der Unterschied ist dieser Haken, der sich durch den Halbkreis zieht. Der Halbkreis steht ja oft für das Unvollkommene oder ab und zu auch für das Menschliche.«

»Dieses Symbol existiert also nicht?«, fragte Anna-Maria enttäuscht.

»Ach, jetzt sind wir schon bei den schweren Fragen«, sagte der Professor. »Was existiert? Existiert Donald Duck?«

»Nein«, sagte Anna-Maria. »Oder nur in der Phantasie.«

»In Ihrem Kopf?«

»Ja. Und in dem von anderen, aber nicht in Wirklichkeit.«

»Hmm. Und wie sieht es mit Ihrer Liebe aus?«

Anna-Maria stieß ein überraschtes Lachen aus. Ein angenehmes Gefühl tauchte plötzlich in ihr auf. Es machte ihr ausnahmsweise Spaß, einen Gedanken zu denken.

»Das wird jetzt aber schwierig«, sagte sie.

»Ich habe dieses Symbol nicht finden können, aber ich suche ja in der Geschichte. Symbole müssen irgendwann entstehen. Und das hier kann ebenso gut neu sein. In bestimmten Musiksparten gibt es viele Symbole. Und auch in mancher Literatur, Fantasy und so.«

»Wer könnte denn darüber etwas wissen?«

»Musikjournalisten. Was Bücher angeht, da gibt es hier in Stockholm ein gut sortiertes Fachgeschäft für Sciencefiction und Fantasy und solche Dinge. In Gamla Stan.«

Sie beendeten das Gespräch. Anna-Maria war unzufrieden. Sie hätte sich gern noch weiter mit dem Professor unterhalten. Aber was hätte sie ihm sagen sollen? Schade, dass man sich nicht in seinen eigenen Hund verwandeln konnte. Und dann zusammen mit dem Hund in den Wald laufen. Und über die neuesten Gedanken und Überlegungen reden, das machten ja viele mit ihren Hunden. Und Anna-Maria, vorübergehend in einen Hund verwandelt, könnte zuhören. Ohne sich zu einer intelligenten Antwort gezwungen zu fühlen.

Sie ging in die Küche. Robert hatte sich nicht vom Fleck gerührt.

»Ich muss kurz ins Büro«, sagte sie. »Ich bin in einer Stunde wieder da.«

Sie spielte einen Moment mit dem Gedanken, ihn zu bitten, das Putzen zu übernehmen. Aber das verkniff sie sich. Er hätte es ja doch nicht gemacht. Und wenn sie ihn gebeten hätte, wäre sie dann schrecklich wütend und enttäuscht gewesen, wenn sie zurückkam und er noch immer wie zuvor am Küchentisch saß.

Sie gab ihm einen flüchtigen Kuss. Es war besser, sich nicht zu streiten.

Zehn Minuten später saß Anna-Maria im Büro. In ihrem Postfach lag ein Fax vom Labor. Auf der Drohzeichnung waren jede Menge Fingerabdrücke gefunden worden – alle von Mildred Nilsson. Sie wollten noch weitere Untersuchungen vornehmen. Aber das konnte einige Tage dauern.

Sie rief die Auskunft an und ließ sich die Nummer eines Buchladens mit Schwerpunkt Sciencefiction nennen, der irgendwo in Gamla Stan sein sollte. Der Mann bei der Auskunft wurde sofort fündig und verband sie.

Eine Frau meldete sich, und Anna-Maria sagte ihren Spruch auf und beschrieb das Symbol.

»Tut mir leid«, sagte die Buchhändlerin. »So auf die Schnelle fällt mir nichts ein. Aber faxen Sie mir doch die Abbildung, dann kann ich mich bei der Kundschaft umhören.«

Anna-Maria versprach das, bedankte sich für die Hilfe und legte auf.

Gleich darauf klingelte das Telefon. Sie nahm ab. Es war Sven-Erik Stålnacke.

»Du musst herkommen«, sagte er. »Es geht um diesen Pastor. Stefan Wikström.«

»Ja?«

»Er ist verschwunden.«

In Tränen aufgelöst stand Kristin Wikström in der Küche des Pfarrhauses von Jukkasjärvi.

»Hier«, schrie sie Sven-Erik Stålnacke an. »Hier ist Stefans Pass. Wie können Sie überhaupt danach fragen? Er ist nicht verreist, das habe ich doch schon gesagt. Meinen Sie, er würde seine Familie verlassen? Er ist doch der beste… Ich sage doch, ihm muss etwas passiert sein.«

Sie schleuderte den Pass auf den Boden.

»Ich verstehe«, sagte Sven-Erik, »aber wir müssen trotzdem unseren Vorschriften folgen. Könnten Sie sich nicht setzen?«

Sie schien ihn nicht gehört zu haben. Sie lief in der Küche herum, stieß gegen Möbel und tat sich weh. Auf der Küchenbank saßen zwei Jungen von fünf und zehn, sie bauten mit Legosteinen auf einer grünen Platte und schienen sich weder über die Verzweiflung der Mutter noch über Sven-Eriks und Anna-Marias Anwesenheit in der Küche weitere Gedanken zu machen.

Kinder, dachte Anna-Maria. Die können alles verdrängen.

Plötzlich kamen ihre und Roberts Probleme ihr verschwindend klein vor.

Was spielt es schon für eine Rolle, dass ich häufiger putze als er, dachte sie.

»Was soll denn nun werden«, rief Kristin. »Wie soll ich zurechtkommen?«

»Er war heute Nacht also nicht zu Hause«, sagte Sven-Erik. »Sind Sie sich da sicher?«

»Er hat nicht in seinem Bett gelegen«, weinte sie. »Ich beziehe die Betten freitags immer neu, und seine Seite ist unberührt.«

»Vielleicht ist er spät nach Hause gekommen und hat auf dem Sofa geschlafen?«, schlug Sven-Erik vor.

»Wir sind verheiratet. Warum sollte er nicht bei mir schlafen?«

Sven-Erik war zum Pfarrhaus von Jukkasjärvi gekommen, um Stefan Wikström nach der Reise in die USA zu fragen, die die Familie auf Kosten der Stiftung unternommen hatte. Kristin Wikström hatte ihn mit weit aufgerissenen Augen empfangen. »Ich wollte eben die Polizei anrufen«, hatte sie gesagt.

Als Erstes hatte er um den Kirchschlüssel gebeten und war hinübergerannt. Aber dort hatte kein toter Pastor von der Empore gehangen. Sven-Erik hatte sich für einen Moment auf eine Kirchenbank setzen müssen, so erleichtert war er gewesen. Dann hatte er auf der Wache angerufen und in den anderen Kirchen der Stadt nachsehen lassen. Und dann hatte er Anna-Maria verständigt.

»Wir brauchen die Kontonummer Ihres Gatten, haben Sie die bei der Hand?«

»Aber was reden Sie denn da? Haben Sie nicht gehört? Sie müssen sich auf die Suche nach ihm machen. Es ist doch etwas passiert! Er würde nie ... Vielleicht liegt er ...«

Sie verstummte und starrte ihre Söhne an. Dann stürzte sie auf den Hof hinaus. Sven-Erik folgte ihr. Anna-Maria schaute sich derweil um.

Eilig öffnete sie die Küchenschubladen. Keine Brieftasche. Keine der Jacken in der Diele enthielt eine Brieftasche. Sie ging ins Obergeschoss hoch. Wie Kristin Wikström gesagt hatte. Niemand hatte auf der einen Seite des Doppelbettes geschlafen.

Vom Schlafzimmer aus konnte sie den Anleger sehen, wo immer Mildred Nilssons Boot gelegen hatte. Die Stelle, wo sie ermordet worden war.

Und hell war es ja, dachte Anna-Maria. In der letzten Nacht vor Mittsommer.

Keine Armbanduhr auf seinem Nachttisch.

Uhr und Brieftasche hatte er also offenbar bei sich.

Sie ging wieder nach unten. Eines der Zimmer dort schien Stefans Arbeitszimmer zu sein. Sie zog an den Schreibtischschubladen, die waren abgeschlossen. Nach einer Weile Suchen fand sie den Schlüssel hinter einigen Büchern im Regal. Sie öffnete die Schubladen. Darin war nicht viel zu finden. Einige Briefe, die sie überflog. Nichts davon schien mit ihm und Mildred zu tun zu haben. Keiner stammte von einer eventuellen Geliebten. Sie schaute verstohlen aus dem Fenster. Sven-Erik und Kristin standen auf dem Hofplatz und redeten. Gut.

Normalerweise hätten sie einige Tage gewartet. Die meisten Leute verschwanden ja doch freiwillig.

Ein Serienmörder, dachte Anna-Maria. Wenn der Pastor tot aufgefunden wird, dann haben wir einen Serienmörder am Hals. Dann wissen wir das.

Draußen auf dem Hof hatte Kristin Wikström sich auf eine Gartenbank sinken lassen. Sven-Erik entlockte ihr alle möglichen Auskünfte. Wen sie anrufen könnten, damit die Kinder nicht allein wären. Die Namen von Stefan Wikströms Freunden und Bekannten, vielleicht wusste jemand von denen doch mehr als die Ehefrau. Ob sie ein Ferienhaus besäßen. Und ob die Familie nur ein Auto habe, das auf dem Hofplatz.

»Nein«, schniefte Kristin. »Sein Auto ist auch verschwunden.«

Tommy Rantakyrö rief an und berichtete, sie hätten alle Kirchen und Kapellen durchsucht. Kein toter Pastor.

Ein großer Kater kam selbstsicher über den Kiesweg zum Haus stolziert. Die Fremdlinge auf dem Hofplatz würdigte er kaum eines Blickes. Er änderte seinen Kurs nicht und versteckte sich auch nicht im hohen Gras. Möglicherweise zog er den Kopf ein wenig ein und senkte den Schwanz. Er war dunkelgrau. Sein Fell war lang und weich, machte fast einen daunenartigen Eindruck. Sven-Erik fand, dass das Tier unzuverlässig aussah. Platter Kopf, gelbe Augen. Wenn so ein Teufel Manne angegriffen hatte, dann hatte Manne keine Chance gehabt.

Sven-Erik konnte es vor sich sehen, wie Manne sich irgendwo

auf Katzenweise verkroch, in einem Graben vielleicht oder unter einem Haus. Übel zugerichtet und geschwächt. Am Ende eine leichte Beute für einen Fuchs oder einen Jagdhund. Ihm brauchte nur noch das Rückgrat gebrochen zu werden, schnipp, schnapp.

Anna-Marias Hand berührte seine Schulter. Sie gingen ein Stück weit weg. Kristin Wikström starrte vor sich hin. Sie hob die rechte Hand an ihr Gesicht und biss sich in den Zeigefinger.

»Was meinst du?«, fragte Anna-Maria.

»Wir lassen ihn zur Fahndung ausschreiben«, sagte Sven-Erik und sah Kristin Wikström an. »Ich habe ein ganz schlechtes Gefühl. Erst mal im ganzen Land. Und bei den Zollstationen. Wir überprüfen die Passagierlisten der in Frage kommenden Flüge und sein Konto und sein Mobiltelefon. Und wir müssen wohl mit seinen Kollegen und Freunden und Verwandten sprechen.«

Anna-Maria nickte.

»Überstunden.«

»Ja, aber was, zum Teufel, soll der Staatsanwalt sagen? Wenn die Presse von der Sache Wind kriegt, dann…«

Sven-Erik machte eine Hilfe suchende Handbewegung.

»Wir müssen sie auch nach den Briefen fragen«, sagte Anna-Maria. »Die sie an Mildred geschrieben hat.«

»Aber nicht gerade jetzt«, entschied Sven-Erik. »Erst wenn jemand die Jungen geholt hat.«

MICKE KIVINIEMI HATTE von seinem strategischen Standplatz hinter dem Tresen aus den Überblick über das Lokal. Der König in seinem Reich. In seinem lärmenden, chaotischen Reich, wo es immer nach Essen, Zigarettenrauch, Bier und Aftershave mit einem Hauch Schweiß roch. Er zapfte ein Bier nach dem anderen, ab und zu füllte er auch ein Glas mit Rotwein oder sogar mit Weißwein oder Whisky. Mimmi rannte wie gehetzt zwischen den Tischen hin und her und raspelte mit den Gästen Süßholz, während sie den Lappen über die Tischplatten sausen ließ und Bestellungen aufnahm. Er hörte ihr »Hähnchentopf oder Lasagne, mehr gibt es nicht«.

Der Fernseher stand in der Ecke, und in der Bar lief die Anlage. Rebecka Martinsson schwitzte in der Küche. Immer wieder schob sie Essensportionen in die Mikrowelle oder zog sie heraus. Holte Tabletts voller schmutziger Gläser aus dem Lokal und brachte saubere. Es war wie in einem witzigen Film. Alle Ärgernisse schienen für Micke weit weg zu sein: Finanzamt. Bank. Am Montagmorgen, wenn beim Aufwachen die verdammte Müdigkeit noch tief in seinen Knochen steckte, dann hörte er zu, wie die Ratten hinter den Mülltonnen tanzten.

Wenn nur Mimmi ein wenig eifersüchtig sein könnte, weil er Rebecka Martinsson angeheuert hatte, dann wäre alles perfekt. Aber sie hatte das nur eine gute Idee gefunden. Er hatte sich die Bemerkung verkniffen, dass Rebecka Martinsson für die alten Kerle ein neuer Anblick sein würde. Mimmi hätte auch dann nichts gesagt, aber er hatte einfach das Gefühl, dass sie irgendwo einen kleinen Kasten versteckt hatte. Und in diesem Kasten sammelte sie all seine Fehler und Patzer, und wenn der Karton eines

Tages voll wäre, würde sie ihre Siebensachen packen und gehen. Ohne Vorwarnung. Nur Frauen, denen der Mann etwas bedeutete, gaben Vorwarnungen.

Aber im Moment summte es in seinem Laden wie in einem Ameisenhaufen im Frühling.

Das ist eine Arbeit, der ich gewachsen bin, dachte Rebecka Martinsson und spritzte Wasser auf die Teller, ehe sie in der Spülmaschine landeten.

Man braucht nicht zu denken oder sich zu konzentrieren. Man muss einfach nur schleppen, sich anstrengen und sich beeilen. Die ganze Zeit Tempo vorlegen. Sie merkte gar nicht, dass sie über das ganze Gesicht strahlte, als sie Micke ein Tablett mit sauberen Gläsern brachte.

»Geht's gut?«, fragte er und lachte zurück.

Sie spürte ihr Mobiltelefon in ihrer Schürzentasche brummen und zog es heraus. Aber bestimmt war es nicht Maria Taube. Die arbeitete zwar fast immer, an einem Samstagabend nun aber doch nicht. Dann zog sie los und ließ sich zu Drinks einladen.

Måns' Nummer im Display. Ihr Herz setzte einen Schlag aus.

»Rebecka«, brüllte sie ins Telefon und hielt sich das andere Ohr zu, um ihn hören zu können.

»Måns«, brüllte Måns Wenngren zurück.

»Moment mal«, rief sie. »Einen Augenblick, hier ist so viel Krach!«

Sie lief durch das Lokal, zeigte Micke das Handy, hob die Finger der anderen Hand, sagte lautlos und mit deutlichen Lippenbewegungen »fünf Minuten«. Micke nickte zustimmend, und sie verschwand auf dem Hofplatz. In der kühlen Abendluft sträubten sich die Härchen auf ihren Armen.

Jetzt hörte sie, dass auch am anderen Ende der Leitung ein Höllenlärm veranstaltet wurde. Måns war also auch in einer Kneipe. Dann wurde es ruhiger.

»So, jetzt kann ich reden«, sagte sie.

»Ich auch. Wo steckst du?«, fragte Måns.

»Vor Mickes Bar & Küche in Poikkijärvi, das ist ein Ort in der Nähe von Kiruna. Und du?«

»Vor Spyan, das ist eine Kneipe in der Nähe vom Stureplan.«

Sie lachte. Er schien munter zu sein. Nicht so verdammt abweisend. Er war betrunken. Ihr war das egal. Sie hatten seit dem Abend, an dem sie von Lidö weggerudert war, nicht miteinander geredet.

»Amüsierst du dich?«, fragte er.

»Nein, ehrlich gesagt arbeite ich schwarz.«

Jetzt ist er sauer, dachte Rebecka. Oder vielleicht auch nicht, hier war alles möglich.

Und Måns lachte laut.

»Ach, und was machst du?«

»Ich hab einen Superjob als Tellerwäscherin«, sagte sie mit übertriebenem Enthusiasmus. »Ich verdiene fünfzig Mäuse pro Stunde, das macht für heute Abend zweihundertfünfzig. Und angeblich darf ich auch das Trinkgeld behalten, aber ich weiß nicht, es kommen ja nur wenige in die Küche, um der Tellerwäscherin ein paar Münzen in die Hand zu drücken, und da waren das wohl leere Versprechungen.«

Sie hörte Måns in Stockholm lachen. Ein schnaufendes Höhö, dem ein fast bettelndes Uhuu folgte. Sie wusste, dass er sich bei diesem Uhuu immer die Augen wischte.

»Verdammt, Martinsson«, nuschelte er.

Mimmi schaute aus der Tür und bedachte Rebecka mit einem Blick, der Krise bedeutete.

»Du, ich muss aufhören«, sagte Rebecka. »Sonst gibt's Lohnabzug.«

»Dann schuldest du da oben sicher Geld. Wann kommst du zurück?«

»Ich weiß nicht.«

»Dann werd ich dich wohl holen müssen«, sagte Måns. »Du bist ja nicht zurechnungsfähig.«

Tu das, dachte Rebecka.

Um halb zwölf betrat Lars-Gunnar Vinsa das Lokal. Teddy war nicht bei ihm. Er blieb vor der Tür stehen und schaute sich um. Er war wie ein Windstoß im Gras. Alle wurden von seiner Anwesenheit beeinflusst. Einige Hände wurden erhoben, manche nickten zum Gruß, Gespräche wurden unterbrochen, verstummten, um dann fortgesetzt zu werden. Einige drehten sich um. Er wurde registriert. Er beugte sich über den Tresen und sagte zu Micke: »Diese Rebecka Martinsson, ist die jetzt weg oder was?«

»Nö«, sagte Micke. »Die arbeitet heute Abend sogar hier.«

Etwas in Lars-Gunnars Haltung ließ ihn hinzufügen: »Nur dieses eine Mal, hier ist so viel los, und Mimmi hat doch ohnehin schon viel zu viel zu tun.«

Lars-Gunnar streckte seine Bärenpranke über den Tresen und zog Micke in Richtung Küche.

»Komm, ich will mit ihr reden, und du musst dabei sein.«

Mimmi und Micke konnten noch schnell einen Blick wechseln, ehe Micke und Lars-Gunnar durch die Schwingtür in der Küche verschwanden.

Was soll das denn, fragten Mimmis Augen.

Was weiß ich, antwortete Micke.

Wieder der Wind im Gras.

Rebecka Martinsson stand in der Küche und war mit Spülen beschäftigt.

»Ach, Rebecka Martinsson«, sagte Lars-Gunnar. »Kommen Sie mit Micke und mir nach hinten, damit wir reden können.«

Sie gingen aus der Hintertür. Das Mondlicht lag wie Fischschuppen im schwarzen Fluss. Dazu der dumpfe Lärm aus dem Lokal. Das Rauschen der Tannenwipfel.

»Sie müssen Micke sagen, wer Sie sind«, sagte Lars-Gunnar ruhig.

»Was willst du wissen?«, fragte Rebecka. »Ich heiße Rebecka Martinsson.«

»Sie könnten ihm vielleicht erzählen, was Sie hier machen?«

Rebecka schaute Lars-Gunnar an. Wenn sie bei ihrer Arbeit etwas gelernt hatte, dann, niemals einfach drauflos zu plappern.

»Sie scheinen etwas auf dem Herzen zu haben«, sagte sie. »Also reden Sie.«

»Sie kommen von hier, genauer gesagt, nicht von hier, sondern aus Kurravaara. Sie arbeiten als Juristin, und Sie haben vor zwei Jahren die drei Pastoren in Jiekajärvi umgebracht.«

Zwei Pastoren und einen kranken Jungen, dachte sie.

Sie korrigierte ihn aber nicht. Sie wartete schweigend ab.

»Ich dachte, du bist Sekretärin«, sagte Micke.

»Sie können sich ja denken, dass wir uns wundern, wir Ortsansässigen«, sagte Lars-Gunnar. »Wieso eine Juristin sich in die Küche stellt und unter falscher Flagge arbeitet. Was Sie heute Abend verdienen, würden Sie in der Stadt normalerweise für ein kleines Mittagessen bezahlen. Und da fragt man sich doch, warum Sie sich hier einschleichen ... und schnüffeln. Wissen Sie, eigentlich ist mir das egal. Von mir aus sollen alle machen, was sie wollen, aber ich finde, Micke hat ein Recht auf die Wahrheit. Und außerdem ...«

Er wich ihrem Blick aus und schaute zum Fluss hinüber. Stieß Luft aus. Etwas schien ihn zu belasten.

»Sie haben Teddy ausgenutzt. Er ist im Kopf nur ein kleiner Junge. Und Sie hatten die Frechheit, sich mit seiner Hilfe hier einzunisten.«

Jetzt trat Mimmi in die Türöffnung. Micke bedachte sie mit einem Blick, der sie veranlasste, die Tür hinter sich zu schließen und schweigend zu den anderen zu treten.

»Ihr Name kam mir irgendwie bekannt vor«, sagte Lars-Gunnar jetzt. »Ich bin ein alter Polizist, wissen Sie, deshalb ist mir diese Geschichte in Jiekajärvi gut bekannt. Und dann ist mir eben ein Licht aufgegangen. Sie haben diese Leute ermordet. Jedenfalls Vesa Larsson. Kann sein, dass der Staatsanwalt nicht fand, dass das für eine Anklage ausreichte, aber ich kann Ihnen sagen, uns bei der Polizei interessiert das überhaupt nicht. In neunzig Prozent aller

Fälle kommt es am Ende, auch wenn wir wissen, wer schuldig ist, nicht zur Anklage. Und Sie können doch zufrieden sein. Nach einem Mord ungeschoren davonzukommen, das ist schon eine Leistung. Und ich weiß nicht, was Sie hier wollen. Ob Sie nach dieser Sache mit Victor Strandgård Lust auf mehr bekommen haben und hier auf eigene Faust die Privatdetektivin spielen oder ob Sie vielleicht für eine Zeitung arbeiten. Das ist mir auch scheißegal. Aber jetzt ist jedenfalls Schluss mit diesem Narrenspiel.«

Rebecka sah die anderen an.

Ich müsste jetzt natürlich etwas sagen, dachte sie. Mich verteidigen.

Aber was sollte sie sagen? Dass sie hier auf andere Gedanken gekommen war, als sich Steine in die Jackentaschen zu nähen? Dass sie ihre Arbeit in der Kanzlei nicht mehr bewältigte? Dass sie an diesen Fluss hier gehörte? Und dass sie Sanna Strandgårds Töchtern das Leben gerettet hatte?

Sie band ihre Schürze ab und reichte sie Micke. Drehte sich wortlos um. Sie ging nicht zurück ins Lokal. Sie ging am Hühnerstall vorbei und dann über die Landstraße zu ihrer Hütte.

Nicht rennen, ermahnte sie sich. Sie spürte die Blicke der anderen im Rücken.

Niemand folgte ihr, um Erklärungen zu verlangen. Sie stopfte ihre Habseligkeiten in ihre Reisetasche, warf die Tasche auf die Rückbank ihres Mietwagens und fuhr los.

Sie weinte nicht.

Was spielt das hier für eine Rolle, überlegte sie. Das ist doch ganz und gar bedeutungslos. Alle sind bedeutungslos. Niemand bedeutet irgendetwas.

GELBBEIN

EISKALTER FEBRUAR. Die Tage werden lang, aber die Kälte ist wie Gottes geballte Faust. Noch immer unerschütterlich. Die Sonne ist nur ein Bild am Himmel, die Luft hart wie Glas. Unter einer dicken weißen Decke finden Mäuse und Wühlmäuse ihre Wege. Die Huftiere nagen sich durch die Eisrinden der Bäume. Sie magern ab und sehnen den Frühling herbei.

Aber vierzig Grad unter null und Schneestürme, die die gesamte Landschaft in einer langsamen weißen Welle der Vernichtung mit sich reißen, machen dem Wolfsrudel nichts aus. Im Gegenteil. Das hier ist für sie die beste Zeit. Das beste Wetter. Sie veranstalten im Schnee Picknicks mit allerlei Lustbarkeiten. Sie haben genug zu fressen. Sie haben ein gutes Revier und ein gutes Jagdgelände. Keine Hitze macht ihnen zu schaffen. Keine Blut saugenden Insekten.

Gelbbeins Tage sind gezählt. Die funkelnden Eckzähne der Rudelwölfin sagen, dass es so weit ist. Bald. Bald. Jetzt. Gelbbein hat alles getan. Ist auf den Kniegelenken gekrochen, um bleiben zu dürfen. An diesem Februarmorgen ist es so weit. Sie darf sich der Familie nicht nähern. Die Rudelwölfin greift sie an. Ihre Kiefer durchschneiden die Luft.

Die Stunden vergehen. Gelbbein verschwindet nicht sofort. Sie hält sich ein Stück abseits vom Rudel. Hofft auf ein Zeichen, dass sie zurückkehren darf. Aber die Rudelwölfin kennt kein Erbarmen. Springt immer wieder auf und jagt sie weg.

Ein Männchen, Gelbbeins Bruder, wendet sich ab. Ihr Kopf möchte die Schnauze in sein Fell bohren, auf seinem Bauch schlafen.

Die Jungwölfe senken die Schwänze und starren Gelbbein an. Ihre gelben Beine wollen sich zu einem Wettlauf zwischen den alten Tannen strecken, wollen im Gebüsch herumtoben, wollen wieder auf die Pfoten kommen und selbst durch den Schnee gejagt werden.

Und die Welpen werden bald ein Jahr alt sein, unternehmungslustig, kühn, töricht, aber noch immer welpenhaft. Sie begreifen so weit, was hier passiert, dass sie ruhig bleiben und sich nicht bewegen. Sie bellen unsicher. Gelbbein möchte einen verletzten Hasen vor ihre Füße fallen lassen und sehen, wie sie in wildem Jagdeifer hinter dem Tier hersetzen, wie sie vor Eifer übereinander springen.

Sie macht noch einen letzten Versuch. Einen fragenden Schritt. Diesmal jagt die Rudelwölfin sie bis an den Waldrand. Unter die grauen, nadellosen Zweige der alten Tannen. Da steht sie und mustert das Rudel und die Rudelwölfin, die gelassen zu den anderen zurückkehrt.

Jetzt wird sie allein schlafen. Bisher hat sie in den Schlafgeräuschen des Rudels geruht, dem Kläffen und Jagen im Traum, dem Grunzen, Seufzen, Furzen. Jetzt müssen ihre Ohren wachen, während sie selbst in unruhigen Schlaf versinkt.

Jetzt werden fremde Gerüche ihre Nase füllen. Werden die Erinnerung an diese hier vertreiben, an ihre Schwestern und Brüder, Halbgeschwister, Verwandte, an Welpen und Alte.

Sie fällt in einen langsamen Trab. Ihr Weg führt in die eine Richtung. Ihre Sehnsucht in die andere. Hier hat sie gelebt. Dort wird sie überleben.

Sonntag, 10. September

Es ist Sonntagabend. Rebecka Martinsson sitzt auf dem Boden in der Kammer im Haus ihrer Großmutter in Kurravaara. Sie macht Feuer im Kamin. Eine Decke um die Schultern gelegt, die Arme um die Knie. Ab und zu streckt sie die Hand nach einem Holzscheit aus, das in einer Holzkiste der Schwedischen Zuckerfabriken liegt. Ihr Blick richtet sich auf das Feuer. Die Muskeln in ihrem Körper sind müde. Den ganzen Tag lang hat sie Teppiche, Decken, Laken, Matratzen und Kissen nach draußen geschleppt. Hat sie ausgeklopft und an der Luft hängen lassen. Sie hat den Boden mit gelber Seife gescheuert und die Fenster geputzt. Hat alles Geschirr gespült und den Küchenschrank ausgewaschen. Das Untergeschoss hat sie zunächst sich selber überlassen. Sie hat den ganzen Tag die Fenster aufgerissen und die stickige alte Luft vertrieben. Jetzt macht sie Feuer in Küchenherd und Kamin, um die letzte Feuchtigkeit zu trocknen. Aber trotzdem hat sie den Sabbat geheiligt. Ihre Gedanken haben ja schließlich geruht. Jetzt ruhen sie im Feuer. Auf uralte Weise.

Polizeiinspektor Sven-Erik Stålnacke sitzt in seinem Wohnzimmer. Der Fernseher läuft lautlos. Falls draußen ein Kater jammert. Es spielt auch keine Rolle, er kennt diesen Film schon. Es ist der, in dem sich Tom Hanks in eine Nixe verliebt.

Ohne den Kater ist das Haus so leer. Er ist an den Straßengräben entlanggewandert und hat leise gerufen. Jetzt merkt er, dass er schrecklich müde ist. Nicht vom Laufen, sondern vom angestrengten Lauschen. Vom Weitermachen. Obwohl er weiß, dass das nichts bringen kann.

Und kein Lebenszeichen von dem verschwundenen Pastor. Schon am Samstag war die Sache zu den Zeitungen durchgesickert. Riesige Artikel über das Verschwinden. Ein Kommentar von der Täterprofilgruppe des Landeskriminalamts, aber nicht von der Psychiaterin, die ihnen das provisorische Profil geliefert hatte. Eine Boulevardzeitung hatte einen alten Fall aus den siebziger Jahren ausgegraben, wo irgendein Irrer in Florida zwei Erweckungsprediger umgebracht hatte. Der Mörder war von einem Mitgefangenen ermordet worden, als er die Toiletten säuberte, hatte aber vorher im Gefängnis noch mit weiteren und unentdeckten Morden geprahlt. Großaufnahme von Stefan Wikström. Die Wörter »Geistlicher«, »Vater von drei Kindern« und »verzweifelte Ehefrau« fanden sich in den Bildunterschriften wieder. Immerhin kein Wort über mögliche Unterschlagungen. Sven-Erik registrierte außerdem, dass an keiner Stelle Stefan Wikströms Widerwille gegen weibliche Geistliche erwähnt wurde.

Mittel zum Personenschutz für Geistliche ganz allgemein gab es natürlich nicht. Die Kollegen hatten schon gemerkt, wie ihr Mut in den Keller sank, als eine Zeitung schrieb: »Polizei: Wir können sie nicht beschützen!« Die Zeitung *Expressen* wusste Rat für alle, die sich bedroht fühlten. Nie allein sein, andere Gewohnheiten annehmen, auf einem anderen Weg von der Arbeit nach Hause gehen, niemals hinter einem Lieferwagen parken.

Es war natürlich ein Verrückter. Einer, der weitermachen würde, bis ihm ein Fehler unterlief.

Sven-Erik denkt an Manne. Verschwinden war in gewisser Weise noch schlimmer als der Tod. Man konnte nicht trauern. Man wurde nur von der Ungewissheit gequält. Der Kopf wie eine Müllgrube gefüllt mit schrecklichen Vorstellungen davon, was passiert sein konnte.

Herrgott, Manne war doch nur ein Tier. Wenn es sich um seine Tochter gehandelt hätte. Diese Vorstellung aber ist zu groß. Die kann er nicht erfassen.

Probst Bertil Stensson sitzt auf seinem Wohnzimmersofa. Ein Glas Cognac steht auf der Fensterbank hinter ihm. Sein rechter Arm ruht auf der Sofalehne hinter dem Nacken seiner Frau. Mit der linken Hand streichelt er ihre Brust. Der Blick seiner Frau klebt am Fernseher, es ist ein alter Film mit Tom Hanks, ihre Mundwinkel zeigen aber, dass sie sich freut. Er streichelt eine Brust und eine Narbe. Er denkt an ihre Angst vor vier Jahren, als die andere Brust entfernt werden musste. »Man möchte doch auch mit sechzig noch begehrt werden«, sagte sie. Aber inzwischen liebt er diese Narbe noch mehr als die Brust, die vorher dort war. Als Erinnerung daran, dass das Leben kurz ist. Noch ehe eure Töpfe das Brennholz spüren und während das Fleisch noch roh ist, wird ein glühender Wind es fortreißen. Diese Narbe gibt allen Dingen ihre richtigen Proportionen zurück. Hilft ihm, das Gleichgewicht zwischen Arbeit und Freizeit zu bewahren, zwischen Pflicht und Liebe. Ab und zu hat er Lust, über diese Narbe zu predigen. Aber das geht natürlich nicht. Außerdem würde es ihm auf unerklärliche Weise wie ein Übergriff erscheinen. Die Narbe würde ihre Kraft in seinem Leben verlieren, wenn er ihr Worte und Öffentlichkeit gäbe. Es ist die Narbe, die für Bertil predigt. Er hat ein Recht, über diese Predigt zu verfügen und sie für andere zu halten.

Mit Mildred hat er geredet. Vor vier Jahren. Nicht mit Stefan. Nicht mit dem Bischof, obwohl sie seit endlos vielen Jahren befreundet sind. Er glaubt sich zu erinnern, dass er geweint hat. Dass Mildred eine gute Zuhörerin war. Dass er das Gefühl hatte, ihr vertrauen zu können.

Sie hat ihn wahnsinnig gemacht. Aber jetzt, wo er hier sitzt, mit der Narbe seiner Frau unter dem linken Zeigefinger, fällt ihm eigentlich nicht ein, was ihn an Mildreds Worten so provoziert hat. Oder höchstens, dass sie eine Emanze war und nicht so richtig im Gefühl hatte, was zur Arbeit der Kirche gehört und was nicht.

Sie hat ihn als Chef heruntergemacht. Das hat ihn gestört. Nie hat sie ihn um Erlaubnis gefragt. Nie um Rat. Es fiel ihr sehr schwer, sich ins Glied zu fügen.

Er schnappt fast nach Luft angesichts seiner Wortwahl, sich ins Glied fügen. So ein Chef ist er doch nun wirklich nicht. Er ist stolz darauf, dass er seinen Angestellten Freiheit und eigene Verantwortung lässt. Aber er ist trotzdem der Chef.

Ab und zu hat er das Mildred gegenüber klarstellen müssen. Wie bei dieser Sache mit der Beerdigung. Es ging um einen Mann, der aus der Kirche ausgetreten war. Aber im Jahr vor seiner Erkrankung hatte er Mildreds Gottesdienste besucht. Dann war er gestorben. Und hatte mitteilen lassen, dass er von Mildred beerdigt werden wollte. Sie hatte eine nichtkirchliche Trauerfeier veranstaltet. Er hätte bei dieser kleinen Regelwidrigkeit natürlich ein Auge zudrücken können, aber er hatte sie dem Domkapitel gemeldet, und Mildred war zum Bischof bestellt worden. Das war doch nur recht und billig gewesen, hatte er damals gefunden. Denn wozu hatte man Regeln, wenn man sich doch nicht daran hielt?

Sie war zur Arbeit zurückgekommen und so gewesen wie immer. Hatte ihr Gespräch mit dem Bischof mit keinem Wort erwähnt. War weder sauer noch beleidigt gewesen. Das wiederum hatte Bertil den leisen Verdacht eingegeben, dass der Bischof vielleicht beim Gespräch ihre Partei ergriffen hatte. Dass der Bischof so ungefähr gesagt habe, er müsse mit ihr sprechen und sie abmahnen, da Bertil ja darauf bestanden habe. Dass sie in schweigendem Einverständnis Bertil als beleidigte Leberwurst, unsicheren Chef und vielleicht auch ein wenig neidisch abgetan hatten. Weil nicht er es war, von dem der Tote hatte beerdigt werden wollen.

Es kommt nicht so oft vor, dass Menschen wirklich ehrliche Gewissenserforschung betreiben. Aber hier sitzt er nun und scheint der Narbe zu beichten.

Es stimmte. Natürlich war er ein wenig neidisch gewesen. Ein wenig sauer über diese bedingungslose Liebe, die ihr von so vielen entgegengebracht wurde.

»Sie fehlt mir«, sagt Bertil zu seiner Frau.

Sie fehlt ihm, und er wird lange um sie trauern.

Seine Frau fragt nicht, wen er meint. Sie dreht den Fernseher leiser und achtet nicht mehr auf den Film.

»Ich weiß, dass ich eine schlechte Stütze für sie war, als sie hier gearbeitet hat«, sagt er nun.

»Nicht doch«, meint seine Frau. »Du hast ihr die Freiheit gelassen, auf ihre eigene Weise zu arbeiten. Hast sie und Stefan in der Gemeinde halten können, und das war wirklich eine Leistung.«

Diese beiden Streithammel.

Bertil schüttelt den Kopf.

»Dann hilf ihr jetzt«, sagt seine Frau. »Sie hat doch so viel hinterlassen. Früher hätte sie sich ja selbst um alles kümmern können, aber jetzt braucht sie deine Hilfe vielleicht mehr denn je.«

»Wie das?«, lacht er. »Die meisten Frauen von Magdalena betrachten mich doch als ihren Erzfeind!«

Seine Frau lächelt ihn an.

»Du kannst doch wohl helfen und unterstützen, ohne Dank oder Liebe dafür zu bekommen. Ein bisschen Liebe kann ich dir ja geben.«

»Vielleicht sollten wir schlafen gehen«, schlägt der Probst vor.

Die Wölfin, denkt er, als er sich zum Pinkeln auf die Toilette setzt. Das hätte Mildred sich gewünscht. Dass er das Geld der Stiftung wirklich einsetzt, um die Wölfin im Winter zu beschützen.

Kaum hat er das gedacht, scheint das Badezimmer vor Strom zu vibrieren. Seine Frau liegt bereits im Bett, und jetzt ruft sie ihn.

»Gleich«, sagt er. Wagt fast nicht zu rufen. Sie ist so deutlich spürbar. Aber flüchtig.

Was willst du, fragt er, und Mildred kommt näher.

Das ist so typisch für sie. Gerade dann, wenn er mit heruntergelassener Hose auf dem Klo sitzt.

Ich bin den ganzen Tag in der Kirche, sagt er. Du hättest mich ja wohl dort aufsuchen können.

Und im selben Moment weiß er es. Das Geld der Stiftung reicht nicht. Aber wenn sie über die Pacht neu verhandeln. Entweder muss der Jagdverein den Marktwert bezahlen. Oder sie legen sich

einen neuen Pächter zu. Und das Geld dafür wird der Stiftung zu-
fließen.

Er spürt, wie sie lacht. Er weiß, was sie von ihm verlangt. Er wird
alle Männer gegen sich aufwiegeln. Es wird Ärger und wütende
Leserbriefe geben.

Aber sie weiß, dass er es schaffen kann. Der Gemeindevorstand
ist ja auf ihrer Seite.

Ich tu's, sagt er zu ihr. Nicht weil ich es für richtig halte, sondern deinetwegen.

Lisa Stöckel steht auf dem Hofplatz und macht ein Feuer. Die
Hunde sind eingesperrt und schlafen in ihren Betten.

Verdammte Gangster, denkt sie liebevoll.

Sie hat jetzt vier Hunde. Bisher hat sie fast immer fünf gehabt.

Da ist Bruno, ein kurzhaariger hellbrauner Vorsteherrüde. Alle
nennen ihn den Preußen. Das liegt an seinem beherrschten und ein
wenig militärischen Stil. Wenn Lisa zu ihrem Rucksack greift und
die Hunde verstehen, dass es jetzt an die frische Luft geht, dann
ist in der Diele die Hölle los. Sie drehen sich wie im Karussell.
Kläffen, tanzen, fiepen, beißen und jaulen vor Glück. Stoßen Lisa
fast um, treten auf alles. Schauen sie aus Augen an, die sagen: Wir
dürfen ganz bestimmt mitkommen, du gehst doch nicht ohne
uns?

Alle, nur nicht der Preuße. Er sitzt stocksteif und scheinbar
vollkommen ungerührt mitten im Zimmer. Aber wenn sie sich
vorbeugt und ihn genauer ansieht, bemerkt sie das Zittern unter
dem Hundefell. Ein fast unmerkliches Beben aus unterdrückter
Erregung. Und wenn es dann doch zu viel für ihn wird und wenn
er seine Gefühle zum Ausdruck bringen muss, um nicht zu platzen, dann kommt es vor, dass er mit den Vorderpfoten auf den
Boden schlägt, zweimal. Und dann weiß sie, dass er vor Erwar-
tung außer sich ist.

Dann hat sie natürlich Majken. Ihre alte Labradorhündin. Aber
mit der ist im Moment nicht viel los. Sie ist grau um die Nase und

müde. Majken hat sie alle großgezogen. Sie ist eine echte Welpenliebhaberin. Neuankömmlinge im Rudel dürfen auf ihrem Bauch schlafen, sie ist dann ihre neue Mama. Und wenn sie keinen jungen Hund betreuen kann, entwickelt sie Scheinschwangerschaften. Noch vor nur zwei Jahren konnte Lisa nach Hause kommen, und das Schlafzimmerbett war auseinander gerissen und umorganisiert. Zwischen Decken und Kissen lag dann Majken. Mit ihren Welpenatrappen: einem Tennisball, einem Schuh oder einmal, als Majken Glück gehabt hatte, einem im Wald gefundenen Stofftier.

Dann gibt es noch Karelin, eine große schwarze Kreuzung zwischen Schäferhund und Neufundländer. Er ist mit drei Jahren zu Lisa gekommen. Die Tierärztin in Kiruna hatte angerufen und gefragt, ob Lisa ihn nicht nehmen könne. Der Hund sollte eingeschläfert werden, aber sein Besitzer hätte ihn lieber verschenkt. Nur passte Karelin nicht in die Stadt. »Kann ich mir vorstellen«, sagte die Tierärztin zu Lisa, »du solltest mal sehen, wie der Hund sein Herrchen an der Leine hinter sich herzieht.«

Und dann ist da Kotz-Morris, ihr norwegischer Springerspaniel. Spross von bei Jagden ausgezeichneten Ausstellungssiegern. Hier draußen bei dieser Räuberbande ist sein Talent vergeudet. Lisa jagt ja nicht einmal. Er setzt sich gern neben sie und lässt sich den Brustkorb streicheln. Dann legt er die Pfoten schwer auf ihr Knie und erinnert sie daran, dass es ihn gibt. Er ist ein lieber, freundlicher Herr. Seidenfell und lockige Ohren wie eine Hundedame, Autofahren ist ihm eine Qual. Aber jetzt liegen sie alle vier im Haus. Lisa wirft alles Mögliche ins Feuer. Matratzen und alte Hundedecken, Bücher und Möbel. Papier. Noch mehr Papier. Briefe. Alte Fotos. Es wird ein riesiger Scheiterhaufen. Lisas Blicke verlieren sich in den Flammen.

Am Ende wurde es so anstrengend, Mildred zu lieben. Zu schleichen, zu schweigen, zu warten. Sie stritten sich. Es war wie in einem Stück von Lars Norén.

Jetzt streiten sie sich in Lisas Küche. Mildred schlägt die Fenster zu.

Das ist das Wichtigste, denkt Lisa. Dass niemand etwas hört.

Lisa spuckt alles aus. Alle Wörter bedeuten dasselbe. Sie bereut schon, noch ehe sie sie gesagt hat. Dass Mildred sie nicht liebt. Dass sie es satt hat, ein Zeitvertreib zu sein. Dass sie die Heuchelei satt hat.

Lisa steht mitten im Raum. Sie würde gern mit Gegenständen um sich schmeißen. Ihre Verzweiflung lässt sie die Kontrolle verlieren. Noch nie hat sie sich so aufgeführt.

Und Mildred scheint den Kopf einzuziehen. Sitzt dicht neben Kotz-Morris auf dem Sofa. Auch der zieht den Kopf ein. Mildred streichelt den Hund wie ein Kind, das getröstet werden muss.

»Und die Gemeinde?«, fragt sie. »Und Magdalena? Wenn wir offen miteinander leben, dann ist Schluss. Das wäre der endgültige Beweis dafür, dass ich nur eine frustrierte Männerhasserin bin. Ich kann die Geduld der Leute nicht über Gebühr strapazieren.«

»Also opferst du lieber mich?«

»Nein, warum muss das so sein? Ich bin glücklich. Ich liebe dich, ich kann es tausendmal sagen, aber du willst offenbar Beweise.«

»Hier ist nicht die Rede von Beweisen, sondern davon, atmen zu können. Wahre Liebe will gesehen werden. Aber das ist eben das Problem. Du willst nicht, du liebst mich nicht. Magdalena ist nur deine verdammte Entschuldigung dafür, nicht die Konsequenzen zu ziehen. Erik lässt sich das vielleicht gefallen, ich aber nicht. Also such dir eine andere Geliebte, du hast bestimmt Auswahl genug.«

Jetzt fängt Mildred an zu weinen. Ihr Mund wehrt sich noch dagegen. Sie schmiegt ihr Gesicht an den Hund. Wischt sich mit dem Handrücken die Tränen ab.

Lisa hat sie dazu bringen wollen. Am liebsten würde sie sie vielleicht schlagen. Sie sehnt sich nach ihren Tränen und ihrem

Schmerz. Aber sie ist nicht zufrieden. Ihr eigener Schmerz hat noch immer Hunger.

»Hör auf zu flennen«, sagt sie hart. »Mich kannst du damit nicht beeindrucken.«

»Ich werde aufhören«, verspricht Mildred wie ein Kind, ihre Stimme klingt brüchig, ihre Hand wischt weiter Tränen ab.

Und Lisa, die sich immer ihre Unfähigkeit zu lieben vorgeworfen hat, fällt das Urteil.

»Du tust dir selber leid, das ist alles. Ich glaube, mit dir stimmt etwas nicht. Irgendwas fehlt dir. Du behauptest zu lieben, aber wer kann einen anderen Menschen öffnen und hineinblicken und sehen, was das bedeutet? Ich könnte alles aufgeben, alles ertragen. Ich will dich heiraten. Aber du ... du kannst keine Liebe empfinden. Du kannst keinen Schmerz empfinden.«

Nun schaut Mildred vom Hund auf. Auf dem Küchentisch brennt eine Kerze in einem Messinghalter. Sie hält die Hand über die Flamme, die brennt sich in ihre Handfläche hinein.

»Ich weiß nicht, wie ich beweisen soll, dass ich dich liebe«, sagt sie. »Aber ich kann dir beweisen, dass ich Schmerz empfinden kann.«

Ihr Mund kneift sich zu einem gequälten Strich zusammen. Ihre Augen tränen. Ein widerwärtiger Geruch verbreitet sich in der Küche.

Am Ende, es scheint endlos lange gedauert zu haben, packt Lisa Mildreds Handgelenk und reißt ihre Hand von der Kerze fort. Die Wunde in der Handfläche ist rußig und blutig. Lisa starrt sie entsetzt an.

»Du musst ins Krankenhaus«, sagt sie.

Aber Mildred schüttelt den Kopf.

»Verlass mich nicht«, bittet sie.

Jetzt weint auch Lisa. Führt Mildred zum Auto, schnallt sie an wie ein hilfloses Kind, holt eine Packung Spinat aus der Tiefkühltruhe.

Wochen vergehen, bis sie wieder aneinander geraten. Mildred

hält Lisa ab und zu die Innenseite ihrer verbundenen Hand hin. Wie zufällig, wie um sich die Haare hinter die Ohren zu streichen oder so. Es ist ein geheimes Liebeszeichen.

Jetzt ist es dunkel. Lisa denkt nicht mehr an Mildred und geht zum Hühnerstall. Die Hühner schlafen auf ihren Stangen. Aneinander geschmiegt. Sie nimmt eins nach dem anderen herunter. Hebt sie von der Stange. Trägt sie an die Grundstücksgrenze. Drückt sie an sich, die Hühner haben keine Angst, sie glucksen nur ein wenig. Dort steht ein Baumstumpf, der als Hackklotz fungieren kann.

Rascher Griff um die Beine, gegen den Baumstumpf mit dem Tier, ein betäubender Schlag. Dann das Beil, Zugriff direkt unter der Klinge, der Schlag, nur ein einziger, hart genug, trifft genau. Sie hält die Beine fest, während das Huhn noch flattert, sie kneift die Augen zu, um keine Federn oder Blut ins Auge zu bekommen. Am Ende liegen dort zehn Hühner und ein Hahn. Sie vergräbt sie nicht. Die Hunde würden sie ja sofort wieder ausbuddeln. Sie wirft sie in die Mülltonne.

Lars-Gunnar Vinsa fährt im Dunkeln nach Hause. Teddy schläft neben ihm auf dem Beifahrersitz. Sie waren den ganzen Tag Himbeeren pflücken. Und jetzt gibt es viele Gedanken. Die durch seinen Kopf wirbeln. Alte Erinnerungen.

Plötzlich kann er Eva vor sich sehen, Teddys Mutter. Er ist gerade von der Arbeit nach Hause gekommen. Er hatte Spätdienst, und es ist dunkel draußen, aber sie hat kein Licht gemacht. Steht ganz still in der Dunkelheit vor der Dielenwand, als er das Haus betritt.

Er findet ihr Verhalten so merkwürdig, dass er einfach fragen muss: »Was ist los?« Und sie antwortet:

»Ich sterbe hier, Lars-Gunnar. Es tut mir leid, aber ich sterbe hier.«

Was hätte er tun sollen? Als ob er nicht auch todmüde gewesen wäre. Tagein, tagaus ging er zur Arbeit und hatte mit allem Elend der Welt zu tun. Und dann kam er nach Hause, um sich um Teddy zu kümmern. Noch heute begreift er nicht, was Eva damals den ganzen Tag getrieben hat. Die Betten waren nie gemacht. Nur sehr selten hatte sie etwas gekocht. Er ging schlafen. Bat sie, mit nach oben zu kommen, aber sie wollte nicht. Am nächsten Tag war sie verschwunden. Hatte nur ihre Handtasche mitgenommen. Nicht einmal einen Brief war sie ihm also wert gewesen. Er musste ihre Habseligkeiten in Kartons packen und auf den Dachboden stellen.

Nach einem halben Jahr rief sie an. Wollte mit Teddy sprechen. Er erklärte, dass das nicht möglich sei. Er erklärte, wie Teddy nach ihr gesucht hatte, wie er in der ersten Zeit immer wieder gefragt und geweint hatte. Aber jetzt sei es besser. Er erzählte ihr, wie es dem Jungen ging, schickte ihr Zeichnungen. Er sah den Leuten im Ort an, dass die fanden, er sei zu lieb. Zu nachgiebig. Aber er wollte ihr doch nichts Böses. Wozu hätte das gut sein sollen?

Und die Tanten vom Sozialamt, die plapperten darüber, dass Teddy in eine Wohngemeinschaft ziehen sollte.

»Er kann doch auch nur ab und zu dort wohnen«, sagten sie. »Damit Sie ein wenig entlastet sind.«

Er hatte sich diese verdammten Wohngemeinschaften angesehen. Man wurde ja schon deprimiert, wenn man nur einen Fuß über die Schwelle setzte. Von allem. Von dieser Hässlichkeit, bei der jeder Gegenstand »Anstalt« schrie, »Aufbewahrungsort für Verrückte, Zurückgebliebene und Krüppel«. Von den Ziergegenständen, die offenbar von den Bewohnern hergestellt worden waren, Gipsabgüsse und Perlenplatten und grauenhafte Bilder in billigen Rahmen. Und vom Gezwitscher des Personals. Von den gestreiften Baumwollkitteln. Er weiß noch, wie er eine davon angesehen hat. Sie kann nicht größer als eins fünfzig gewesen sein. Er dachte: Und du willst dazwischengehen, wenn es hier Ärger gibt?

Teddy war zwar groß, aber er konnte sich nicht wehren.

»Niemals«, sagte Lars-Gunnar zu den Sozialamttanten.

Sie versuchten, ihm zuzureden.

»Sie brauchen Entlastung«, sagten sie. »Sie müssen auch an sich denken.«

»Nein«, hatte er gesagt. »Wieso denn? Warum muss ich an mich denken? Ich denke an den Jungen. Die Mutter des Jungen hat an sich gedacht, erzählen Sie mir doch mal, was dabei herausgekommen sein soll!«

Jetzt sind sie zu Hause. Lars-Gunnar fährt langsamer, als sie sich der Hofeinfahrt nähern. Er schaut zum Haus hinüber. Im Mondschein hat man ziemlich gute Sicht. Im Kofferraum liegt der Elchstutzen. Er ist geladen. Wenn ein Streifenwagen auf dem Hofplatz steht, wird er einfach weiterfahren. Wenn er entdeckt wird, bleibt ihm doch immer noch eine Minute. Ehe sie den Motor anlassen und auf die Straße fahren können. Oder jedenfalls dreißig Sekunden. Und das reicht.

Aber der Hofplatz ist leer. Vor dem Mond sieht er eine Eule, die im flachen Spähflug zum Ufer hinjagt. Er hält an und klappt den Fahrersitz so weit wie möglich zurück. Er will Teddy nicht wecken. Der Junge wird in ein paar Stunden von selbst aufwachen. Dann können sie ins Haus und ins Bett gehen. Er selbst wird auch ein wenig die Augen zumachen.

GELBBEIN

GELBBEIN LÄUFT aus ihrem Territorium. Dort kann sie nicht bleiben. Sie überquert die Grenze zum Revier eines anderen Rudels. Auch dort kann sie nicht bleiben. Das wäre zu gefährlich. Eine gut markierte Gegend. Frisch gesetzte Duftmarken wie Stacheldraht zwischen den Baumstämmen. Durch das hohe Gras, das aus dem Schnee ragt, zieht sich eine Mauer aus Gerüchen dahin, hier haben sie gepisst und die Pisse mit den Hinterbeinen verteilt. Aber sie muss hier durch, sie muss nach Norden.

Die erste Tagesetappe geht gut. Sie läuft mit leerem Magen. Pisst geduckt, drückt sich an den Boden, damit der Geruch sich nicht ausbreitet, vielleicht kann sie es schaffen. Sie hat Rückenwind, das ist gut.

Am nächsten Morgen nehmen sie ihre Witterung auf. Zwei Kilometer hinter ihr stehen fünf Wölfe und drücken die Nasen in Gelbbeins Spuren. Dann setzen sie ihr nach. Sie wechseln sich an der Spitze ab und haben sie bald in Sichtweite.

Gelbbein nimmt ihren Geruch wahr. Sie hat einen Fluss überquert, und als sie sich umdreht, sieht sie sie am anderen Ufer, einen knappen Kilometer flussabwärts.

Jetzt rennt sie um ihr Leben. Ein Eindringling wird sofort getötet. Die Zunge hängt weit aus ihrem aufgerissenen Maul. Die langen Beine tragen sie durch den Schnee, vor ihr gibt es keine Fährten.

Die Beine finden die Spur eines Schneemobils, die in die richtige Richtung führt. Die anderen holen auf, aber nicht so schnell.

Als sie nur dreihundert Meter hinter ihr sind, bleiben sie plötzlich stehen. Sie haben Gelbbein aus ihrem Revier und noch ein Stück weiter gejagt.

Sie ist entkommen.

Noch ein Kilometer, dann legt sie sich hin. Schnappt nach Schnee. Der Hunger reißt an ihrem Gedärm.

Sie wandert weiter nach Norden. Dort, wo das Weiße Meer die Halbinsel Kola von Karelien trennt, biegt sie nach Nordwesten ab.

Es ist jetzt Spätwinter. Das Laufen fällt ihr schwer.

Wald. Hundert Jahre alte und ältere Bäume. Nackte, spitze, nadellose Bäume fast überall. Und dort oben Bilder von grünem Wehen, rauschenden Armen. Die Sonne kann kaum durchdringen, kann den Schnee noch nicht schmelzen. Es gibt nur Lichtflecken und tropfendes Schmelzwasser von den höchsten Wipfeln. Es tropft, gluckst, tränt. Alle wittern Frühling und Sommer. Jetzt kann man mehr tun als nur überleben. Der Schlag von schweren Waldvogelflügeln, der Fuchs, der immer häufiger seinen Bau verlässt, Wühlmäuse und Mäuse, die auf dem morgens noch festen Schnee laufen. Und dann das plötzliche Schweigen, wenn der ganze Wald innehält, Atem holt und auf die vorüberlaufende Wölfin horcht. Nur der Schwarzspecht hackt weiterhin stur auf den Baumstamm ein. Und auch das Tropfen verstummt nicht. Der Frühling hat keine Angst vor der Wölfin.

Moor. Der Spätwinter ist eine weiche Wasserfläche unter einer matschigen Schneedecke, die sich bei der geringsten Berührung in grauen Schlamm verwandelt. Mit jedem Schritt sinkt sie tief ein. Die Wölfin wandert jetzt bei Nacht weiter. Dann trägt die Schneedecke noch. Tagsüber sucht sie sich ein Lager in einer Mulde oder unter einer Tanne. Noch im Schlaf auf der Hut.

Die Jagd ist anders ohne das Rudel. Sie reißt einen Hasen und anderes Kleinwild. Nicht viel für eine Wölfin auf Wanderung.

Ihre Beziehung zu anderen Tieren hat sich auch geändert. Füchse und Raben sammeln sich gern um Rudel. Die Raben fressen die

Reste, die das Rudel hinterlässt. Die Wölfe graben Fuchslöcher aus und nehmen sie in Besitz. Die Raben säubern den Tisch der Wölfe. Die Raben rufen aus den Bäumen: Hier kommt Beute! Hier steht ein brünftiger Hirsch und reibt sein Geweih an einem Baumstamm. Holt ihn euch, holt ihn euch! Ein erschöpfter Rabe kann vor einem schlafenden Wolf zu Boden fallen, ihm auf den Kopf picken und ein paar Schritte zurückgehen. Auf seine alberne und unbeholfene Weise herumhüpfen. Der Wolf macht einen Ausfall. In letzter Sekunde hebt der Vogel ab. So können sie sich gegenseitig eine ganze Weile unterhalten, der Schwarze und der Graue.

Aber eine einsame Wölfin ist keine Spielkameradin. Sie verschmäht keine Beute, sie hat keine Lust auf ein Spiel mit einem Vogel, sie teilt nichts freiwillig.

Eines Morgens überrascht sie bei ihrer Mulde eine Füchsin. Mehrere Löcher sind an einem Hang gegraben. Ein Loch liegt unter einem umgestürzten Baum versteckt. Nur Spuren und ein wenig Erde auf dem Schnee davor können die Lage verraten. Nun kommt die Füchsin heraus. Die Wölfin hat ihren scharfen Gestank schon längst wahrgenommen und ist ein wenig von ihrer Richtung abgewichen. Jetzt kommt sie im Gegenwind den Hang herab, sieht, wie die Füchsin aus dem Bau schaut, sieht den mageren Körper. Die Wölfin bleibt stehen, erstarrt, die Füchsin muss noch weiter herauskommen, aber kaum dass sie den Kopf bewegt, wird sie die Wölfin entdecken.

Ein Sprung. Als wäre sie eine Katze. Sie durchbricht das Unterholz und die Zweige der umgestürzten jungen Fichte. Ihre Krallen ziehen sich über den Rücken der Füchsin. Brechen ihr das Rückgrat. Sie verschlingt das andere Tier gierig, presst es mit einer Pfote nach unten und reißt das wenige Fleisch herunter, das es ihr bietet.

Gleich kommen zwei Krähen angeflattert und wollen auch etwas abhaben. Die eine setzt ihr Leben aufs Spiel, kommt der Wölfin gefährlich nahe, aber die andere kann derweil ganz schnell einen Bissen stehlen. Die Wölfin schnappt nach ihnen, als sie im Sturzflug auf ihren Kopf zujagen, aber ihre Pfote lässt den Fuchsrumpf nicht los. Sie verschlingt alles, dann läuft sie zwischen den Löchern hin und her und wittert. Wenn die Füchsin Junge hatte und sie nicht zu tief unten liegen, kann sie sie ausbuddeln, aber sie findet keine.

Sie macht sich wieder auf den Weg. Die Beine der einsamen Wölfin wandern ruhelos immer weiter.

Montag, 11. September

»ER IST WIE VOM ERDBODEN verschwunden.«

Anna-Maria Mella sah ihre Kollegen an. Sie hatten sich zur Frühbesprechung beim Staatsanwalt versammelt. Eben war festgestellt worden, dass sie keinerlei Spur von dem verschwundenen Pastor Stefan Wikström hatten.

Sechs Sekunden lang herrschte vollkommenes Schweigen. Polizeiinspektor Fred Olsson, Staatsanwalt Alf Björnfot, Sven-Erik Stålnacke und Polizeiinspektor Tommy Rantakyrö machten betrübte Gesichter. Etwas Schlimmeres, als dass der Pastor spurlos verschwunden war, konnten sie sich überhaupt nicht vorstellen. Er konnte doch irgendwo verbuddelt worden sein.

Sven-Erik sah also betrübt aus. Er war als Letzter zu dieser Morgenandacht beim Staatsanwalt erschienen. Das sah ihm überhaupt nicht ähnlich. Er hatte ein kleines Pflaster am Kinn. Es war von Blut rötlich verfärbt. Ein männliches Symbol für einen missratenen Morgen. Die Haare an seinem Hals unter dem Adamsapfel waren in der Eile dem Rasierer entkommen und standen wie grobe graue Borsten von der Haut ab. Unter dem einen Mundwinkel klebten Reste von eingetrocknetem Rasierschaum wie weißer Kitt.

»Na, bisher ist es nur ein Fall von Verschwinden«, stellte der Staatsanwalt fest. »Es war doch ein Diener der Kirche. Der erfahren hat, dass wir ihm auf die Schliche gekommen sind, was diese Reise angeht, die seine Familie für das Geld der Wolfsstiftung unternommen hat. Das kann durchaus genug sein, um die Beine in die Hand zu nehmen. Die Angst, dass sein Ruf jetzt ruiniert ist. Vielleicht taucht er als Nächstes wie ein Springteufelchen wieder auf.«

Alle am Tisch schwiegen. Alf Björnfot schaute sich um. Alle hier waren in ihrer Arbeit absolut engagiert. Sie schienen nur darauf zu warten, dass der Leichnam des Pastors auftauchte. Mit Spuren und Beweisen, damit neuer Schwung in die Ermittlungen kommen könnte.

»Was wissen wir über die Zeit vor seinem Verschwinden?«, fragte er.

»Er hat am Freitagabend gegen fünf vor sieben seine Frau angerufen«, sagte Fred Olsson. »Dann hatte er in der Kirche einen Jugendabend, hat den Versammlungsraum aufgeschlossen und gegen halb zehn eine Abendandacht abgehalten. Er ist dort um kurz nach zehn aufgebrochen und seither nicht mehr gesehen worden.«

»Sein Auto?«, fragte der Staatsanwalt.

»Steht hinter dem Gemeindehaus.«

Das ist aber eine ziemlich kurze Strecke, dachte Anna-Maria. Der Versammlungsraum der Jugendgruppen und die Rückseite des Gemeindehauses waren etwa hundert Meter voneinander entfernt.

Sie erinnerte sich an eine Frau, die einige Jahre zuvor verschwunden war. Die Mutter von zwei Kindern war abends aus dem Haus gegangen, um die Hunde im Zwinger zu füttern. Und dann war sie verschwunden. Die aufrichtige Verzweiflung und die Beteuerungen ihres Ehemanns, die vom ganzen Bekanntenkreis unterstützt wurden, dass sie die Kinder niemals freiwillig verlassen hätte, hatten die Polizei dazu gebracht, alle Kräfte für die Aufklärung dieses Verschwindens einzusetzen. Sie hatten die Frau im Wald hinter dem Haus ausgegraben. Der Mann hatte sie umgebracht.

Aber damals hatte Anna-Maria auch so gedacht. So ein kurzer Weg. So ein kurzer Weg.

»Die Überprüfung von Telefongesprächen, Mails und Bankkonten, was ist dabei herausgekommen?«, fragte der Staatsanwalt.

»Nichts Besonderes«, sagte Tommy Rantakyrö. »Der Anruf bei der Frau war sein letzter. Ansonsten gab es ein paar Anrufe bei verschiedenen Gemeindemitgliedern und dem Probst, dem Leiter der Jagdgesellschaft, bei der Schwägerin... ich habe hier eine Liste der Anrufe, und ich habe daneben notiert, worum es bei diesen Gesprächen ging.«

»Gut«, sagte Alf Björnfot aufmunternd.

»Was haben die Schwägerin und der Probst gesagt?«

»Mit der Schwägerin hat er darüber gesprochen, dass er sich um seine Frau Sorgen macht. Dass es ihr wieder schlechter gehen könnte.«

»Sie hat diese Briefe an Mildred Nilsson geschrieben«, sagte Fred Olsson. »Es scheint ja arge Konflikte zwischen den Wikströms und Mildred Nilsson gegeben zu haben.«

»Und worüber haben Stefan Wikström und der Probst gesprochen?«, fragte Anna-Maria.

»Meine Frage war ihm schrecklich peinlich«, sagte Tommy Rantakyrö. »Aber dann hat er gesagt, dass Stefan besorgt war, weil wir die Buchführung der Stiftung mitgenommen haben.«

Eine kaum merkliche Furche tauchte auf der Stirn des Staatsanwalts auf. Aber er sagte nichts über Dienstvergehen und Beschlagnahmung ohne amtliche Befugnis. Stattdessen sagte er: »Was auf ein freiwilliges Verschwinden hinweisen könnte. Versteckt sich, weil er Angst vor der Schande hat. Den Kopf in den Sand zu stecken ist in solchen Fällen die normalste Reaktion, das kann ich euch sagen. Man denkt ja, begreifen die nicht, dass sie alles nur noch schlimmer machen, aber meistens haben sie den gesunden Menschenverstand längst verloren.«

»Warum ist er nicht mit dem Auto gefahren?«, fragte Anna-Maria. »Ist er einfach in die Wildnis hinausspaziert? Um diese Zeit ging doch kein Zug mehr. Und auch kein Flugzeug.«

»Taxi?«, fragte der Staatsanwalt.

»Nein«, antwortete Fred Olsson.

Anna-Maria blickte Fred Olsson beifällig an.

Du verdammter sturer Terrier, dachte sie.

»Na«, sagte der Staatsanwalt, »Tommy, könntest du...«

»Die Anwohner rund um das Gemeindehaus fragen, ob sie irgendwas gesehen haben«, sagte Tommy resigniert.

»Genau«, sagte der Staatsanwalt, »und…«

»Und dann noch mit den Mitgliedern dieser Jugendgruppe reden.«

»Sehr gut. Fred Olsson kann dich begleiten. – Sven-Erik«, sagte der Staatsanwalt dann. »Du könntest vielleicht die Täterprofilgruppe anrufen und dich erkundigen, was die zu sagen haben?«

Sven-Erik nickte.

»Wie ist das mit der Zeichnung gelaufen?«, fragte der Staatsanwalt.

»Das Labor ist noch immer damit beschäftigt«, sagte Anna-Maria. »Sie haben noch nichts gefunden.«

»Na gut. Dann treffen wir uns morgen früh wieder, wenn bis dahin nichts Besonderes passiert«, sagte der Staatsanwalt, ließ die Bügel seiner Brille zuschnappen und steckte sie in die Brusttasche.

Und damit war die Besprechung beendet.

Ehe Sven-Erik in sein Arbeitszimmer ging, schaute er bei Sonja in der Telefonzentrale vorbei.

»Du«, sagte er, »wenn irgendwer wegen eines grau getigerten Katers anruft, dann sag mir Bescheid.«

»Ist Manne verschwunden?«

Sven-Erik nickte.

»Seit einer Woche«, sagte er. »So lange war er noch nie weg.«

»Wir werden die Augen offen halten«, versprach Sonja. »Wart's ab, der kommt schon noch zurück. Es ist doch noch warm. Er ist sicher irgendwo auf Freiersfüßen unterwegs.«

»Er ist kastriert«, erwiderte Sven-Erik düster.

»Ach«, sagte sie. »Ich sag den anderen Bescheid.«

Die Mitarbeiterin der Täterprofilgruppe beim Landeskriminalamt meldete sich sofort. Sie klang fröhlich, als Sven-Erik sich vorstellte. Viel zu jung, um sich mit solchem Dreck zu befassen.

»Ich nehme an, Sie haben die Zeitungen gelesen?«, fragte Sven-Erik.

»Ja, haben Sie ihn gefunden?«

»Nein, er ist noch immer verschwunden. Was meinen Sie also?«

»Tja«, sagte sie. »Wie meinen Sie das?«

Sven-Erik versuchte, seine Gedanken zu sammeln.

»Also«, begann er. »Wenn wir annehmen, dass das, was die Zeitungen andeuten, wirklich zutrifft.«

»Dass Stefan Wikström ermordet worden ist, und zwar von einem Serienmörder«, fügte sie hinzu.

»Genau. Aber wäre das nicht seltsam?«

Sie blieb stumm. Wartete darauf, dass Sven-Erik sich genauer erklärte.

»Ich meine«, sagte er, »es ist doch seltsam, dass er verschwunden ist. Der Mörder hat Mildred unter der Orgel aufgehängt, warum macht er das nicht auch mit Stefan Wikström?«

»Er muss ihn vielleicht erst säubern. Bei Mildred Nilsson habt ihr doch ein Hundehaar gefunden, oder? Oder er möchte ihn noch ein wenig behalten.«

Sie verstummte und schien nachzudenken.

»Es tut mir leid«, sagte sie endlich. »Wenn der Leichnam auftaucht – falls er auftaucht, er kann doch auch freiwillig verschwunden sein –, dann können wir weiterreden. Und überlegen, ob es ein Muster gibt.«

»Na gut«, sagte Sven-Erik. »Er kann aus freien Stücken verschwunden sein. Er hatte ja Dreck am Stecken, was eine kircheneigene Stiftung betrifft. Und dann hat er entdeckt, dass wir seiner schmutzigen kleinen Geschichte auf der Spur waren.«

»Einer schmutzigen kleinen Geschichte?«

»Ja, es ging um ungefähr hunderttausend. Und es ist noch die Frage, ob das für eine Anklage ausgereicht hätte. Es dreht sich um eine Bildungsreise, die eigentlich ein privater Urlaub war.«

»Sie glauben also nicht, dass er einen Grund hatte, deshalb die Flucht zu ergreifen?«

»Eigentlich nicht.«

»Aber wenn nun die Tatsache an sich ihm Angst gemacht hat, also, dass die Polizei näher rückte?«

»Wie meinen Sie das?«

Sie lachte.

»Ach, einfach so«, sagte sie mit Nachdruck. Dann klang sie plötzlich sehr förmlich.

»Ich wünsche Ihnen alles Gute. Lassen Sie von sich hören, wenn etwas passiert.«

Kaum hatten sie aufgelegt, da begriff Sven-Erik, was sie gemeint hatte. Wenn Stefan Mildred ermordet hatte...

Sofort setzte sein Gehirn zum Widerspruch an.

Wenn wir aber einfach mal annehmen, dass er es war, beharrte Sven-Erik in Gedanken. Dann könnte unser Auftauchen ihn in die Flucht geschlagen haben. Egal, was wir wollten. Und wenn wir ihn nur nach der Uhrzeit hätten fragen wollen.

Anna-Marias Telefon klingelte. Es war die Buchhändlerin aus Stockholm.

»Ich hab das mit dem Symbol geklärt«, sagte sie ohne Einleitung.

»Ja?«

»Einer von meinen Kunden kannte es. Es steht auf der Vorderseite eines Buches namens *The Gate*. Geschrieben hat es Michelle Moan, das ist ein Pseudonym. Das Buch ist nicht ins Schwedische übersetzt worden. Ich habe es nicht. Aber ich kann ein Exemplar für Sie besorgen. Soll ich?«

»Ja. Worum geht es in diesem Buch?«

»Um den Tod. Es ist ein Totenbuch. Sehr teuer. Zweiundfünfzig Pfund. Und dann kommen noch Versandkosten dazu. Ich hab schon beim Verlag in England angerufen.«

»Ja?«

»Ich habe gefragt, ob bei ihnen Bestellungen aus Schweden eingelaufen sind. Sie hatten ein paar. Eine aus Kiruna.«

Anna-Maria hielt den Atem an. Ein Hoch der Amateurdetektivin!

»Haben sie einen Namen genannt?«

»Ja. Benjamin Wikström. Ich habe auch eine Adresse.«

»Ist nicht nötig«, rief Anna-Maria in den Hörer. »Tausend Dank. Ich melde mich wieder!«

Sven-Erik Stålnacke stand bei Sonja in der Zentrale. Er hatte einfach noch einmal fragen müssen. »Was haben die anderen gesagt? Hat irgendwer was über Manne gehört?«

Sie schüttelte den Kopf.

Plötzlich tauchte Tommy Rantakyrö hinter Sven-Eriks Rücken auf.

»Ist dein Kater verschwunden?«, fragte er.

Sven-Erik grunzte als Antwort.

»Dann ist er sicher zu anderen Leuten gezogen«, sagte Tommy sorglos. »Du weißt doch, Katzen, die hängen nicht an Menschen, das ist nur unsere eigene... Projektifi... dass wir unsere Gefühle in sie hineinlesen. Sie empfinden keine Zuneigung, das ist wissenschaftlich bewiesen.«

»Was ist das für ein Scheißgerede«, knurrte Sven-Erik.

»Aber das ist die Wahrheit des Tages«, sagte Tommy, ohne sich von Sonjas Blicken warnen zu lassen. »Du weißt doch, wenn die sich an deine Beine drücken und daran herumstreichen. Dann machen die das, um Duftmarken zu setzen, um klarzustellen, dass man ein Futter- und Rastplatz ist, der ihnen gehört. Sie sind keine Herdentiere.«

»Na ja, vielleicht«, sagte Sven-Erik. »Aber immerhin kommt er in mein Bett und schläft da wie ein Kind.«

»Weil es da warm ist. Du bedeutest deinem Kater nicht mehr als ein Heizkissen.«

»Aber du bist Hundemensch«, schaltete Sonja sich ein. »Du kannst dich überhaupt nicht zu Katzen äußern.«

Zu Sven-Erik sagte sie: »Ich bin auch Katzenmensch.«
In diesem Moment wurden die Glastüren aufgerissen. Anna-Maria kam hereingestürzt. Sie packte sich Sven-Erik und zog ihn von Sonja weg.

»Wir müssen sofort zum Pfarrhaus von Jukkasjärvi fahren«, sagte sie nur.

KRISTIN WIKSTRÖM ÖFFNETE ihnen in Morgenrock und Pantoffeln. Ihre Wimperntusche war unter ihren Augen verschmiert. Ihre blonden Haare waren hinter die Ohren geschoben und klebten am Hinterkopf.

»Wir suchen Benjamin«, sagte Anna-Maria. »Wir würden gern kurz mit ihm sprechen. Ist er zu Hause?«

»Was wollen Sie von ihm?«

»Mit ihm reden«, sagte Anna-Maria. »Ist er zu Hause?«

Kristin Wikström hob mit einem Ruck den Kopf.

»Was wollen Sie von ihm? Worüber wollen Sie mit ihm sprechen?«

»Sein Vater ist verschwunden«, sagte Sven-Erik geduldig. »Wir müssen ihm ein paar Fragen stellen.«

»Er ist nicht zu Hause.«

»Wissen Sie, wo er ist?«, fragte Anna-Maria.

»Nein, und Sie sollten lieber Stefan suchen. Das müssten Sie jetzt tun.«

»Können wir sein Zimmer sehen?«, fragte Anna-Maria.

Die Mutter kniff müde die Augen zusammen.

»Nein, das können Sie nicht.«

»Dann bitten wir um Entschuldigung für die Störung«, sagte Sven-Erik freundlich und zog Anna-Maria zum Wagen.

Sie fuhren los.

»Verdammt!«, rief Anna-Maria, als sie durch das Tor fuhren. »Wie konnte ich so blöd sein und ohne Hausdurchsuchungsbefehl herkommen?«

»Halt ein Stück weiter vorn, und lass mich raus«, sagte Sven-

Erik. »Und dann bretterst du los und schnappst dir einen Durchsuchungsbefehl und kommst wieder her. Ich will sie im Auge behalten.«

Anna-Maria hielt, Sven-Erik stieg aus.

»Beeil dich«, sagte er.

Sven-Erik lief zurück zum Pfarrhaus. Er stellte sich hinter einen Torpfosten, wo ein Vogelbeerstrauch ihn verdeckte. Er hatte Haustür und Schornstein im Blick.

Wenn der zu rauchen anfängt, geh ich rein, dachte er.

Eine Viertelstunde später kam Kristin Wikström aus dem Haus. Sie hatte den Morgenrock durch Jeans und Pullover ersetzt. In der Hand hielt sie eine verknotete Mülltüte. Sie ging auf die Mülltonne zu. Als sie den Tonnendeckel öffnete, schaute sie sich um und entdeckte Sven-Erik.

Ihm blieb nichts anderes übrig, als auf sie zuzustürzen. Er streckte die Hand aus.

»Also los«, sagte er. »Her damit.«

Wortlos reichte sie ihm die Tüte. Er sah, dass sie sich eine Bürste durch die Haare gezogen und die Lippen ein wenig angemalt hatte. Dann fingen ihre Tränen an zu laufen. Keine Gegenwehr, fast keine Gesichtsbewegung, nur Tränen. Sie hätte auch Zwiebeln schälen können.

Sven-Erik öffnete die Tüte. Darin lagen Zeitungsartikel, die mit Mildred Nilsson zu tun hatten.

»Und jetzt«, sagte er und zog die Frau an sich. »Und jetzt erzählen Sie, wo er steckt.«

»In der Schule natürlich«, sagte sie.

Sie ließ sich umarmen und festhalten. Weinte stumm an seiner Schulter.

»ABER WAS MEINST DU?«, fragte Sven-Erik, als er und Anna-Maria vor der Högalidschule hielten. »Dass er Mildred und seinen Vater ermordet hat?«

»Ich meine gar nichts. Aber er hat ein Buch mit demselben Symbol, das auf der Zeichnung mit der gehängten Mildred zu sehen ist. Vermutlich hat er sie gezeichnet. Und er hatte eine Menge Zeitungsartikel über den Mord an ihr.«

Die Rektorin der Schule war eine freundliche Frau von Mitte fünfzig. Sie war rundlich, trug einen knielangen Rock und eine dunkelblaue Wolljacke. Ein buntes Tuch war wie ein Schmuck um ihren Hals gebunden. Sven-Erik wurde von ihrem Anblick in gute Laune versetzt. Er mochte diese Art von energischen Frauen.

Anna-Maria verlangte, sofort Benjamin Wikström zu holen. Die Rektorin griff zu einem Stundenplan. Dann rief sie den Lehrer an, bei dem Benjamin gerade Unterricht hatte. Und wollte wissen, was eigentlich los sei.

»Wir glauben, dass er möglicherweise Mildred Nilsson bedroht hat, die Pastorin, die im Sommer ermordet worden ist. Also müssen wir ihm ein paar Fragen stellen.«

Die Rektorin schüttelte den Kopf.

»Verzeihung«, sagte sie. »Aber das kann ich nun wirklich nicht glauben. Benjamin und seine Kumpels. Die sehen ganz entsetzlich aus. Schwarze Haare und weiße Gesichter. Rußige Schminke um die Augen. Und ihre T-Shirts erst! Im vorigen Schuljahr hatte einer von Benjamins Kumpels eins mit einem Säuglingsskelett.«

Sie lachte und hob die Schultern in gespieltem Schaudern. Wurde dann ernst, als Anna-Maria nicht lächelte.

»Aber es sind wirklich liebe Kinder«, sagte die Rektorin dann. »Benjamin hatte im vorigen Jahr, in der achten Klasse, eine schwierige Phase, aber ich würde ihn jederzeit als Babysitter für meine eigenen Kinder anheuern. Wenn ich kleine Kinder hätte.«

»Wieso hatte er im vorigen Jahr eine schwierige Phase?«, fragte Sven-Erik.

»Er hatte große Probleme mit dem Lernen. Und er wurde so … sie wollen ja anders aussehen als alle anderen, deshalb laufen sie so rum. Ich denke ab und zu, dass sie ihr Gefühl, am Rand zu stehen, vor sich hertragen. Es als ihre eigene Entscheidung aussehen lassen. Aber es ging ihm nicht gut. Er hatte viele kleine Wunden an den Armen, und immer pulte er die Krusten ab. So, als ob die Wunden einfach nicht heilen dürften. Aber nach Weihnachten kam er dann langsam wieder auf die Beine. Damals hatte er eine Freundin gefunden und eine Band gegründet.«

Sie lächelte.

»Diese Band. Herrgott, die haben im Frühjahr hier in der Schule gespielt. Und irgendwie hatten sie sich einen Schweinekopf besorgt, auf den sie auf der Bühne mit Äxten einhacken konnten. Sie waren einfach überglücklich.«

»Ist er ein guter Zeichner?«, fragte Sven-Erik.

»Ja«, sagte die Rektorin. »Das ist er.«

Es wurde an die Tür geklopft, und Benjamin Wikström kam herein.

Anna-Maria und Sven-Erik stellten sich vor.

»Wir würden dir gern ein paar Fragen stellen«, sagte Sven-Erik.

»Ich rede nicht mit euch«, sagte Benjamin Wikström.

Anna-Maria Mella seufzte.

»Dann muss ich dich vorläufig festnehmen, und du musst mit zur Wache kommen.«

Den Blick zu Boden gesenkt. Die strähnigen Haare vor dem Gesicht.

»Dann macht das doch.«

»So«, sagte Anna-Maria zu Sven-Erik. »Reden wir jetzt mit ihm?«

Benjamin Wikström saß in Vernehmungsraum 1. Er hatte kein Wort gesagt, seit sie die Schule verlassen hatten. Sven-Erik und Anna-Maria holten sich Kaffee. Und eine Cola für Benjamin Wikström.

Oberstaatsanwalt Alf Björnfot kam über den Flur galoppiert.

»Wen habt ihr festgenommen?«, keuchte er.

Sie berichteten von ihrem Einsatz.

»Fünfzehn«, sagte der Staatsanwalt. »Seine Erziehungsberechtigten müssen dabei sein, ist die Mutter da?«

Sven-Erik und Anna-Maria wechselten einen Blick.

»Dann schafft sie gefälligst her«, sagte der Staatsanwalt. »Gebt dem Jungen was zu essen, wenn er will. Und ruft das Jugendamt an. Die sollen auch jemanden schicken. Und sagt mir dann Bescheid.«

Damit war er verschwunden.

»Ich will nicht«, stöhnte Anna-Maria.

»Ich geh sie holen«, sagte Sven-Erik Stålnacke.

Eine Stunde später saßen sie im Vernehmungszimmer. Sven-Erik Stålnacke und Anna-Maria Mella auf der einen Seite des Tisches. Auf der anderen Benjamin Wikström zwischen einer Vertreterin des Jugendamts und Kristin Wikström. Ihre Augen waren blutunterlaufen.

»Hast du Mildred Nilsson diese Zeichnung geschickt?«, fragte Sven-Erik. »Wir werden bald die Fingerabdrücke haben. Wenn du es also warst, kannst du es auch gleich sagen.«

Benjamin Wikström schwieg verbissen.

»Herrgott«, sagte Kristin. »Was soll denn das, Benjamin? Wie konntest du so etwas tun? Das ist doch krankhaft!«

Benjamins Miene verhärtete sich. Er starrte die Tischplatte an. Presste die Arme an den Leib.

»Wir sollten vielleicht eine kleine Pause einlegen«, sagte die Frau vom Jugendamt und legte den Arm um Kristin.

Sven-Erik nickte und schaltete das Tonbandgerät aus. Kristin Wikström, die Frau vom Jugendamt und Sven-Erik verließen das Zimmer.

»Warum willst du nicht mit uns reden?«, fragte Anna-Maria.

»Weil ihr einfach nichts kapiert«, sagte Benjamin Wikström. »Ihr kapiert rein gar nichts.«

»Das behauptet mein Sohn auch immer. Er ist genauso alt wie du. Hast du Mildred gekannt?«

»Sie ist das nicht auf der Zeichnung. Rafft ihr das nicht? Das ist ein Selbstporträt.«

Anna-Maria sah sich die Zeichnung an. Sie war davon ausgegangen, dass sie Mildred darstellte. Aber auch Benjamin hatte lange dunkle Haare.

»Du warst mit ihr befreundet!«, rief Anna-Maria. »Deshalb hattest du die Zeitungsartikel!«

»Sie hat es kapiert«, sagte er. »Sie hat es kapiert!«

Hinter dem Vorhang aus Haaren fielen Tränen auf die Tischplatte.

Mildred und Benjamin sitzen in Mildreds Arbeitszimmer im Gemeindehaus. Sie hat einen Kräutertee mit Honig eingeschenkt. Den Tee hat sie von einigen Frauen aus Magdalena bekommen, die die Kräuter selbst gesammelt haben. Sie lachen über den schrecklichen Geschmack.

Einer von Benjamins Kumpel ist von Mildred konfirmiert worden. Und über diesen Kumpel haben Mildred und er einander kennen gelernt.

Auf Mildreds Schreibtisch liegt das Buch *The Gate*. Jetzt hat sie es gelesen.

»Was sagst du also?«

Das Buch ist dick. Sehr dick. Viel Text auf Englisch. Auch viele Farbbilder.

Es geht um *The Gate to the Unbuilt House, to the World You Create*. Das Tor zum ungebauten Haus, zu der von dir erschaffenen Welt. Es ist eine Ermahnung, durch Riten und Gedankenkraft die Welt zu erschaffen, in der man in Ewigkeit leben will. Es geht um den Weg dorthin. Selbstmord. Kollektiv oder einsam. Der englische Verlag ist von einer Gruppe von Eltern verklagt worden. Vier Jugendliche haben sich im Frühjahr 1998 gemeinsam umgebracht.

»Mir gefällt die Vorstellung, dass man seinen eigenen Himmel erschafft«, sagt sie.

Dann hört sie zu. Gibt ihm Taschentücher, wenn er weint. Das macht er, wenn er mit Mildred spricht. Weil er das Gefühl hat, dass er für sie wichtig ist.

Er erzählt von seinem Vater. Darin liegt sicher eine kleine Rache. Dass er mit Mildred spricht, die sein Vater verabscheut.

»Er hasst mich«, sagt er. »Aber das ist mir egal. Wenn ich mir die Haare schneiden ließe und in Hemd und heilen Hosen umherliefe und in der Schule lernte und zum Klassensprecher ernannt würde, dann wäre er auch noch nicht zufrieden. Das weiß ich.«

Jemand klopft an die Tür. Mildred runzelt verärgert die Stirn. Wenn das rote Lämpchen brennt…

Die Tür wird geöffnet, und Stefan Wikström kommt herein. Eigentlich hat er an diesem Tag frei.

»Hier bist du also«, sagt er zu Benjamin. »Nimm deine Jacke, und mach, dass du ins Auto kommst.«

Zu Mildred sagt er: »Und du hörst auf, dich in meine Familienangelegenheiten einzumischen. Er will nicht lernen. Er zieht sich so an, dass man sich übergeben möchte. Macht der Familie Schande, so gut er nur kann. Und du bestärkst ihn munter darin, wenn ich das richtig verstanden habe. Lädst ihn zum Tee ein, wenn er Schule schwänzt. – Hast du nicht gehört? Jacke und Auto!«

Er klopft auf seine Armbanduhr.

»Du hast jetzt gerade Schwedisch, ich fahr dich zur Schule.«

Benjamin bleibt sitzen.

»Deine Mutter sitzt zu Hause und weint. Deine Klassenlehrerin hat bei uns angerufen und wollte wissen, wo du steckst. Du machst Mama krank. Willst du das wirklich?«

»Benjamin wollte nur reden«, sagt Mildred. »Manchmal ...«

»Man redet mit seiner Familie«, erklärt Stefan.

»Ach, wirklich!«, ruft Benjamin. »Aber du willst ja gar nicht antworten. Wie gestern, als ich dich gefragt habe, ob ich mit Kevin und seiner Familie mit zur Grenze fahren kann.«

»Lass dir die Haare schneiden, und zieh dich an wie ein normaler Mensch, dann rede ich mit dir wie mit einem normalen Menschen.«

Benjamin springt auf und nimmt seine Jacke.

»Ich fahr mit dem Rad zur Schule. Du brauchst mich nicht hinzubringen.«

Er stürzt aus dem Zimmer.

»Das ist deine Schuld«, sagt Stefan und zeigt auf Mildred, die noch immer die Teetasse in der Hand hält.

»Du tust mir leid, Stefan«, sagt sie dazu. »Du musst doch schrecklich einsam sein.«

»Wir lassen ihn laufen«, sagte Anna-Maria zum Staatsanwalt und ihren Kollegen. Sie ging in den Pausenraum und bat die Frau vom Jugendamt, Mutter und Sohn nach Hause zu bringen.

Dann ging sie in ihr Zimmer. Sie fühlte sich müde und mutlos. Sven-Erik kam vorbei und fragte, ob sie mit zum Mittagessen kommen wollte.

»Es ist doch schon drei«, sagte sie.

»Aber hast du etwas gegessen?«

»Nein.«

»Nimm deine Jacke. Ich fahre.«

Sie grinste.

»Warum willst du fahren?«

Tommy Rantakyrö tauchte hinter Sven-Eriks Rücken auf.

»Ihr müsst kommen«, sagte er.

Sven-Erik schaute ihn düster an.

»Mit dir red ich nicht mal«, sagte er.

»Wegen der Sache mit dem Kater? Das sollte doch bloß ein Witz sein. Aber das hier müsst ihr euch anhören.«

Sie folgten Tommy Rantakyrö in Verhörraum 2. Dort saßen eine Frau und ein Mann. Beide in Wanderkleidung. Der Mann war ziemlich groß gewachsen, hielt eine militärgrüne Schirmmütze mit einem Firmenlogo in der Hand und wischte sich den Schweiß von der Stirn. Die Frau war unnatürlich mager. Sie hatte die tiefen Fältchen in der Oberlippe, die sich nach langjährigem Rauchen einstellen. Kopftuch und Beerenflecken auf den Jeans. Beide rochen nach Tabak und Mückenöl.

»Kann man ein Glas Wasser haben«, fragte der Mann, als Anna-Maria und ihre Kollegen den Raum betraten.

»Jetzt hör doch auf«, sagte die Frau in einem Tonfall, der andeutete, dass ihr nichts recht sein würde, egal, was der Mann sagte oder tat.

»Könnten Sie noch einmal erzählen, was Sie mir eben gesagt haben«, bat Tommy Rantakyrö.

»Na, erzähl du«, sagte die Frau gereizt zu ihrem Mann.

Ihr Blick irrte gestresst herum.

»Tja, wir waren im Norden vom Nedre Vuolosjärvi, zum Beerenpflücken«, sagte der Mann. »Mein Schwager hat da draußen eine Hütte. Unglaubliche Moltebeervorkommen um diese Zeit, aber uns ging es ja eher um Him…«

Er schaute auf zu Tommy Rantakyrö, der durch eine kurze Handbewegung klarstellte, dass der Mann zur Sache kommen sollte.

»Also, in der Nacht haben wir dann Lärm gehört«, sagte der Mann.

»Das war ein Schrei«, korrigierte die Frau.

»Ja, ja. Und jedenfalls kam danach dann ein Schuss.«

»Und dann noch ein Schuss«, fügte die Gattin hinzu.

»Dann erzähl du doch«, sagte der Mann genervt.

»Nein, hab ich gesagt. Du redest jetzt mit der Polizei!«

Die Frau kniff den Mund zusammen.

»Ja, mehr gibt es wohl nicht zu erzählen«, sagte der Mann.

Sven-Erik sah die beiden überrascht an.

»Und wann ist das passiert?«, fragte er.

»In der Nacht auf Samstag«, sagte der Mann.

»Und heute ist Montag«, sagte Sven-Erik langsam. »Warum kommen Sie erst jetzt?«

»Ich hab dir ja gesagt…«, setzte die Frau an.

»Ja, ja, halt jetzt die Klappe«, fiel der Mann ihr ins Wort.

»Ich habe doch gesagt, dass wir sofort fahren müssten«, sagte die Frau zu Sven-Erik. »Du meine Güte, als ich den Pastor auf dem Fahndungsplakat gesehen habe, meinen Sie, der war das?«

»Haben Sie etwas gesehen?«, fragte Sven-Erik.

»Nein, wir sind ins Bett gegangen«, sagte der Mann. »Haben nur das gehört, was ich Ihnen gesagt habe. Ja, und dann noch ein Auto. Aber das war viel später. Die Straße von Laxforsen kommt doch da vorbei.«

»War Ihnen nicht klar, dass die Sache ernst sein könnte?«, fragte Sven-Erik freundlich.

»Nicht dass ich wüsste«, erwiderte der Mann mürrisch. »Jetzt ist doch Elchjagd, da ist es schließlich normal, dass im Wald geschossen wird.«

Sven-Eriks Stimme klang unnatürlich geduldig.

»Aber es war doch mitten in der Nacht. In der Jagdsaison wird das Feuer eine Stunde vor Sonnenuntergang eingestellt. Und wer hat wohl geschrien? Der Elch vielleicht?«

»Ich hab dir ja gesagt…«, setzte die Frau wieder an.

»Hören Sie, im Wald klingt alles anders«, sagte der Mann und sah verärgert aus. »Es kann ein Fuchs gewesen sein. Oder ein brünftiger Rehbock. Haben Sie so einen schon mal gehört? Na, und jetzt haben wir es ja jedenfalls erzählt. Und da dürfen wir nun vielleicht nach Hause fahren?«

Sven-Erik starrte den Mann an, als ob der den Verstand verloren hätte.

»Nach Hause fahren?«, rief er. »Nach Hause fahren? Sie bleiben hier. Wir holen uns die Karte und sehen uns die Gegend an. Sie werden uns erzählen, woher der Schuss gekommen ist. Wir werden feststellen, ob es Kugel oder Schrot war. Sie überlegen sich, was das für ein Schrei war, ob Sie vielleicht ein Wort verstanden haben. Und wir werden auch über diese Autogeräusche sprechen. Woher, wie weit weg, alles. Ich will die genaue Uhrzeit wissen. Und wir werden das alles sehr genau durchgehen. Viele Male. Ist das klar?«

Die Frau sah Sven-Erik flehend an.

»Ich habe ja gesagt, wir sollten sofort zur Polizei fahren, aber Sie wissen ja, wie das ist, wenn man erst mal mit Beerenpflücken angefangen hat.«

»Ja, und jetzt siehst du, was dabei herausgekommen ist. Ich habe Himbeeren für dreitausend Eier im Auto. Auf jeden Fall muss ich unseren Sohn anrufen, damit er sie holen kommt. Verdammt, die Beeren werdet ihr mir nicht ruinieren!«

Sven-Eriks Brustkorb hob und senkte sich.

»Das Auto war jedenfalls ein Diesel«, sagte der Mann.

»Wollen Sie sich über mich lustig machen?«, fragte Sven-Erik.

»Nö, aber verdammt, das erkennt man doch. Die Hütte liegt ein Stück von der Straße entfernt, aber trotzdem. Aber wie gesagt, das war viel später. Braucht überhaupt nichts mit dem Schuss und allem zu tun zu haben.«

UM VIERTEL NACH VIER am Nachmittag flogen Anna-Maria Mella und Sven-Erik Stålnacke mit dem Hubschrauber nach Norden. Unter ihnen schlängelte der Torneälv sich dahin wie ein Silberband. Einige vereinzelte Wolken warfen ihre Schatten über die Berghänge, ansonsten schien die Sonne über dem goldgelben Gelände.

»Man kann ja verstehen, dass die lieber Beeren pflücken, als ihren Urlaub zu ruinieren und in die Stadt zu fahren«, sagte Anna-Maria.

Sven-Erik gab sich geschlagen und lachte.

»Was ist bloß mit den Leuten los?«

Sie schauten auf die Karte.

»Wenn die Hütte hier am Nordufer des Sees liegt und der Schuss von Süden gekommen ist...«, sagte Anna-Maria und zeigte auf die betreffenden Stellen.

»Er hat doch gesagt, es habe ziemlich nah geklungen.«

»Ja, und weiter unten sind ja einige Hütten am Ufer eingezeichnet. Und dann haben sie ein Auto gehört. Das kann nicht mehr als einen, höchstens zwei Kilometer von der Hütte entfernt gewesen sein.«

Sie hatten auf der Karte einen Kreis gezogen. Am nächsten Tag würde die Polizei zusammen mit der Heimwehr das Gelände durchsuchen.

Der Hubschrauber verlor an Höhe. Folgte dem länglichen See Nedre Vuolosjärvi nach Norden. Sie fanden die Hütte, in der das beerenpflückende Paar übernachtet hatte.

»Geh noch weiter runter, damit wir alles so gut wie möglich sehen können«, schrie Anna-Maria dem Piloten zu.

Sven-Erik hielt ein Fernglas in der Hand. Anna-Maria glaubte, ohne Fernglas besser sehen zu können. Birken und sandiger Boden. Der Waldweg zog sich am Ufer bis zum Nordende des Sees hin. Einige einsame Rentiere glotzten blöde, und eine Elchkuh mit Kalb galoppierte durch das Unterholz davon.

Aber trotzdem, dachte Anna-Maria, kniff die Augen zusammen und versuchte, etwas anderes zu erkennen als Birken und Unterholz. Es geht ja doch nicht im Handumdrehen, jemanden zu vergraben. Bei den vielen Wurzeln.

»Warte«, rief sie plötzlich. »Sieh mal da!«

Sie zog Sven-Erik am Arm.

»Siehst du«, fragte sie. »Da liegt ein Boot unterhalb der Rentierfährte. Das sehen wir uns mal an.«

Der See war über sechs Kilometer lang. Ein Pfad führte vom Waldweg zum Ufer hinunter. Das letzte Wegstück war sumpfig. Das weiße Plastikboot war an Land gezogen. Und umgedreht worden, damit kein Wasser hineinlief.

Mit vereinten Kräften drehten sie es nun wieder auf den Kiel.

»Sauber und ordentlich«, sagte Sven-Erik.

»Extrem sauber und ordentlich«, sagte Anna-Maria.

Sie bückte sich und musterte den Boden des Bootes. Schaute zu Sven-Erik hoch und nickte. Auch er bückte sich jetzt.

»Ja, aber Blut gibt es doch immer«, sagte er.

Sie schauten auf den See hinaus. Der war blank und ruhig. An einer Stelle kräuselte sich die Oberfläche. In der Ferne schrie eine Lumme.

Da unten, dachte Anna-Maria. Er liegt im Wasser.

»Wir gehen zurück«, sagte Sven-Erik. »Hat keinen Sinn, hier alles zu zertrampeln und die Techniker in den Wahnsinn zu treiben. Wir holen Krister Eriksson und Tintin her. Wenn sie etwas finden, dann müssen wir einen Taucher kommen lassen. Wir gehen auch nicht über den Weg, auch da kann es doch Spuren geben.«

Anna-Maria schaute auf die Uhr.

»Das schaffen wir noch, ehe es dunkel wird«, sagte sie.

Es war schon nach halb fünf Uhr nachmittags, als sie sich wieder am See versammelten, Anna-Maria Mella, Sven-Erik Stålnacke, Tommy Rantakyrö und Fred Olsson. Sie warteten auf Krister Eriksson und Tintin.

»Wenn er in der Nähe liegt, dann findet Tintin ihn«, sagte Fred Olsson.

»Auch wenn sie nicht so gut ist wie Zack«, sagte Tommy.

Tintin war eine Schäferhündin. Sie gehörte Polizeiinspektor Krister Eriksson. Als er fünf Jahre zuvor nach Kiruna gezogen war, hatte er Zack mitgebracht. Einen Schäferhund mit dickem beigem und braunschwarzem Fell. Breiter Kopf. Nicht gerade ein Ausstellungshund. Ein Einmannköter. Für Zack gab es nur Krister. Wenn jemand anders ihn streicheln oder auch nur begrüßen wollte, wandte er gleichgültig den Kopf ab.

»Es ist eine Ehre, mit ihm arbeiten zu dürfen«, hatte Krister über seinen Hund gesagt.

Die Bergwacht hatte einen mehrstimmigen Huldigungsgesang angestimmt. Zack war der beste Lawinenhund, den sie jemals gesehen hatten. Und auch ein guter Suchhund. Krister Eriksson ließ sich im Pausenraum auf der Wache immer nur dann sehen, wenn Zack zum Kuchen einlud. Genauer gesagt, wenn dankbare Angehörige oder von Zack Gerettete zum Kuchenessen baten. Ansonsten nutzte Krister Eriksson seine Kaffeepausen zu Spaziergängen mit seinem Hund oder zum Training.

Er war eben kein geselliger Typ. Das lag vielleicht an seinem Aussehen. Danach zu schließen, was Anna-Maria gehört hatte, hatte ein Hausbrand in Kristers Teenagerjahren diese Verletzungen verursacht. Sie hatte sich nie getraut, ihn danach zu fragen, dazu war er nicht der Typ. Sein Gesicht sah aus wie schweinchenrosa Pergament. Die Ohren waren zwei klaffende Löcher im Kopf. Er hatte keinen Haarwuchs, keine Augenbrauen oder Wimpern, nichts.

Auch von seiner Nase war nicht viel übrig geblieben. Zwei längliche Grotten, die in seinen Schädel führten. Anna-Maria wusste, dass er unter den Kollegen Michael Jackson genannt wurde.

Als Zack noch lebte, hatten sie Witze über Herrn und Hund gerissen. Dass sie abends zusammen beim Bier saßen und sich Sportnachrichten ansahen. Dass Zack beim Toto die meisten Richtigen hatte.

Nachdem Krister sich Tintin angeschafft hatte, hatte Anna-Maria nichts dergleichen gehört. Vermutlich wurden weiterhin Witze gerissen, aber da Tintin weiblichen Geschlechts war, waren es wohl Zoten, die in Anna-Marias Anwesenheit ungesagt blieben. »Sie wird gut«, pflegte Krister über Tintin zu sagen. »Noch ein wenig zu eifrig. Ist eben noch jung, aber das ändert sich ja.«

Krister Eriksson traf zehn Minuten nach den anderen ein. Tintin saß auf dem Beifahrersitz, festgeschnallt mit einem Sicherheitsgurt für Hunde. Er ließ sie aus dem Wagen springen.

»Ist das Boot da?«, fragte er.

Die anderen nickten. Ein Hubschrauber setzte es am Nordufer des Sees ins Wasser. Es war orange und ging auf Grund, dazu hatte es Scheinwerfer und Echolot.

Krister Eriksson zog Tintin eine Schwimmweste an. Sie wusste genau, was das bedeutete. Arbeit. Arbeit, die Spaß machte. Sie rieb sich eifrig an seinen Beinen. Ihre Schnauze war erwartungsvoll aufgerissen. Die Nasenlöcher weiteten sich in alle Richtungen.

Sie gingen zum Boot hinunter. Krister Eriksson stellte Tintin auf die kleine Plattform und stieß sich vom Ufer ab. Die Kollegen blieben stehen und sahen zu, wie sie davonglitten. Sie hörten, wie Krister den Motor anwarf. Sie suchten im Gegenwind. Anfangs lief Tintin aufgeregt umher, fiepte und tanzte. Dann setzte sie sich. Verhielt sich ganz ruhig und schien an etwas anderes zu denken.

Vierzig Minuten vergingen. Tommy Rantakyrö raufte sich die Mähne. Tintin hatte sich hingelegt. Das Boot glitt auf dem See hin und her. Arbeitete sich nach Süden vor. Die Kollegen am Ufer wanderten mit.

»Verdammt, die stechen ja heute wieder«, klagte Tommy Rantakyrö.

»Kerle mit Hunden. Das ist doch eigentlich das Richtige für dich«, sagte Sven-Erik zu Anna-Maria.

»Hör bloß auf«, knurrte Anna-Maria warnend. »Und es war übrigens gar nicht sein Hund.«

»Was denn?«, fragte Fred Olsson.

»Nichts«, sagte Anna-Maria.

»Na, na, wer A sagt«, sagte Tommy Rantakyrö.

»Sven-Erik hat A gesagt«, sagte Anna-Maria. »Erzähl schon. Bring mich in Schande, los!«

»Ja, aber das war doch, als du noch in Stockholm gewohnt hast«, begann Sven-Erik.

»Als ich auf der Polizeischule war.«

»Also, da ist Anna-Maria bei einem Typen eingezogen. Und wohnte da noch nicht lange.«

»Wir wohnten erst zwei Monate zusammen, und unsere Beziehung war auch nicht viel älter.«

»Und jetzt musst du korrigieren, wenn ich etwas falsch erzähle, aber jedenfalls kam sie eines Tages nach Hause, und auf dem Schlafzimmerboden lag ein schwarzer Stringtanga aus Leder.«

»Mit so einem obszönen Knopfverschluss«, sagte Anna-Maria. »Und vorn war ein Loch darin. Man brauchte sich ja nicht lange den Kopf darüber zu zerbrechen, was aus diesem Loch herausschauen sollte.«

Sie legte eine Pause ein und sah Fred Olsson und Tommy Rantakyrö an. Sie hatte die beiden wohl noch nie so glücklich und erwartungsvoll erlebt.

»Und außerdem«, fügte sie hinzu. »Lag auf dem Boden eine Damenbinde.«

»Hör doch auf!«, sagte Tommy Rantakyrö selig.

»Ich war total geschockt«, sagte Anna-Maria. »Ich meine, was wissen wir schon über andere Menschen? Und als Max dann nach Hause kam und von der Tür aus hallo rief, saß ich einfach nur im

Schlafzimmer. Er fragte: Was ist los?, und ich zeigte auf diesen Lederkram und sagte: Wir müssen reden. Über das da. Aber er reagierte nicht einmal. Ach, sagte er ganz ungerührt. Die ist sicher aus dem Kleiderschrank gefallen. Dann legte er Unterhose und Binde wieder zurück. Er war wirklich eiskalt.«

Sie grinste.

»Es war eine Hundeunterhose. Seine Mutter hatte eine Boxerhündin, die er manchmal betreute. Und wenn die läufig war, trug sie diese Hose mit dem Loch für den Schwanz und einer Binde. So einfach war das.«

Das Lachen der drei Männer hallte über den See.

Sie kicherten noch lange.

»Ja, verdammt«, quietschte Tommy Rantakyrö und wischte sich die Augen.

Dann sprang Tintin im Boot auf.

»Seht mal«, sagte Sven-Erik Stålnacke.

»Als ob wir auf die Idee kommen würden, gerade jetzt wegzuschauen«, sagte Tommy Rantakyrö und reckte den Hals.

Tintin stand noch immer. Sie war total angespannt. Ihre Schnauze zeigte wie eine Kompassnadel über den See. Krister Eriksson verlangsamte das Tempo und lenkte das Boot in die Richtung, in die Tintins Nase zeigte. Die Hündin fiepte und bellte, lief auf der Plattform hin und her und kratzte mit den Pfoten. Sie bellte immer intensiver, und am Ende hing sie mit dem Vorderkörper im Wasser. Als Krister Eriksson die Boje mit dem Bleigewicht zur Hand nahm, um die Stelle zu markieren, konnte Tintin nicht mehr an sich halten. Sie sprang ins Wasser und schwamm um die Boje herum, bellte und stieß Wasser aus ihrer Nase aus.

Krister Eriksson rief sie, packte sie am Griff der Schwimmweste und zog sie zu sich an Bord. Für einen Moment lief er Gefahr, selbst ins Wasser zu fallen. Im Boot fiepte und heulte Tintin weiter vor Glück. Die Polizei hörte Krister Erikssons Stimme durch den Motorenlärm und das Gebell.

»So ist es gut, Mädel. Braaav.«

Tintin sprang triefend wie ein Schwamm an Land. Sie schüttelte sich, und alle Umstehenden bekamen eine ordentliche Dusche ab. Krister Eriksson lobte sie und streichelte ihren Kopf. Sie hielt nur für eine Sekunde still. Dann jagte sie in den Wald und verkündete, wie verdammt toll sie doch sei. Sie hörten ihr Gebell aus allerlei Richtungen.

»Sollte sie ins Wasser springen?«, fragte Tommy Rantakyrö.

Krister Eriksson schüttelte den Kopf.

»Sie war nur einfach so heiß«, sagte er. »Aber dass sie das Gesuchte findet, soll für sie auch ein positives Erlebnis sein, deshalb kann man sie nicht verfluchen, weil sie ins Wasser gesprungen ist, aber…«

Er schaute in Richtung des Hundegebells, mit einer Mischung aus unendlichem Stolz und Nachdenklichkeit.

»Sie ist verdammt tüchtig«, sagte Tommy beeindruckt.

Die anderen stimmten zu. Bei ihrer letzten Begegnung mit Tintin hatte die Hündin eine verschwundene senildemente Frau von sechsundsiebzig im Wald hinter Kaalasjärvi gefunden. Es war ein ausgedehntes Gelände zu durchsuchen gewesen, und Krister Eriksson war langsam mit dem Geländewagen über alte Forstwege gefahren. Auf der Motorhaube hatte er eine Gummimatte befestigt, damit Tintin nicht herunterrutschte. Tintin hatte wie eine Sphinx auf der Motorhaube gelegen und die Nase in die Luft gereckt. Eine imponierende Vorführung.

Die anderen hatten nicht so oft die Gelegenheit, mit Krister Eriksson lange Gespräche zu führen. Tintin kam von ihrer Ehrenrunde zurück, und auch sie wurde von der plötzlichen Gruppenzusammengehörigkeit erfasst. Sie ging sogar so weit, dass sie einmal um alle herumrannte und dann in Sven-Eriks Fußspuren herumschnüffelte.

Dann war dieser Moment vorbei.

»Also, dann sind wir wohl fertig«, sagte Krister fast wütend, rief seine Hündin und nahm ihr die Schwimmweste ab.

Es wurde jetzt dunkel.

»Jetzt brauchen wir nur noch die Technik und die Taucher zu verständigen«, sagte Sven-Erik. »Die sollen herkommen, sowie es morgen hell wird.«

Er war froh und traurig zugleich. Das Schlimmste war eingetroffen. Noch ein Geistlicher war ermordet worden, das konnte man jetzt ja fast mit Sicherheit sagen. Aber andererseits. Dort unten lag ein Leichnam. Es gab Spuren im Boot und sicher auch auf dem Weg. Sie wussten, dass es ein Auto mit Dieselmotor gewesen war. Jetzt hatten sie neue Indizien.

Er sah die anderen an. Merkte, dass alle diese elektrische Spannung verspürten.

»Sie sollen noch heute Abend herkommen«, sagte Anna-Maria. »Sie können doch zumindest einen Versuch im Dunkeln machen. Ich will ihn so bald wie möglich rausholen.«

Måns Wenngren sass im Grodan und betrachtete sein Mobiltelefon. Schon den ganzen Tag hatte er Rebecka Martinsson nicht anrufen wollen, jetzt konnte er sich aber nicht mehr erinnern, was eigentlich dagegensprach.

Er würde sie anrufen und so nebenbei fragen, was denn die Schwarzarbeit mache.

Er hatte Gedanken wie damals mit fünfzehn. Wie ihr Gesicht in dem Moment aussehen würde, wenn er in sie eindrang.

Alter Trottel!, sagte er zu sich und wählte ihre Nummer.

Sie meldete sich nach drei Klingeltönen. Hörte sich müde an. Er fragte ganz nebenbei, was denn die Schwarzarbeit mache, ganz wie geplant.

»Das ist nicht so gut gegangen«, sagte sie.

Dann strömte es aus ihr heraus, wie ihr von Teddys Vater unterstellt worden war, sie sei zum Schnüffeln hergekommen.

»Es war so schön, nicht mehr die ›Frau, die drei Männer umgebracht hat‹, sein zu müssen«, sagte sie. »Ich habe es nicht geheim gehalten, aber es gab auch keine Gelegenheit, darüber zu sprechen. Das Schlimmste ist, dass ich losgefahren bin, ohne meine Rechnung zu bezahlen.«

»Die kannst du doch sicher überweisen oder so«, sagte Måns.

Rebecka lachte.

»Ich glaube nicht.«

»Soll ich das für dich übernehmen?«

»Nein.«

Nein, natürlich nicht, dachte er. Kann sie alleine.

»Dann solltest du hinfahren und bezahlen«, sagte er.

»Ja.«

»Du hast nichts verbrochen, du brauchst nicht den Kopf einzuziehen.«

»Nein.«

»Und auch, wenn man etwas verbrochen hat, sollte man nicht den Kopf einziehen«, sagte Måns jetzt.

Jetzt verstummte sie ganz und gar.

»Jetzt wirst du sehr wortkarg, Martinsson«, sagte Måns.

Jetzt reiß dich zusammen, sagte Rebecka zu sich selbst. Führ dich nicht dauernd auf wie ein Fall für die Klapse.

»Verzeihung«, sagte sie.

»Ach, vergiss es«, sagte Måns. »Ich ruf dich morgen früh an und bring dich auf Trab. In irgendeinem Kaff eine Rechnung bezahlen, das schaffst du doch mit links. Weißt du noch, wie du es mit Axling Import aufnehmen musstest?«

»Mmm.«

»Ich ruf dich morgen an.«

Er ruft nicht an, dachte sie, als sie aufgelegt hatten. Warum sollte er?

Die Taucher von der Lebensrettungsgesellschaft fanden an diesem Abend um fünf nach zehn Stefan Wikströms Leichnam. Er wurde mit einem Netz hochgehievt, war aber schwer. Er war mit einer Eisenkette umwickelt. Seine Haut war weiß und aufgeschwemmt, aufgeweicht und wässrig. In Stirn und Brust hatte er Einschusslöcher von der Größe eines halben Zentimeters.

GELBBEIN

Es ist Anfang Mai. Das Laub, das unter dem Schnee gelegen hat, ist auf dem Boden zu einer braunen Schale gepresst worden. Hier und dort lugt vorsichtiges Grün hervor. Warme Winde von Süden. Vogelzüge.

Die Wölfin ist noch immer auf Wanderschaft. Ab und zu wird sie von der großen Einsamkeit überwältigt. Dann hebt sie den Kopf gen Himmel und lässt alles auf sich zukommen.

Fünfzig Kilometer hinter Sodankylä liegt eine Stadt mit einer offenen Müllhalde. Dort wühlt sie eine Weile herum, findet Reste und buddelt verängstigte fette Ratten aus. Schlägt sich ordentlich den Bauch voll.

Ein Stück außerhalb der Stadt ist ein karelischer Bärenhund angekettet. Als die Wölfin den Waldrand erreicht, bellt er nicht wie besessen los. Er fürchtet sich auch nicht, er macht keinen Fluchtversuch. Er bleibt stumm da stehen und wartet einfach auf sie.

Der Menschengeruch macht ihr zwar Angst, aber jetzt war sie schon so lange allein, und dieser furchtlose Bärenhund kommt ihr wie gerufen. Drei Tage lang kehrt sie bei Einbruch der Dämmerung zu ihm zurück. Traut sich an ihn heran. Beschnüffelt ihn und lässt sich beschnüffeln. Sie machen einander den Hof. Dann kehrt sie an den Waldrand zurück. Dort bleibt sie stehen und schaut den Hund an. Wartet darauf, dass er ihr folgt.

Und der Hund reißt an seiner Kette. Tagsüber hört er auf zu fressen.

Als die Wölfin am vierten Tag zurückkehrt, ist er nicht mehr da.

Sie bleibt eine Weile am Waldrand stehen. Dann läuft sie wieder in den Wald. Und zieht weiter.

Es liegt kein Schnee mehr. Der Boden dampft und zittert vor Sehnsucht nach Leben. Es kribbelt und krabbelt, keimt und sprosst überall. Das Laub sprengt sich einen Weg aus den schmerzenden Bäumen. Der Sommer kommt von unten her, wie eine grüne, unbezwingliche Welle.

Sie wandert zwanzig Kilometer am Torneälv nach Norden. Kommt über die Menschenbrücke bei Muonio.

Kurz darauf kniet zum zweiten Mal in ihrem Leben ein Mann vor ihr. Sie liegt im Birkenwald, und die Zunge hängt ihr aus dem Maul. Ihre Beine scheinen verschwunden zu sein. Die Bäume über ihr sieht sie nur als vagen Nebel.

Der kniende Mann ist Wolfsforscher bei den Naturschutzbehörden.

»Du bist so schön«, sagt er und streichelt ihre Seite und ihre langen gelben Beine.

»Ja, sie ist klasse«, stimmt die Tierärztin zu.

Sie gibt ihr eine Vitaminspritze, überprüft ihre Zähne, bewegt vorsichtig ihre Gelenke.

»Drei Jahre, vielleicht vier«, schätzt sie. »In hervorragendem Zustand, keine Krätze, gar nichts.«

»Eine echte Prinzessin«, sagt der Forscher und befestigt den Sender an ihrem Hals, ein seltsames Schmuckstück für eine königliche Hoheit.

Der Hubschrauber dröhnt noch immer. Der Boden ist so sumpfig, dass der Pilot nicht wagt, den Motor auszuschalten, denn dann könnte er so tief im Morast versinken, dass er nicht mehr abheben kann.

Die Tierärztin gibt der Wölfin noch eine Spritze.

Der Forscher richtet sich auf. Seine Hand spürt sie noch immer. Das dichte, kalte Fell. Die Wolle ganz innen. Die groben, langen Deckhaare. Die schweren Pfoten.

Von der Luft aus sehen sie, wie sie auf die Beine kommt. Ein wenig wacklig.

»Hart im Nehmen«, kommentiert die Tierärztin.

Der Forscher schickt einen Gedanken an die höheren Mächte. Eine Bitte um Schutz.

Dienstag, 12. September

ALLES STEHT IN DEN MORGENZEITUNGEN. Und in den Radionachrichten ist ebenfalls die Rede davon. Der verschwundene Pastor ist mit einer Kette umwickelt in einem See gefunden worden. Durch zwei Schüsse getötet. Einen in die Brust. Einen in den Kopf. Glatte Hinrichtung, sagt eine Quelle bei der Polizei und behauptet, es sei mehr Glück als Verstand gewesen, dass sie den Leichnam überhaupt gefunden hätten.

Lisa sitzt am Küchentisch. Sie hat die Zeitung zugeschlagen und das Radio abgestellt. Sie versucht, ganz stillzusitzen. Sowie sie sich bewegt, scheint in ihr eine Welle loszubrechen. Eine Welle, die durch ihren Körper jagt, die sie auf die Füße reißt, sie zwingt, durch ihr leeres Haus zu trampeln. Ins Wohnzimmer mit den klaffend leeren Bücherregalen und den leeren Fensterbänken. In die Küche. Das Geschirr ist gespült. Die Schränke sind sorgfältig ausgewischt. Alle Schubladen leer. Keine Papiere oder unbezahlten Rechnungen liegen herum. Ins Schlafzimmer. In dieser Nacht hat sie ohne Bettwäsche geschlafen, sie hat sich nur mit dem Steppmantel zugedeckt und konnte zu ihrem großen Erstaunen schlafen. Der Mantel liegt zusammengefaltet am Fußende, unter den Kissen. Ihre Kleider hat sie fortgegeben.

Wenn sie ganz still sitzen bleibt, kann sie ihre Sehnsucht bezwingen. Die Sehnsucht nach Schreien und Tränen. Oder nach Schmerz. Die Sehnsucht danach, die Hand auf die glühend heiße Herdplatte zu legen. Bald wird es Zeit zum Aufbruch sein. Sie hat geduscht und saubere Unterwäsche angezogen. Der ungewohnte BH kratzt unter den Armen.

Die Hunde lassen sich nicht so leicht hinters Licht führen. Sie kommen angeschwänzelt. Das Geräusch ihrer Krallen auf dem Boden, klicketi-klicketi-klick. Sie achten nicht auf ihre starre, abweisende Haltung. Sie bohren ihre Nasen in ihren Bauch, drücken sie zwischen ihre Beine, schieben die Köpfe unter ihre Hände und verlangen, gestreichelt zu werden. Sie streichelt. Es ist eine grauenhafte Anstrengung. Sich so weit zu verschließen, dass sie sie liebkosen kann, ihr weiches Fell berühren, die Wärme des lebendigen, fließenden Blutes darunter.

»Geht ins Bett«, sagt sie mit fremder Stimme.

Und sie gehen ins Bett. Aber dann sind sie gleich wieder da und laufen herum.

Um halb acht steht sie auf. Spült die Kaffeetasse aus und stellt sie in die Spülmaschine. Dort sieht sie auf seltsame Weise verlassen aus.

Auf dem Hof machen die Hunde sofort Schwierigkeiten. Normalerweise springen sie gleich ins Auto, sie wissen, dass das einen langen Tag im Wald bedeutet. Aber jetzt rennen sie hin und her. Karelin stürzt davon und pisst zwischen den Johannisbeersträuchern. Der Preuße setzt sich auf sein Hinterteil und starrt sie an, während sie mit der Hand immer wieder auf die geöffnete Hecktür zeigt. Majken gibt sich als Erste geschlagen. Kommt mit eingekniffenem Schwanz über den Hofplatz gelaufen. Karelin und der Preuße springen hinter ihr her ins Auto.

Kotz-Morris hat nie Lust auf eine Autofahrt. Jetzt aber führt er sich schlimmer auf denn je. Lisa muss ihn jagen, sie flucht und schimpft, bis er stehen bleibt. Sie muss ihn zum Auto schleppen und zerren.

»Spring jetzt rein, verdammt noch mal«, brüllt sie und schlägt ihm auf die Flanke.

Und jetzt springt er hinein. Er hat begriffen. Das tun sie offenbar alle. Schauen sie durch das Fenster an. Sie setzt sich auf den Kuhfänger und ist total erschöpft. Dass sie als Letztes ihre Hunde zusammenstauchen würde, das hätte sie nicht erwartet.

Sie fährt zum Friedhof. Die Hunde müssen im Wagen bleiben. Sie geht zu Mildreds Grab. Wie immer gibt es viele Blumen, kleine Karten, sogar Fotos, die sich in der Feuchtigkeit wellen und aufquellen.

Sie kümmern sich gut um sie, alle Frauenzimmer.

Sie hätte natürlich auch etwas auf das Grab legen müssen. Aber was hätte das wohl sein sollen?

Sie sucht verzweifelt nach Worten. Nach einem Gedanken. Sie starrt Mildreds Namen auf dem grauen, feuchten Stein an. Mildred, Mildred, Mildred. Durchbohrt sich mit diesem Namen wie mit einem Messer.

Meine Mildred, denkt sie dann. Dich habe ich im Arm gehalten.

Erik Nilsson sieht Lisa aus der Ferne. Sie steht starr und passiv da und scheint durch den Stein hindurchzublicken. Die anderen Frauen knien immer und sprechen in die Erde hinein, machen sich am Grab zu schaffen, jäten Unkraut, reden mit anderen Besuchern.

Er war unterwegs zum Grab, bleibt jetzt aber für einen Moment stehen. Er kommt unter der Woche oft morgens her, um seine Ruhe zu haben. Die Magdalenabande, er hat nichts gegen sie, aber sie halten Mildreds Grab besetzt. Für ihn gibt es dort unter den Trauernden keinen Platz. Sie beladen das Grab mit Blumen und Kerzen. Legen kleine Steine oben auf den Grabstein. Sein Beitrag verschwindet in der Menge. Den anderen mag es ja recht sein, zu einem Trauerkollektiv zu gehören. Es ist ein Trost für sie, dass sie viele sind, die Mildred vermissen. Aber er. Es ist ein kindischer Gedanke, das weiß er. Er will, dass die anderen auf ihn zeigen und sagen: »Er war ihr Mann, für ihn ist es am schlimmsten.«

Mildred steht schräg hinter ihm.

Soll ich weitergehen?, fragt er.

Aber sie gibt keine Antwort. Lässt Lisa nicht aus den Augen.

Er geht auf Lisa zu. Räuspert sich rechtzeitig, um ihr keine Angst zu machen, sie scheint so versunken.

»Hallo«, sagt er vorsichtig.

Sie sind sich seit der Beerdigung nicht wieder begegnet.

Sie nickt und versucht, ein Lächeln zustande zu bringen.

Er will schon sagen: »Du hast also auch eine Frühstücksverabredung hier« oder etwas ähnlich Sinnloses, was das Uhrwerk zwischen ihnen ein wenig schmieren könnte. Aber dann überlegt er es sich anders. Er sagt ernst: »Man hatte sie nur geliehen. Man kann das zwar verdammt noch mal nicht einsehen, wenn man mit jemandem zusammen ist. Ich war oft böse auf sie, wegen allem, was ich nicht bekommen habe. Jetzt wünschte ich, ich hätte... ich weiß nicht... das, was ich bekommen konnte, voller Freude angenommen, statt mich mit dem zu quälen, was es nicht gab.«

Er sieht sie an. Sie schaut ausdruckslos zurück.

»Ich rede und rede«, sagt er abwehrend.

Sie schüttelt den Kopf.

»Nein, nein«, bringt sie heraus. »Es ist nur... ich kann nicht...«

»Sie war immer so beschäftigt, hat die ganze Zeit gearbeitet. Jetzt, wo sie tot ist, habe ich endlich das Gefühl, dass wir Zeit füreinander haben. So, als ob sie in Pension gegangen wäre.«

Er sieht Mildred an. Sie ist in die Hocke gegangen und liest die Karten auf dem Grab. Ab und zu lächelt sie strahlend. Sie nimmt die Steine vom Grabstein und hält sie in der Hand. Einen nach dem anderen.

Er verstummt. Wartet darauf, dass Lisa vielleicht fragt, wie es ihm geht. Wie er zurechtkommt.

»Ich muss gehen«, sagt sie. »Ich hab die Hunde im Wagen.«

Erik Nilsson schaut hinter ihr her, als sie geht. Als er sich bückt, um die Blumen in der ins Erdreich gedrückten Vase auszutauschen, ist Mildred verschwunden.

LISA SETZT SICH ins Auto.

»Legt euch«, sagt sie zu den Hunden hinten.

Ich hätte mich auch hinlegen sollen, denkt sie. Statt durch das Haus zu wandern und auf Mildred zu warten. Damals. In der Nacht vor Mittsommer.

Es ist die Nacht vor Mittsommer. Mildred ist bereits tot. Das weiß Lisa nicht. Sie wandert umher. Trinkt Kaffee, obwohl sie weiß, dass sie das so spät lieber lassen sollte.

Lisa weiß, dass Mildred in Jukkasjärvi einen Mitternachtsgottesdienst abgehalten hat. Sie hat die ganze Zeit damit gerechnet, dass Mildred danach zu ihr kommen würde, aber jetzt wird es doch sehr spät. Vielleicht hat irgendwer sie angesprochen und aufgehalten. Oder sie ist nach Hause gefahren. Nach Hause zu ihrem Erik. Bei diesem Gedanken krampft sich Lisas Bauch zusammen.

Die Liebe ist wie ein Gewächs oder wie ein Tier. Sie lebt und entwickelt sich. Wird geboren, wächst, altert, stirbt. Treibt neue, seltsame Sprossen. Eben noch war die Liebe zu Mildred eine heiße, vibrierende Freude. Ihre Finger dachten an Mildreds Haut. Ihre Zunge dachte an ihre Brustwarzen. Jetzt ist die Liebe so groß wie vorher, so stark wie vorher. Aber in der Dunkelheit ist sie bleich und fordernd geworden. Sie verschlingt alles, was es in Lisa gibt. Die Liebe zu Mildred macht sie müde und traurig. Sie hat es so ungeheuer satt, immer an Mildred zu denken. In ihrem Kopf gibt es keinen Platz für andere Dinge. Mildred und Mildred. Wo ist sie, was macht sie, was sagt sie, wie hat sie dieses oder jenes gemeint? Sie kann sich einen ganzen Tag nach Mildred sehnen, nur um sich dann mit ihr zu zerstreiten, wenn sie endlich kommt. Die Wunde in Mildreds Hand ist schon längst verheilt. So, als habe es sie nie gegeben.

Lisa schaut auf die Uhr. Es ist weit nach Mitternacht. Sie nimmt Majken an die Leine und geht hinaus auf die Hauptstraße. Will beim Anleger nachsehen, ob Mildreds Boot noch dort liegt.

Auf dem Weg dorthin kommt sie an Lars-Gunnars und Teddys Haus vorbei.

Ihr fällt auf, dass das Auto nicht auf dem Hofplatz steht.

Seither. Seither denkt sie jeden Tag daran. Die ganze Zeit. Dass Lars-Gunnars Auto nicht auf dem Hofplatz stand. Dass Lars-Gunnar der Einzige ist, den Teddy hat. Dass nichts Mildred wieder zum Leben erwecken kann.

MÅNS WENNGREN RUFT AN und weckt Rebecka Martinsson. Ihre Stimme klingt warm und verschlafen.

»Hoch mit dir!«, kommandiert er. »Trink Kaffee, und iss ein Brot. Dusch dich, und mach dich fertig. Ich rufe in zwanzig Minuten wieder an. Dann musst du weit sein.«

Das macht er nicht zum ersten Mal. Als er mit Madelene verheiratet war und ihre zeitweise Platzangst und Panikattacken und Gott weiß was sonst noch alles noch ertragen konnte, hat er mit ihr alle Zahnarztbesuche, Familientreffen und Schuheinkäufe im Warenhaus durchgesprochen. Es ist eben doch alles zu irgendwas gut... und jetzt beherrscht er immerhin die Technik.

Nach zwanzig Minuten ruft er wieder an. Rebecka antwortet wie ein braves Pfadfindermädel. Jetzt soll sie sich ins Auto setzen, in die Stadt fahren und so viel Geld abheben, dass sie ihre Hütte in Poikkijärvi bezahlen kann.

Als er sie das nächste Mal anruft, sagt er, dass sie nach Poikkijärvi fahren, vor dem Lokal halten und ihn anrufen soll.

»So«, sagt Måns, als sie anruft. »Jetzt dauert es anderthalb Minuten, dann hast du es hinter dir. Geh rein und bezahl. Du brauchst kein Wort zu sagen, wenn du das nicht willst. Halt ihnen einfach das Geld hin. Wenn du das erledigt hast, dann setzt du dich ins Auto und rufst mich wieder an, okay?«

»Okay«, sagt Rebecka wie ein Kind.

Sie sitzt im Auto und schaut zum Lokal hinüber. Weiß und schäbig liegt es da in der scharfen Herbstsonne. Sie wüsste gern, wen sie dort wohl antreffen wird, Micke oder Mimmi?

LARS-GUNNAR SCHLÄGT die Augen auf. Stefan Wikström hat ihn im Traum geweckt. Sein jämmerliches Geschrei, klagend und flehend, als er am See in die Knie sinkt. Als er begreift.

Er ist im Sessel im Wohnzimmer eingenickt. Das Gewehr liegt auf seinem Knie. Mühsam erhebt er sich, mit steifem Rücken und verspannten Schultern. Er geht hoch in Teddys Zimmer. Teddy schläft noch immer tief.

Natürlich hätte er Eva niemals heiraten dürfen. Aber er war ja nur ein dummes Landei aus dem Norden. Leichte Beute für eine wie sie.

Groß war er immer schon. Bereits als Kind war er dick. Damals waren Kinder magere Wichte, die hinter Fußbällen herjagten. Sie waren dünn und schnell und warfen Schneebälle auf dicke Jungen, die nach Hause trotteten, so rasch ihre Beine sie trugen. Heim zu Vatern. Der mit dem Gürtel zuschlug, wenn er in der richtigen Stimmung war.

Ich habe gegen Teddy nie die Hand erhoben, denkt er. Das würde ich niemals tun.

Der dicke Knabe Lars-Gunnar aber wuchs heran und war trotz aller Schikanen ein sehr guter Schüler. Er machte eine Ausbildung bei der Polizei und zog dann wieder nach Hause. Und jetzt war er ein anderer. Es ist nicht leicht, in seinen Heimatort zurückzukommen, ohne in die alte Rolle zu fallen. Aber Lars-Gunnar hatte sich in diesem Jahr auf der Polizeischule verändert. Und einem Polizisten kommt man nicht dumm. Er hatte auch neue Freunde. In der Stadt. Kollegen. Er wurde in die Jagdgesellschaft aufgenommen. Und da er keine Angst vorm Zupacken hatte und ein guter Planer war, wurde er bald Jagdleiter. Eigentlich hätte dieses Amt rotieren sollen, aber so weit kam es nie. Lars-Gunnar denkt, dass es für die anderen sicher auch bequem war, einen zu haben, der plante und organisierte. In einem kleinen Winkel seines Bewusstseins ist ihm aber auch klar, dass niemand es gewagt hätte, seinen Anspruch auf den Posten des Jagdleiters in Frage zu stellen. Das ist gut so. Respekt kann nicht schaden. Und er hat diesen Respekt verdient. Hat ihn nicht ausgenutzt, wie viele andere das getan hätten.

Nein, sein Fehler war wohl eher immer, dass er zu lieb war. Dass er seine Mitmenschen zu positiv gesehen hat. So wie Eva.

Es ist schwer, sich keine Vorwürfe zu machen. Aber er war schon über fünfzig, als er sie kennen lernte. Hatte ein Leben lang allein gelebt, denn das mit den Frauen hatte einfach nicht klappen wollen. Bei denen war er noch immer träge wie früher, war sich seines Leibesumfangs allzu bewusst. Und dann Eva. Die ihren Kopf an seine Brust schmiegte. Ihr Kopf verschwand fast in seiner Hand, wenn er sie an sich zog. »Du kleines Wesen«, sagte er dann immer.

Aber später, als ihr das nicht mehr gut genug war, war sie verschwunden. Hatte ihn und den Kleinen verlassen.

Er kann sich kaum an die Monate nach ihrem Verschwinden erinnern. Sie sind für ihn ein dunkles Loch. Er hatte das Gefühl, dass der ganze Ort ihn anstarrte. Und er hätte gern gewusst, was hinter seinem Rücken getuschelt wurde.

Teddy dreht sich mühsam im Bett um. Das Bettgestell ächzt.

Ich muss..., denkt Lars-Gunnar und verliert den Faden.

Es ist schwer, sich zu konzentrieren. Aber der Alltag. Der muss weitergehen. Das ist doch der Sinn von allem. Sein und Teddys Alltag. Das Leben, das Lars-Gunnar für sie beide aufgebaut hat.

Ich muss einkaufen, denkt er. Milch und Zwieback und Aufschnitt. Wir haben fast gar nichts mehr im Haus.

Er geht die Treppe hinunter und ruft Mimmi an.

»Ich fahre in die Stadt«, sagt er. »Teddy schläft, und ich will ihn nicht wecken. Wenn er zu euch kommt, dann gib ihm Frühstück, ja?«

»Ist er da?«

Anna-Maria Mella hatte bei der Gerichtsmedizin in Lund angerufen. Am Telefon meldete sich Obduktionstechnikerin Anna Granlund, Anna-Maria aber wollte mit dem Oberarzt Lars Pohjanen sprechen. Anna Granlund hütete ihn wie eine Mutter ihr krankes Kind. Sie hielt im Obduktionssaal perfekte Ordnung. Schnitt für ihn die Leichen auf, entnahm Organe, legte sie zurück, wenn er fertig war, nähte die Leichen zu und schrieb auch größere Teile seiner Berichte.

»Er darf nicht aufhören«, hatte sie einmal zu Anna-Maria gesagt. »Du weißt, das wird am Ende wie eine Ehe, ich habe mich an ihn gewöhnt, ich will keinen anderen.«

Und Lars Pohjanen hielt durch. Atmete durch ein Luftrohr. Allein schon das Reden ließ ihn in Atemnot geraten. Einige Jahre zuvor war er wegen Lungenkrebs operiert worden.

Anna-Maria konnte ihn vor sich sehen. Vermutlich schlief er gerade auf dem genoppten Sofa aus den siebziger Jahren im Personalraum. Den Aschenbecher neben den abgenutzten Holzschuhen. Den grünen Operationskittel als Decke.

»Ja, er ist hier«, antwortete Anna Granlund. »Einen Moment.«

Dann Pohjanens Stimme am anderen Ende der Leitung, röchelnd und rau.

»Erzähl«, sagte Anna-Maria Mella, »du weißt, wie ungern ich lese.«

»Viel gibt es nicht. Hrrrm. Von vorn in die Brust geschossen. Dann aus nächster Nähe in den Kopf. Im Austrittsloch im Kopf zeigt sich der Explosionseffekt.«

Langes Einatmen, das Röcheln durch das Luftröhrchen.

»... vom Wasser aufgeweichte Haut, allerdings nicht geschwollen ... aber ihr wisst ja, wann er verschwunden ist ...«

»In der Nacht zum Samstag.«

»Da hat er wohl seither im See gelegen, nehme ich an. Wir haben kleine Verletzungen in den Teilen der Haut, die nicht von der Kleidung bedeckt waren, an den Händen und im Gesicht. Da haben die Fische schon mal zugelangt. Viel mehr gibt es nicht. Habt ihr die Kugeln gefunden?«

»Danach wird noch immer gesucht. Kein Kampf? Keine anderen Verletzungen?«

»Nein.«

»Und sonst?«

Pohjanens Stimme wurde schärfer.

»Mehr nicht, habe ich doch gesagt. Lass dir doch ... von irgendwem den Bericht laut vorlesen.«

»Ich meine doch, bei dir.«

»Ach so, ach Scheiße«, sagte er und klang sofort freundlicher. »Bei mir ist alles beschissen, ist doch klar.«

Sven-Erik Stålnacke sprach mit der Gerichtspsychiaterin. Er saß auf dem Parkplatz in seinem Auto. Er mochte ihre Stimme. Schon von Anfang an hatte diese Wärme ihn angezogen. Und sie sprach langsam. Die meisten Frauen in Kiruna redeten so verdammt schnell. Und ziemlich laut. Sie waren wie Maschinengewehre, er hatte da keine Chance. Jetzt konnte er in Gedanken Anna-Maria hören: »Wieso denn keine Chance, wir haben doch keine Chance, keine Chance, in absehbarer Zeit eine brauchbare Antwort zu erhalten. Man fragt: Wie war das denn? Und dann ist es still, und dann ist es wieder still, und nach verdammt langem Nachdenken kommt dann: Gut. So ist es jedenfalls meistens, wenn ich aus Robert mehr herauspressen will. Also muss frau doch für zwei reden. Keine Chance, du meine Güte. Leck mich doch.«

Jetzt lauschte er der Stimme der Gerichtspsychiaterin und hörte ihren Humor. Obwohl es doch ein ernstes Gespräch war. Wenn er einige Jahre jünger wäre ...

»Nein«, sagte sie. »Ich kann nicht an einen Nachahmer glauben. Mildred Nilsson wurde vorgezeigt. Stefan Wikströms Leichnam dagegen sollte nicht gefunden werden. Und es gab auch keine erlösenden Gewalthandlungen. Das hier ist eine ganz andere Herangehensweise. Es kann sich auch um jemand ganz anderen handeln. Die Antwort auf deine Frage ist also nein. Es ist sehr unwahrscheinlich, dass Stefan Wikström einem Serienmörder mit psychischen Störungen zum Opfer gefallen ist und dass der Mord unter starkem Affekt geschah und von Viktor Strandgårds Ende inspiriert war. Entweder war es ein anderer Mörder, oder Mildred Nilsson und Stefan Wikström wurden aus einem, ja, wie soll ich sagen, wirklichen Grund ermordet.«

»Ach?«

»Ja, also, der Mord an Mildred wirkt doch sehr ... gefühlsbetont. Während der an Stefan eher ...«

»Eine Hinrichtung war.«

»Genau! Es kommt mir ein ganz klein wenig vor wie ein Verbrechen aus Leidenschaft, jetzt spekuliere ich nur, bitte, vergiss das nicht, ich versuche dir nur mein gefühlsmäßiges Bild zu vermitteln ... okay?«

»Ja.«

»Wie ein Mord aus Leidenschaft also. Gatte erschlägt Gattin im Zorn. Tötet den Liebhaber danach auf eher kaltblütige Weise.«

»Aber sie waren doch kein Paar«, sagte Sven-Erik.

Soviel wir wissen, fügte er in Gedanken hinzu.

»Ich meine ja auch gar nicht, dass es der Mann war. Ich meine nur ...«

Sie verstummte.

»... ich weiß nicht, was ich meine«, sagte sie dann. »Es kann eine Verbindung geben. Es kann absolut derselbe Täter sein. Psychopath. Sicher. Vielleicht. Aber nicht notwendigerweise. Und nicht auf diese Weise, dass seine Vorstellungen von der Wirklichkeit jegliche Verankerung in der Wirklichkeit verloren haben.«

Es war Zeit, das Gespräch zu beenden. Sven-Erik tat das mit einem Stich des Bedauerns. Und Manne war noch immer verschwunden.

REBECKA MARTINSSON BETRITT Mickes Lokal. Dort sitzen drei Frühstücksgäste. Ältere Onkel, die sie mit beifälligen Blicken mustern. Weibliche Schönheit live. Die ist immer willkommen. Micke wischt gerade den Boden auf.

»Hallo«, sagt er zu Rebecka und stellt Mopp und Eimer beiseite. »Komm mit.«

Rebecka folgt ihm in die Küche.

»Du musst entschuldigen«, sagt er. »Das ging am Samstag so daneben. Aber ich wusste einfach nicht, was ich sagen sollte ... hast du wirklich diese drei Pastoren in Jiekajärvi umgebracht?«

»Ja. Allerdings waren das zwei Pastoren und ein ...«

»Ich weiß. Ein Verrückter, nicht? Das hat ja in den Zeitungen gestanden. Aber ein Name wurde dabei nie erwähnt. Auch die Namen von Thomas Söderberg und Vesa Larsson wurden nicht genannt, aber hier wussten ja alle, wer diese Pastoren waren. Das muss entsetzlich gewesen sein.«

Sie nickt. So muss es gewesen sein.

»Am Samstag, da dachte ich, dass Lars-Gunnar vielleicht Recht hat. Dass du zum Schnüffeln hergekommen bist. Ich habe dich ja gefragt, ob du Journalistin bist, und du hast nein gesagt, aber dann habe ich gedacht, nichts da, vielleicht ist sie Journalistin, und jedenfalls arbeitet sie für eine Zeitung. Aber so ist das nicht, was?«

»Nein, nein ... ich bin hier zuerst zufällig gelandet, weil wir irgendwo essen wollten, Torsten Karlsson und ich.«

»Der Typ, der beim ersten Mal mit dir hier war?«

»Ja. Und ich spreche darüber sonst nie. Über alles ... was damals passiert ist. Ja, und dann bin ich hier geblieben, um meine Ruhe zu haben, und weil ich mich noch nicht so recht nach Kurravaara getraut habe. Da steht das Haus meiner Großmutter und ... dann bin ich jedenfalls mit Teddy hingefahren. Der ist mein Held.«

Letzteres sagt sie mit einem Lächeln.

»Ich wollte für die Hütte bezahlen«, sagt sie dann und hält ihm Geld hin.

Micke nimmt es an und reicht ihr das Wechselgeld.

»Ich habe deinen Lohn abgezogen. Was sagt dein anderer Chef darüber, dass du schwarz in einer Kneipe jobbst?«

Rebecka lacht auf.

»Ach, jetzt kannst du mich erpressen.«

»Du solltest dich von Teddy verabschieden, du kommst ja ohnehin bei seinem Haus vorbei. Wenn du bei der Kapelle nach rechts abbiegst ...«

»Ich weiß, aber das ist sicher keine gute Idee, sein Vater ...«

»Lars-Gunnar ist in der Stadt, und Teddy ist allein zu Hause.«

Nie im Leben, denkt Rebecka. Es muss ja wohl Grenzen geben.

»Bestell ihm einen schönen Gruß von mir«, sagt sie.

Draußen im Auto ruft sie Måns an.

»Es ist vollbracht«, sagt sie.

Måns Wenngren gibt ihr die gleiche Antwort wie früher seiner Frau. Das rutscht ihm im Affekt einfach so heraus.

»Mein braves Mädchen!«

Dann fügt er eilig hinzu: »Gut so, Martinsson. Jetzt hab ich einen Termin. Bis dann.«

Rebecka bleibt mit dem Telefon in der Hand sitzen.

Måns Wenngren, denkt sie. Er ist wie das Gebirge. Es regnet und ist schrecklich. Der Wind tobt. Man ist müde, und die Schuhe sind durchnässt, und man weiß nicht so genau, wo man ist. Die Karte stimmt einfach nicht mit der Wirklichkeit überein. Und dann treiben plötzlich die Wolken auseinander. Die Kleidung trocknet im Wind. Man sitzt an einem Berghang und schaut auf ein sonniges Tal hinunter. Und plötzlich war alles der Mühe wert.

Sie versucht, Maria Taube anzurufen, kann sie aber nicht erreichen. Sie schickt eine SMS: »Alles o. k. Ruf an.«

Sie fährt über die Landstraße. Stellt das Autoradio auf irgendeinen Laberkanal.

Bei der Abzweigung zur Kapelle sieht sie Teddy. Sofort durchfährt sie ein bohrendes Gefühl von Schuld und Sehnsucht. Sie hebt die Hand zu einem Gruß. Im Rückspiegel sieht sie, wie er hinter ihr herwinkt. Eifrig winkt. Dann läuft er hinter ihrem Auto her. Er kann es nicht einholen, gibt aber nicht auf. Plötzlich sieht sie, dass er fällt. Es sieht nach einem üblen Sturz aus. Er verschwindet im Straßengraben.

Rebecka hält am Straßenrand. Schaut in den Rückspiegel. Er kommt nicht wieder zum Vorschein. Jetzt kommt Bewegung in sie. Sie springt aus dem Auto und rennt zurück.

»Teddy«, ruft sie. »Teddy!«

Wenn er nun mit dem Kopf auf einen Stein geknallt ist!

Er liegt im Straßengraben und strahlt sie an. Wie ein auf den Rücken gefallener Käfer.

»Becka!«, sagt er, als sie über ihm auftaucht.

Natürlich muss ich mich von ihm verabschieden, denkt sie. Was bin ich eigentlich für ein Mensch?

Er rappelt sich auf. Sie wischt ihm Dreck und Blätter ab.

»Hallo, Teddy«, sagt sie dann. »Wie schön, dass wir …«

»Komm mit«, fällt er ihr ins Wort und reißt an ihrem Arm wie ein Kind. »Komm mit.«

Dann machte er auf dem Absatz kehrt und trottet die Straße entlang. Er will nach Hause.

»Nein, also, ich …«, fängt sie an.

Aber Teddy geht weiter. Schaut sich nicht um. Verlässt sich darauf, dass sie ihm folgt.

Rebecka schaut ihr Auto an. Das steht ordentlich am Straßenrand. Versperrt niemandem die Sicht. Ein paar Minuten kann sie doch mitkommen. Sie läuft hinter ihm her.

»Warte auf mich!«, ruft sie.

LISA HÄLT VOR DER TIERKLINIK. Die Hunde wissen genau, wo sie sind. Das hier ist kein angenehmer Aufenthaltsort. Sie springen alle auf und schauen aus dem Autofenster. Reißen das Maul auf und hecheln. Die Zungen hängen weit heraus. Der Preuße verliert Schuppen. Das passiert immer, wenn er nervös ist. Weiße Flocken durchdringen sein Fell und legen sich wie Schnee über seine braunen Haare. Die Schwänze aller Hunde kleben unter ihren Bäuchen. Lisa geht hinein. Die Hunde dürfen im Auto bleiben.

Müssen wir nicht mitkommen?, fragen ihre Blicke. Bleiben uns Spritzen, Untersuchungen, beängstigende Gerüche und erniedrigende weiße Plastikkragen erspart?

Anette, die Tierärztin, steht schon bereit. Lisa bezahlt. Anette wird es selbst machen. Sie sind allein. Kein weiteres Personal. Niemand im Wartezimmer. Lisa ist gerührt von so viel Rücksichtnahme.

Das Einzige, was Anette fragt, ist: »Willst du sie mitnehmen?« Lisa schüttelt den Kopf. So weit hat sie noch gar nicht gedacht. Ihre Gedanken haben sich ja kaum bis zu diesem Moment vorgewagt. Und jetzt ist sie hier. Sie werden Abfall werden. Sie weicht dem Gedanken aus, wie würdelos das ist. Dass sie ihnen mehr schuldet.

»Wie sollen wir es machen?«, fragt Lisa. »Soll ich einen nach dem anderen reinholen?«

Anette sieht sie an.

»Das wäre zu hart für dich, glaube ich. Wir holen sie alle zusammen rein, dann bekommen sie zuerst etwas Beruhigendes.«

Lisa taumelt nach draußen.

»Halt«, warnt sie, als sie die Heckklappe öffnet.

Sie nimmt die Hunde an die Leine. Will nicht riskieren, dass einer wegläuft.

Die Hunde umspringen ihre Beine, als sie in die Tierklinik zurückgeht. Durch das Wartezimmer, vorbei an Büro und Behandlungsraum.

Anette öffnet die Tür zum Operationszimmer.

Ihr Hecheln. Und das Geräusch ihrer Krallen, die stressig über den Boden klicken und kratzen. Die Leinen verheddern sich. Lisa versucht, sie zu entwirren, während sie gleichzeitig auf den anderen Raum zugeht, dorthin sollen sie jetzt endlich.

Und da sind sie nun. In diesem grottenhässlichen Raum mit seinem grottenhässlichen roten Plastikboden und den braun geflämmten Wänden. Lisa stößt mit dem Oberschenkel gegen den schwarzen Behandlungstisch. Alle Krallen, die den Boden zerkratzt haben, haben dafür gesorgt, dass der Schmutz in den Boden eingedrungen ist und dass er nicht mehr sauber gescheuert werden kann. So scheint sich ein dunkelroter Pfad von der Tür und um den Tisch zu ziehen. An einem Wandschrank klebt ein scheußliches Plakat von einem kleinen Mädchen auf einer Blumenwiese. Sie hält ein weichohriges Hundebaby in den Armen. Auf der Wanduhr gibt es einen Text, der von der 10 bis zur 2 über das Zifferblatt läuft: »Jetzt ist es Zeit.«

Die Tür gleitet hinter Anette ins Schloss.

Lisa nimmt den Hunden die Leinen ab.

»Wir fangen mit Bruno an«, sagt sie. »Er ist so eigensinnig, er wird sich trotzdem erst als Letzter hinlegen. Das kennst du ja.«

Anette nickt. Während Lisa Brunos Ohren und Brust streichelt, gibt Anette ihm die Beruhigungsspritze.

»Bist du mein feiner Junge?«, fragt Lisa.

Und er sieht sie an. Er schaut ihr in die Augen, obwohl Hunde das sonst nicht machen. Dann wendet er seinen Blick schnell ab. Bruno ist ein Hund, der auf gutes Benehmen achtet. Der Rudelführerin darf man unter gar keinen Umständen in die Augen blicken.

»Das ist wirklich ein geduldiger Herr«, sagt Anette. Und streichelt ihn kurz, als sie fertig ist.

Bald sitzt Lisa da. Auf dem Boden unter dem Fenster. Hinter ihrem Rücken brennt die Elektroheizung. Kotz-Morris, Karelin und Majken liegen im Halbschlaf um sie herum auf dem Boden. Majkens Kopf auf ihrem einen Oberschenkel, der von Kotz-Morris auf dem anderen. Anette schiebt Bruno und Karelin näher an Lisa heran, damit sie sie allesamt erreichen kann.

Es gibt keine Worte. Nur einen schrecklichen Schmerz im Hals. Die warmen Leiber unter ihren Händen.

Dass ihr es über euch gebracht habt, mich zu lieben, denkt sie. Sie, die innerlich so hoffnungslos schwerfällig ist. Aber Hundeliebe ist einfach. Man läuft in den Wald. Und ist froh. Man streckt sich in der Wärme der anderen aus. Lässt sich gehen und hat es gut.

Anette lässt den Rasierapparat brummen und bringt an den Vorderbeinen Kanülen an.

Es geht schnell. Viel zu schnell. Anette ist schon so weit. Jetzt bleibt nur noch das Letzte. Was sind die Abschiedsgedanken? Der Schmerz im Hals wird unerträglich. Es tut überall weh. Lisa zittert wie im Fieber.

»Dann spritze ich jetzt«, sagt Anette.

Und sie gibt ihnen die Giftinjektion.

Es dauert eine halbe Minute. Sie liegen so da wie vorher. Die Köpfe auf ihren Knien. Brunos Rücken an ihrem Hintern. Majkens Zunge ist auf eine andere Weise schlaff, als wenn sie schläft.

Lisa will sich erheben. Aber das geht nicht.

Das Weinen liegt dicht unter ihrer Gesichtshaut. Das Gesicht versucht, es zu unterdrücken. Es ist wie ein Tauziehen. Die Muskeln kämpfen dagegen. Wollen den Mund und die Augenbrauen zurück zum normalen Ausdruck holen, aber das Weinen hält dagegen. Am Ende zerplatzt alles zu einer grotesken, schluchzenden Grimasse. Tränen und Rotz fließen heraus. Dass das hier so unerträglich weh tun kann. Die Tränen haben hinter den Augen gelegen, und jetzt scheint jemand einen Deckel von einem Topf entfernt zu haben. Nun strömt es glühend heiß über ihr Gesicht. Auf Kotz-Morris.

Ein jämmerlicher Klageton kommt aus ihrem Hals. Es hört sich so schrecklich an. Uhu, uhu. Sie hört selbst auf dieses Geschrei der vertrockneten alten Vettel. Sie geht in die Hocke. Umarmt die Hunde. Sie bewegt sich heftig und unbeherrscht. Sie kriecht zwischen den Hunden umher, schiebt die Arme unter ihre schlaffen Körper. Streichelt ihre Augenlider und ihre Schnauzen, Ohren, Bäuche. Presst ihr Gesicht gegen ihre Köpfe.

Das Weinen ist wie ein Sturm. Es reißt und zerrt am Körper. Sie schnieft und versucht zu schlucken. Aber das fällt ihr schwer, auf allen vieren, das Gesicht nach unten gekehrt. Am Ende fließt Rotz aus ihrem Mund. Sie wischt ihn mit der Hand ab.

Und zugleich ist eine Stimme da. Eine andere Lisa, die sich das alles ansieht. Die fragt: Was bist du nur für ein Mensch? Denkst du gar nicht an Mimmi?

Und dann hört das Weinen auf. In dem Moment, als sie denkt, dass es niemals aufhören wird.

Es ist seltsam. Der ganze Sommer war eine lange Liste von Dingen, die erledigt werden mussten. Eins nach dem anderen hat sie abgehakt. Das Weinen stand nicht auf der Liste. Das hat sich von selbst dort eingetragen. Sie wollte es nicht. Sie hatte Angst davor. Angst, darin zu ertrinken.

Und jetzt ist es gekommen. Zuerst war es unangenehm, es war unerträgliche Qual und Finsternis. Aber dann. Dann wurde das Weinen zu einer Freistätte. Einem Raum, in dem sie sich ausruhen konnte. Einem Wartezimmer vor dem nächsten Posten auf ihrer Liste. Und deshalb wollte ein Teil von ihr plötzlich im Weinen verharren. Das andere, was noch passieren muss, aufschieben. Und dann verlässt das Weinen sie. Sagt: Das wäre erledigt. Und hört einfach auf.

Sie richtet sich auf. Es gibt ein Waschbecken, sie packt den Rand und zieht sich auf die Beine. Anette ist nicht mehr im Zimmer.

Ihre Augen sind geschwollen. Kommen ihr vor wie halbe Tennisbälle. Sie drückt ihre eiskalten Fingerspitzen auf die Augenlider. Dreht den Wasserhahn auf und spritzt sich Wasser ins Gesicht. Im Behälter neben dem Waschbecken steckt grobes Papier. Sie wischt sich ab und putzt sich die Nase, vermeidet es, in den Spiegel zu blicken. Das Papier kratzt über ihre Nase.

Sie schaut auf die Hunde hinunter. Jetzt ist sie so erschöpft und ausgeweint, dass sie das alles nicht mehr so stark empfindet. Die schreckliche Trauer ist nur noch wie eine Erinnerung. Sie hockt sich hin und streichelt alle ein wenig gelassener.

Dann geht sie hinaus. Anette sitzt vor dem Computer in ihrem Büro. Lisa braucht nur ein »Bis dann« rauszuwürgen.

Hinaus in die Septembersonne. Die sticht und quält. Scharf gezeichnete Schatten. Einige treibende Wolken verwirren ihre Augen. Sie setzt sich ins Auto und klappt die Sonnenblende herunter. Sie lässt den Motor an und fährt durch den Ort, dann biegt sie auf den Norgeväg ab.

Auf der ganzen Fahrt denkt sie einfach an nichts. Daran, wie die Straße sich dahinschlängelt. Wie Bilder sich ändern. Wütend blauer Himmel. Weiße Wolkenfetzen, die sich auf ihrem raschen Zug über die Bergrücken zerfransen. Scharfe, grobe Schluchten. Der lang gestreckte Torneträsk wie ein glänzend blauer Stein, umsponnen von hellem Gold.

Als sie Katterjåk passiert, taucht er auf. Ein Lastwagen. Lisa behält ihr hohes Tempo bei. Und öffnet ihren Sicherheitsgurt.

REBECKA MARTINSSON GING hinter Teddy her in den Keller. Es war eine grün angestrichene Steintreppe, die sich unter das Haus wand. Teddy öffnete eine Tür. Dahinter lag ein Zimmer, das als Speisekammer, Werkstatt und Vorratsraum benutzt wurde. Alles war voll gestellt. Es war feucht. Die weiße Wandfarbe wies hier und da schwarze Punkte auf. An manchen Stellen blätterte sie ab. Es gab einzelne Regalbretter mit Marmeladegläsern, mit Schachteln mit Nägeln und Schrauben und allen möglichen Beschlägen, es gab Farbdosen, Lackdosen und hart gewordene Pinsel, Eimer, Strommesser, jede Menge Kabel. An den freien Wandflächen war Werkzeug aufgehängt.

Teddy machte »pst«. Hielt sich den Zeigefinger an den Mund. Er nahm ihre Hand und führte sie zu einem Stuhl, auf den sie sich setzte. Er kniete auf dem Kellerboden und tippte mit dem Nagel darauf.

Rebecka saß ganz still da und wartete.

Aus der Brusttasche seiner Jacke zog Teddy eine fast leere Packung Butterkekse. Raschelte mit dem Papier, zog einen Keks heraus und brach ihn in Stücke.

Und da kam eine kleine Maus über den Boden gewetzt. Sie sprang in Schlangenlinien auf Teddy zu, blieb vor seinem Knie stehen, erhob sich auf die Hinterbeine. Sie war braungrau und nicht mehr als vier oder fünf Zentimeter groß. Teddy hielt ihr einen halben Keks hin. Die Maus versuchte, ihn zu schnappen, doch da Teddy nicht losließ, blieb sie stehen und knabberte. Außer dem Knabbern war nichts zu hören.

Teddy drehte sich zu Rebecka um.

»Maus«, sagte er.»Klein.«

Rebecka glaubte, die Maus müsse doch vor der lauten Stimme Angst haben, aber die Maus knabberte unbeeindruckt weiter. Rebecka nickte Teddy zu und lächelte strahlend. Es war ein seltsamer Anblick. Der riesige Teddy und die winzige Maus. Sie hätte gern gewusst, wie er das gemacht hatte. Wie er die Maus dazu gebracht hatte, ihre Furcht zu überwinden. Konnte er so geduldig gewesen sein, dass er hier unten ganz still gewartet hatte? Vielleicht. Du bist ein ganz besonderer Junge, dachte sie.

Teddy streckte den Zeigefinger aus und versuchte, den Mäuserücken zu streicheln, aber da wurde die Angst größer als der Hunger. Die Maus jagte wie ein grauer Strich davon und verschwand hinter dem Abfall, der vor der Wand stand.

Rebecka schaute hinter ihr her.

Jetzt musste sie gehen. Sie konnte ihren Wagen nicht ewig unten auf der Straße stehen lassen.

Teddy sagte etwas.

Sie sah ihn an.

»Maus«, sagte er.»Klein.«

Sie empfand plötzlich Trauer. Hier stand sie mit einem entwicklungsgestörten Jungen in einem alten Keller. Und näher als ihm war sie seit einer Ewigkeit keinem anderen Menschen gekommen.

Warum kann ich nicht, fragte sie sich. Kann ich Menschen nicht mögen? Ihnen nicht vertrauen. Aber Teddy kann man vertrauen. Er kann sich nicht verstellen.

»Also, bis dann, Teddy«, sagte sie.

»Bis dann«, sagte er ohne die geringste Trauer in der Stimme.

Sie ging die grüne Steintreppe hoch. Sie hörte nicht, wie draußen ein Wagen hielt. Hörte nicht die Schritte auf der Treppe. Als sie die Tür zur Diele öffnete, wurde gleichzeitig die Haustür aufgerissen. Lars-Gunnars massive Gestalt füllte die Türöffnung. Wie ein Fels, der ihr den Weg versperrte. Etwas in ihr krampfte sich zusammen. Und sie schaute in seine Augen. Er sah sie an.

»Was, zum Teufel«, sagte er nur.

Bei der Untersuchung des Tatorts wurde um halb zehn Uhr morgens eine Kugel gefunden. Sie wurde am Seeufer aus dem Boden gegraben. Kaliber 30-06.

Um Viertel nach zehn hatte die Polizei Waffenregister mit Autoregistern verglichen. Alle herausgefiltert, die einen Personenwagen mit Dieselmotor und eine Kugelwaffe besaßen.

Anna-Maria Mella ließ sich im Schreibtischsessel zurücksinken. Der war wirklich ein überaus luxuriöses Teil. Sie konnte die Rückenlehne so weit nach hinten kippen, dass sie fast wie in einem Bett lag. Wie in einem Zahnarztstuhl, nur ohne Zahnarzt.

Treffer bei 473 Personen. Sie überflog die Namen.

Dann fiel ihr Blick auf einen, den sie kannte. Lars-Gunnar Vinsa.

Er besaß einen Mercedes Diesel. Sie schlug ihn im Waffenregister nach. Er war mit drei Waffen registriert. Zwei Kugelwaffen und eine Schrotflinte. Die eine Kugelwaffe war eine Tikka. Kaliber 30-06.

Na ja, man konnte ja nicht alle Waffen dieses Kalibers zum Probeschießen herbestellen. Man sollte vielleicht zuerst mit ihm reden. Bei einem alten Kollegen war das ja nicht so nett.

Sie schaute auf die Uhr. Halb elf. Nach dem Mittagessen könnte sie mit Sven-Erik zu ihm fahren.

LARS-GUNNAR VINSA sieht Rebecka Martinsson an. Auf halbem Weg in die Stadt ist ihm eingefallen, dass er seine Brieftasche vergessen hat, deshalb hat er kehrtgemacht.

Was ist das hier für eine verdammte Verschwörung? Er hat zu Mimmi gesagt, dass er wegfahren würde. Hat die diese Anwältin angerufen? Das kann er sich kaum vorstellen. Aber so muss es natürlich sein. Und schon ist sie zum Schnüffeln hergekommen. Das Mobiltelefon in der Hand der Frau klingelt. Sie reagiert nicht. Verbissen starrt er ihr klingelndes Telefon an. Sie stehen ganz still da. Das Telefon klingelt und klingelt.

Rebecka denkt, dass sie sich melden muss. Sicher ist es Maria Taube. Aber sie kann nicht. Und als sie nicht antwortet, steht es plötzlich in seinen Blick geschrieben. Und sie weiß. Und er weiß, dass sie weiß.

Die Lähmung verfliegt. Das Handy fällt zu Boden. Hat er es ihr aus der Hand geschlagen? Hat sie es weggeworfen?

Er steht im Weg. Sie kann nicht hinaus. Eine wahnwitzige Angst breitet sich in ihr aus.

Sie macht kehrt und rennt die Treppe ins Obergeschoss hoch. Die ist schmal und steil. Die Tapeten sind vom Alter schmutzig. Haben ein Blumenmuster. Der Lack auf den Treppenstufen ist wie dickes Glas. Blitzschnell kriecht sie auf allen vieren weiter. Jetzt darf sie nicht ausrutschen.

Sie hört Lars-Gunnar. Schwere Schritte hinter ihr.

Sie könnte auch gleich in eine Falle laufen. Wo soll sie nur hin? Vor ihr ist die Toilettentür. Sie stürzt hinein.

Auf irgendeine Weise kann sie die Tür zuziehen und mit ihren Fingern das Schloss umdrehen.

Die Klinke wird von außen nach unten gedrückt. Es gibt ein Fenster, aber es gibt nichts mehr in Rebecka, das einen Fluchtversuch über sich bringt. Es gibt nur noch Angst. Sie kann nicht mehr aufrecht stehen. Sinkt auf den Toilettendeckel. Dann fängt sie an zu zittern. Ihr Körper krampft sich zusammen. Die Ellbogen drücken sich gegen ihren Bauch. Die Hände sind vor ihrem Gesicht, sie zittern dermaßen, dass sie sich damit selbst auf Mund, Nase, Kinn schlägt. Ihre Finger sind krumm wie Krallen.

Ein schweres Dröhnen, ein Poltern vor der Tür. Sie kneift die Augen zusammen. Tränen fließen ihr über das Gesicht. Sie will sich die Ohren zuhalten, aber ihre Hände gehorchen ihr nicht, sie zittern und zittern nur.

»Mama«, weint sie, als die Tür krachend aufgerissen wird. Die Tür trifft ihr Knie. Das tut weh. Jemand packt ihre Jacke und zieht sie hoch. Sie weigert sich, die Augen aufzumachen.

Er zieht sie am Kragen hoch. Sie jammert.

»Mama, Mama!«

Er hört sich selbst fiepen. Äiti, äiti! Es ist über sechzig Jahre her, und sein Vater schleudert die Mutter wie einen Handschuh durch die Küche. Sie hat Lars-Gunnar und seine Geschwister in die Kammer eingeschlossen. Er ist der Älteste. Die kleinen Mädchen sitzen bleich und stumm auf dem Sofa. Der jüngere Bruder und er selbst hämmern an die Tür. Sie hören die Mutter weinen und flehen. Gegenstände fallen zu Boden. Der Vater hat den Schlüssel. Bald werden auch die Jungen an die Reihe kommen, während die Mädchen zusehen müssen. Dann wird die Mutter in der Kammer eingeschlossen sein. Der Gürtel wird zulangen. Aus irgendeinem Grund. Er weiß nicht mehr, aus welchem. Es gab immer so viele. Er schlägt ihren Kopf gegen das Waschbecken. Sie verstummt. Kinderweinen und das »Älä lyö! Älä lyö!« seiner Mutter in seinem Kopf verstummen ebenfalls. Sie fällt auf den Boden.

Als er sie umdreht, sieht sie ihn aus großen stummen Augen an. Von ihrer Stirn fließt Blut. Wie bei dem Ren, das er auf dem Weg nach Gällivare angefahren hat. Derselbe Blick aus großen Augen. Und das Zittern.

Er packt ihre Füße. Schleppt sie zum Treppenabsatz.

Teddy steht auf der Treppe. Er entdeckt Rebecka.

»Was?«, ruft er.

Ein lauter, besorgter Ausruf. Wie ein verängstigtes großes Tier. »Was?«

»Keine Sorge, Teddy«, ruft Lars-Gunnar. »Raus mit dir!«

Aber Teddy hat jetzt Angst. Gehorcht nicht. Macht einige Schritte die Treppe hoch. Schaut die liegende Rebecka an. Ruft wieder »was?«.

»Hörst du nicht«, brüllt Lars-Gunnar. »Raus mit dir!«

Er lässt Rebeckas Füße los und droht Teddy mit der Hand. Am Ende läuft er die Treppe hinunter und scheucht Teddy hinaus auf den Hof. Er schließt die Tür ab.

Teddy steht draußen. Er hört ihn rufen. »Was? Was?« Mit Angst und Verwirrung in der Stimme. Sieht vor sich, wie Teddy ratlos von einem Fuß auf den anderen tritt.

Er empfindet einen entsetzlichen Zorn auf die Frau da oben im Haus. Sie ist an allem schuld. Sie hätte sie in Ruhe lassen sollen.

Mit drei Sprüngen jagt er die Treppe hoch. Das ist wie bei Mildred Nilsson. Die hätte ihn in Ruhe lassen sollen. Ihn und Teddy und diesen Ort hier.

Lars-Gunnar steht draußen auf dem Hofplatz und hängt Wäsche auf. Es ist Ende Mai. Noch keine Blätter, aber grüne Spitzen in den Beeten. Es ist ein sonniger, windiger Tag. Teddy wird im Herbst dreizehn. Eva ist seit sechs Jahren tot.

Teddy springt auf dem Hof hin und her. Er kann sich immer auf irgendeine Weise beschäftigen. Aber man ist eben nie allein. Das fehlt Lars-Gunnar. Ab und zu seine Ruhe zu haben.

Der Frühlingswind zieht und zerrt an der Wäsche. Bald hängen

Laken und Unterwäsche wie eine Reihe von tanzenden Fahnen zwischen den Birken auf dem Hofplatz.

Hinter Lars-Gunnar steht die neue Pastorin Mildred Nilsson. Die kann ja vielleicht reden. Das scheint nie ein Ende zu nehmen. Lars-Gunnar zögert, ehe er zu den leicht löchrigen Unterhosen greift. Ganz weiß sind sie auch nicht mehr, aber immerhin sauber. Aber dann denkt er Scheiße, wieso? Warum soll er sich vor ihr schämen?

Sie will Teddy konfirmieren.

»Du«, sagt er. »Vor zwei Jahren waren solche Hallelujamenschen hier und wollten für seine Heilung beten. Die hab ich vor die Tür gesetzt. Ich hab für die Kirche nicht so viel übrig.«

»Das würde ich nie tun«, sagt sie nachdrücklich. »Ja, also, natürlich werde ich für ihn beten, aber ich verspreche, das ganz leise und nur in meinem stillen Kämmerlein zu machen. Aber ich würde ihn mir niemals anders wünschen. Du bist wirklich mit einem feinen Jungen gesegnet worden. Besser könnte er doch gar nicht sein.«

REBECKA ZIEHT DIE KNIE AN. Streckt sie aus. Zieht sie an. Streckt sie aus. Kämpft sich zurück in die Toilette. Kann nicht aufstehen. Kriecht so tief in eine Ecke, wie sie nur kann. Jetzt kommt er wieder die Treppe hoch.

Mildred hatte ja gut reden, dass Teddy ein Segen ist, denkt Lars-Gunnar. Sie brauchte ja nicht dauernd auf ihn aufzupassen. Und sie hat keine Ehe hinter sich, die wegen des Kindes, das man bekommen hat, in die Brüche gegangen ist. Sie braucht sich keine Sorgen zu machen. Um die Zukunft. Wie Teddy zurechtkommen soll. Um Teddys Pubertät und Sexualität. Während er mit den klebrigen Laken dasteht und sich fragt, was, zum Teufel, er nur machen soll. Eine Frau wird Teddy doch nicht finden. Und man hat jede Menge seltsame Ängste im Kopf, dass er mit seinem Trieb gefährlich werden kann.

Und nach dem Besuch der Pastorin kamen dann die Tanten aus dem Ort angerannt. Lass den Jungen konfirmieren, sagten sie. Und boten an, das Fest zu organisieren. Sagten, für Teddy könnte es doch lustig sein, und sie könnten jederzeit aufhören, wenn er sich nicht wohl fühlte. Sogar Lars-Gunnars Kusine Lisa kam an und setzte ihm zu. Sagte, sie könne ihm einen Anzug besorgen, dann würde er nicht in einem zu engen Mantel dastehen müssen.

Worauf Lars-Gunnar wütend geworden war. Und gesagt hatte, hier gehe es nicht um Anzug oder Geschenk.

»Es geht nicht um Geld!«, brüllte er. »Ich hab ja wohl immer für ihn bezahlt. Wenn ich sparen wollte, dann hätte ich ihn schon längst in eine Anstalt gesteckt. Also von mir aus soll er konfirmiert werden.«

Und er hatte einen Anzug und eine Uhr gekauft. Wenn man zwei Dinge aussuchen sollte, für die Teddy nun wirklich keine Verwendung haben würde, dann waren das wohl ein Anzug und eine Uhr. Aber Lars-Gunnar schwieg dazu. Geiz sollte ihm niemand nachsagen können.

Und dann hatte es eine Veränderung gegeben. Mildreds Freundschaft mit Teddy schien Lars-Gunnar etwas zu nehmen. Die Leute vergaßen den Preis, den er bezahlte. Nicht dass er sich übertrieben hoch eingeschätzt hätte. Aber sein Leben war nicht leicht gewesen. Der brutale Vater. Evas Verrat. Die Belastung, allein für ein entwicklungsgestörtes Kind verantwortlich zu sein. Er hätte andere Entscheidungen treffen können. Leichtere Entscheidungen. Aber er hatte seine Ausbildung gemacht und war dann an den Ort zurückgekehrt. War jemand geworden.

Eva hatte ihn in einen Abgrund gestürzt, als sie gegangen war. Er war mit Teddy zu Hause und kam sich vor wie jemand, den einfach kein Mensch will. Es war die Schande, überflüssig zu sein.

Trotzdem kümmerte er sich um Eva, als sie im Sterben lag. Er behielt Teddy zu Hause. Kümmerte sich selber um ihn. Wenn man sich Mildred Nilsson anhörte, dann war er der totale Glückspilz, wo er doch so einen feinen Jungen bekommen hatte. »Sicher«, hatte Lars-Gunnar zu einer der Tanten gesagt, »aber es ist auch eine schwere Verantwortung. Sehr viel Unruhe.« Und die Antwort war gewesen: Eltern sorgen sich doch immer um ihre Kinder. Er brauchte sich auch nicht von Teddy zu trennen, wie viele Leute, wenn die Kinder groß werden und aus dem Haus gehen. Das war doch alles nur Scheißgerede. Von Leuten, die einfach keine Ahnung von seiner Lage hatten. Aber danach schwieg er. Wie sollten die anderen das auch verstehen?

Mit Eva war es dasselbe gewesen. Seit Mildred gekommen war, hieß es, wenn Eva erwähnt wurde: »Armes Ding!« Über sie! Ab und zu hätte er gern gefragt, wie das gemeint sei. Ob sie glaubten, es sei so verdammt schwer, mit ihm auszukommen, dass sie deshalb sogar ihren eigenen Sohn verlassen habe?

Er hatte das Gefühl, dass hinter seinem Rücken getuschelt wurde.

Schon damals bereute er, dass er seine Zustimmung zu Teddys Konfirmation gegeben hatte. Aber dann war es zu spät. Er konnte ihm nicht verbieten, mit Mildred zur Kirche zu gehen, denn dann würde es aussehen, als ob er Teddy diese Freude nicht gönnte. Teddy war doch gern da. Er war schließlich zu dumm, um Mildred zu durchschauen.

Also hatte Lars-Gunnar die Sache ihren Lauf nehmen lassen. Teddy hatte sein eigenes Leben geführt. Aber wer wusch seine Kleider, wer hatte Verantwortung und Sorge?

Und Mildred Nilsson! Jetzt denkt Gunnar, dass er die ganze Zeit ihr Ziel war. Teddy war nur ein Mittel zum Zweck.

Sie zog in das Pfarrhaus ein und organisierte ihre Frauenmafia. Sorgte dafür, dass sie sich wichtig vorkamen. Und sie ließen sich lenken wie schnatternde Gänse.

Natürlich hatte sie von Anfang an etwas gegen ihn. Sie beneidete ihn. Man kann doch sagen, dass er am Ort seine Position hatte. War der Leiter der Jagdgesellschaft. War früher bei der Polizei gewesen. Und er hörte anderen ja auch zu. Setzte seine eigenen Bedürfnisse an die zweite Stelle. Und das verschaffte ihm Respekt und Autorität. Das konnte sie nicht ertragen. Sie schien ihm das alles nehmen zu wollen.

Es kam zu einem Krieg zwischen ihnen. Den nur er und sie sehen konnten. Sie versuchte, ihn in Verruf zu bringen. Er verteidigte sich, so gut er konnte. Aber diese Art von Spiel hatte ihm nie gelegen.

Die Frau ist wieder in die Toilette gekrochen. Sie liegt zusammengekrümmt zwischen Toilettensitz und Waschbecken und hält die Arme vors Gesicht, wie um sich vor Schlägen zu schützen. Er packt ihre Füße und zieht sie die Treppe hinunter. Ihr Kopf schlägt auf jeder Stufe auf. Bums, bums, bums. Und draußen ruft Teddy: »Was? Was?« Es fällt ihm schwer, nicht hinzuhören. Die Sache muss ein Ende nehmen. Jetzt muss sie endlich ein Ende nehmen.

Er denkt an die Reise nach Mallorca. Auch das war eine von Mildreds Ideen. Plötzlich sollte die kirchliche Jugendgruppe ins Ausland fahren. Und Mildred wollte, dass Teddy mitkam. Lars-Gunnar hatte abgelehnt. Aber Mildred sagte, die Kirche werde nur für Teddy zusätzliches Personal mitschicken. Auf Kosten der Gemeinde. »Und überleg doch mal«, sagte sie, »was Jugendliche in diesem Alter sonst kosten. Slalomskier, Reisen, Computerspiele, teure Kleider...« Und Lars-Gunnar hatte begriffen. »Es geht nicht um das Geld«, hatte Lars-Gunnar gesagt. Aber er hatte begriffen, dass es im Ort genau so aufgefasst werden würde. Dass er Teddy diese Reise nicht gönnte. Dass Teddy auf alles verzichten müsste. Dass er jetzt, wo Teddy die Möglichkeit einer schönen Abwechslung hatte... Also musste Lars-Gunnar sich geschlagen geben. Er konnte nur noch zu seiner Brieftasche greifen. Und alle sagten ihm, es sei doch sicher sehr schön für ihn, dass Mildred sich so um Teddy kümmerte. Schön für den Jungen, dass sie hergezogen war.

Aber Mildred wollte ihn fertig machen, das wusste er. Wenn ihre Fenster eingeschlagen wurden, oder als dieser Blödmann Magnus Lindmark versucht hatte, ihren Schuppen in Brand zu stecken, war sie nicht zur Polizei gegangen. Und das hatte den Klatsch doch noch geschürt. Genau, wie sie es vorgehabt hatte. Die Polizei kann nichts machen. Wenn es wirklich drauf ankommt, dann sitzen sie tatenlos herum. Das ganze Gerede traf Lars-Gunnar. Und er stand mit der Schande da.

Und danach hatte sie sich auf seinen Platz in der Jagdgesellschaft eingeschossen.

Auf dem Papier gehört der Boden vielleicht der Kirche. Aber der Wald gehört ihm. Er kennt sich da aus. Gut, die Pachtsumme war immer sehr niedrig. Aber eigentlich, wenn Recht Recht bleiben soll, dann müsste die Jagdgesellschaft dafür bezahlt werden, dass sie Elche schießt. Die Elche richten im Wald große Verbissschäden an.

Die Elchjagd im Herbst. Die Planung, zusammen mit den anderen Jungs. Die letzte Besprechung am frühen Morgen. Die Sonne ist noch nicht aufgegangen. Die Hunde sind vom Jagdeifer angesteckt worden und reißen an ihren Leinen. Wittern zum grauen Dunkel des Waldes hinüber. Irgendwo dort befindet sich die Beute. Tagsüber Jagd. Herbstluft und Hundegebell aus der Ferne. Die Gemeinschaft, wenn man das Wild angeht. Die Mühe im Schlachthaus, wenn die Tiere zerlegt werden. Das Fachsimpeln abends am Hüttenfeuer.

Sie schrieb einen Brief. Wagte nicht, das von Angesicht zu Angesicht zu sagen. Schrieb, sie wisse, dass Torbjörn wegen Wilderei verurteilt worden war. Dass er trotzdem seinen Waffenschein nicht verloren hatte. Dass er das Lars-Gunnar zu verdanken hatte. Dass es ihm und Torbjörn nicht gestattet werden dürfe, auf kirchlichem Boden zu jagen. »Das ist nicht nur unpassend, sondern direkt empörend, wenn wir an die Wölfin denken, die die Kirche zu schützen gedenkt«, schrieb sie.

Er spürt, wie seine Brust sich zusammenkrampft, wenn er daran denkt. Sie wollte ihn in die Einsamkeit stoßen, so war das. Wollte aus ihm einen verdammten Verlierer machen. Wie Malte Alajärvi. Keinen Job und keine Jagd.

Er hatte mit Torbjörn Ylitalo gesprochen. »Was, zum Teufel, kann man machen?«, fragte Torbjörn. »Ich muss ja froh sein, wenn ich meinen Posten behalten darf.« Lars-Gunnar hatte das Gefühl gehabt, in einem Moorloch zu versinken. Er konnte sich selbst in einigen Jahren sehen. Wie er zu Hause mit Teddy vor sich hin alterte. Sie könnten wie zwei Trottel dasitzen und sich Bingo im Fernsehen ansehen.

Das war nicht gerecht! Und die Sache mit dem Waffenschein! Die lag doch fast zwanzig Jahre zurück! Das war nur ihr Vorwand, um ihm zu schaden.

»Warum«, hatte er Torbjörn gefragt. »Was will sie von mir?«
Und Torbjörn hatte mit den Schultern gezuckt.

Dann verging eine Woche, in der er mit keinem Menschen sprach. Ein Vorgeschmack auf sein kommendes Leben. Abends trank er. Um einschlafen zu können.

Am Abend vor Mittsommer saß er in der Küche und feierte. Wenngleich »feiern« nicht das richtige Wort war. Er war mit seinen eigenen Gedanken in der Küche eingesperrt. Kümmerte sich um seinen eigenen Kram, redete mit sich selber und trank allein. Ging endlich ins Bett und versuchte zu schlafen. In seiner Brust schien etwas zu pochen. Etwas, das er zuletzt als Kind gespürt hatte.

Dann saß er im Auto und versuchte, sich zusammenzureißen. Er weiß noch, dass er fast rückwärts in den Straßengraben gefahren wäre, als er den Hof verlassen wollte. Und dann kam Teddy in der Unterhose angerannt. Lars-Gunnar hatte gedacht, er sei schon längst eingeschlafen. Teddy rief und winkte. Lars-Gunnar musste anhalten. »Du darfst mitkommen«, sagte er. »Aber du musst dir etwas anziehen.« – »Nicht, nicht«, sagte Teddy und wollte zuerst die Autotür nicht loslassen. »Nein, nein, ich fahre nicht weg. Aber geh dich jetzt anziehen.«

In seinem Kopf scheint alles trübe zu werden, wenn er versucht, sich weiter zu erinnern. Er wollte mit ihr sprechen. Sie sollte ihm verdammt noch mal zuhören. Teddy schlief auf dem Beifahrersitz ein.

Er weiß noch, wie er zugeschlagen hat. Wie er dachte: Das muss genug sein. Das muss genug sein.

Sie wurde einfach nicht leiser. Egal, wie er auch zuschlug. Sie röchelte und jammerte. Er zog ihr Schuhe und Strümpfe aus. Stopfte ihr die Strümpfe in den Mund.

Er war noch immer außer sich vor Wut, als er sie zur Kirche hochtrug. Hängte sie an der Kette an der Orgel auf. Dachte, als er da oben auf der Empore stand, dass es wirklich keine Rolle spielte, ob jemand kam, ob jemand ihn gesehen hatte.

Dann kam Teddy herein. Er war aufgewacht und kam in die

Kirche gestiefelt. Stand plötzlich unten im Mittelgang und schaute aus großen Augen zu Lars-Gunnar und Mildred hoch. Sagte nichts.

Lars-Gunnar war sofort stocknüchtern. Wurde wütend auf Teddy. Und hatte plötzlich fürchterliche Angst. Er weiß noch, wie er Teddy zum Auto zog. Sie fuhren los. Und sie schwiegen. Teddy sagte nichts.

Jeden Tag rechnete Lars-Gunnar damit, dass sie kommen würden. Aber niemand kam. Das heißt, natürlich kamen sie und fragten, ob er etwas gesehen hätte. Oder etwas wüsste. Stellten ihm die gleichen Fragen wie allen anderen.

Er dachte daran, dass er die Arbeitshandschuhe angehabt hatte. Die hatten im Kofferraum gelegen. Er hatte überhaupt nicht weiter darüber nachgedacht. Wegen Fingerabdrücken oder so. Es war automatisch gegangen. Wenn man ein Werkzeug wie ein Brecheisen nimmt, dann zieht man vorher Handschuhe an. Das pure Glück. Das pure Glück.

Und dann war alles wieder wie vorher. Teddy schien sich an nichts zu erinnern. Er war genau wie immer. Auch Lars-Gunnar wurde wieder so wie immer. Nachts schlief er gut.

Ich war waidwund, dachte er jetzt, wo er mit der Frau vor seinen Füßen dastand. Wie ein Tier, das sich in eine Mulde legt und bei dem es nur eine Frage der Zeit ist, bis der Jäger es findet.

Als Stefan Wikström anrief, war es seiner Stimme anzuhören. Dass er wusste. Allein schon, dass er Lars-Gunnar anrief, warum machte er das? Sie sahen sich bei der Jagd, sonst hatte er nichts mit diesem Seidenpfaffen zu tun. Und jetzt rief der an. Teilte mit, der Probst schiene ins Wanken geraten zu sein, was die Zukunft der Jagdgesellschaft anging. Vielleicht würde Bertil Stensson dem Gemeindevorstand vorschlagen, die Pacht zu kündigen. Und Stefan Wikström redete über die Elchjagd auf eine Weise, die ... als ob er in dieser Angelegenheit mitzureden hätte.

Und als Stefan angerufen hatte, löste sich der Nebel in Lars-Gunnars Erinnerung auf. Er wusste wieder, wie er am Anleger gestanden und auf Mildred gewartet hatte. Mit einem Puls wie eine Dampframme. Er schaute zum Pfarrhaus hinüber. Und dort stand im Obergeschoss jemand am Fenster. Erst als Stefan Wikström angerufen hatte, fiel ihm das wieder ein.

Was wollte er von mir, überlegt er jetzt. Er wollte Macht über mich haben. Genau wie Mildred.

Lars-Gunnar und Stefan Wikström sitzen im Auto und fahren zum See. Lars-Gunnar hat gesagt, dass er für den Winter das Boot an Land holen und die Ruder anketten will.

Stefan Wikström jammert wie ein kleines Kind über Bertil Stensson. Lars-Gunnar hört nur mit halbem Ohr zu. Es geht um die Pacht und darum, dass Bertil Stefans Arbeit als Pastor nicht zu schätzen weiß. Und dann muss Lars-Gunnar sich sein unerträglich kindisches Jagdgerede anhören. Als ob Stefan irgendetwas begriffen hätte. Der kleine Junge, dem der Platz in der Jagdgesellschaft vom Probst geschenkt worden ist.

Lars-Gunnar findet das Gefasel aber auch verwirrend. Worauf will der Pfaffe eigentlich hinaus? Stefan scheint Lars-Gunnar den Probst unter die Nase zu halten, wie ein kleines Kind das mit einem zerkratzten Arm macht. Blas drauf, dann tut es nicht mehr weh.

Er hat nicht vor, sich von dieser Seidenraupe unterbuttern zu lassen. Er ist bereit, den Preis für seine Taten zu bezahlen. Aber nicht an Stefan Wikström. Nie im Leben.

Stefan Wikström starrt den Teil des Weges an, der im Licht der Scheinwerfer zu sehen ist. Ihm wird im Auto leicht schlecht. Er muss nach vorn blicken.

Langsam macht sich Angst in ihm breit. Er spürt, dass sie sich wie ein Wurm durch seinen Magen schlängelt.

Sie sprechen über alles Mögliche. Nicht über Mildred. Aber sie scheint anwesend zu sein. Könnte fast auf der Rückbank sitzen.

Er denkt an die Nacht vor Mittsommer. Als er am Schlafzimmerfenster stand. Er sah jemanden bei Mildreds Boot. Plötzlich machte diese Person einige Schritte. Verschwand hinter einer Holzhütte auf dem Grundstück des Heimatmuseums. Mehr sah er nicht. Aber später dachte er natürlich daran. Dass es Lars-Gunnar gewesen war. Dass er jetzt etwas in der Hand hatte.

Nicht einmal jetzt denkt er, dass es falsch war, der Polizei nichts davon zu sagen. Lars-Gunnar und er gehören doch zu den Auserwählten in der Jagdgesellschaft. Und in gewisser Hinsicht ist er doch Lars-Gunnars Seelsorger. Lars-Gunnar gehört zu seiner Herde. Ein Geistlicher muss anderen Gesetzen gehorchen als ein normaler Bürger. Als Pastor kann er nicht den Finger heben und auf Lars-Gunnar zeigen. Als Pastor muss er in dem Moment bereit sein, wenn Lars-Gunnar bereit ist zu sprechen. Das ist eine weitere Last, die ihm auferlegt worden ist. Und er fügt sich. Legt alles in Gottes Hände. Betet: Dein Wille geschehe. Und fügt hinzu: Ich habe nicht das Gefühl, dass dein Joch süß und dass deine Bürde leicht ist.

Sie haben den See erreicht und steigen aus dem Wagen. Er muss die Kette tragen. Lars-Gunnar bittet ihn, schon einmal vorauszugehen.

Er geht über den Weg. Der Mond scheint.

Mildred geht hinter ihm. Das spürt er. Er hat den See erreicht. Lässt die Kette auf den Boden fallen. Sieht sie an.

Mildred klettert in sein Ohr.

Lauf, sagt sie dort drinnen. Lauf!

Aber er kann nicht laufen. Steht nur da und wartet. Hört Lars-Gunnar kommen. Langsam nimmt der im Mondschein Gestalt an. Und ja, er hat die Waffe bei sich.

LARS-GUNNAR BLICKT HINUNTER auf Rebecka Martinsson. Seit er sie die Treppe heruntergezogen hat, zittert sie nicht mehr. Aber sie ist bei Bewusstsein. Lässt ihn nicht aus den Augen.

Rebecka Martinsson schaut zu dem Mann hoch. Sie hat dieses Bild schon einmal gesehen. Den Mann wie eine Sonnenfinsternis. Sein Gesicht ruht im Schatten. Die Sonne aus dem Küchenfenster. Wie ein Heiligenschein um seinen Kopf. Es ist Pastor Thomas Söderberg. Er sagt: Ich habe dich geliebt wie meine eigene Tochter. Gleich wird sie ihm den Schädel einschlagen.

Als der Mann sich über sie beugt, packt sie ihn. Nein, packen ist zu viel gesagt, der Mittel- und Zeigefinger ihrer rechten Hand stehlen sich unter den Halsbund seines Pullovers. Das Gewicht der Hand allein zieht ihn näher an sie heran.

»Wie kann man damit leben?«

Er befreit sich von ihren Fingern.

Womit denn leben, fragt er sich. Stefan Wikström? Er hat tiefe Trauer empfunden, als er damals in Paksuniemi eine Elchkuh geschossen hat. Das ist über zwanzig Jahre her. Eine Sekunde nachdem sie gestürzt war, kamen zwei Kälber aus dem Wald. Dann verschwanden sie im Wald. Er hat lange an diesen Fehler denken müssen. Zuerst die Kuh. Und dass er dann nicht reagiert und auch die Kälber erschossen hat. Sie müssen doch qualvoll verendet sein.

Er öffnet die Kellerluke im Küchenboden. Packt sie und schleift sie zu dem Loch.

Teddys Hand klopft ans Küchenfenster. Sein verständnisloser Blick zwischen den Plastikpelargonien.

Und jetzt kommt Leben in die Frau. Als sie die Luke im Boden sieht. Sie versucht, sich seinem Zugriff zu entwinden. Streckt die Hand nach dem Tischbein aus, der Tisch kippt um.

»Loslassen«, sagt er und reißt ihre Hand weg.

Sie zerkratzt ihm das Gesicht. Dreht und windet sich. Ein stummer, verkrampfter Kampf.

Er hebt sie über die Luke. Ihre Füße heben vom Boden an. Sie sagt kein einziges Wort. Der Schrei ist in ihre Augen geschrieben. Nein! Nein!

Er wirft sie wie einen Müllsack nach unten. Sie fällt rückwärts zu Boden. Poltern und Krachen, dann ist alles still. Er lässt die Luke wieder zufallen. Dann packt er mit beiden Händen die Kredenz, die an der Wand steht, und zieht sie über die Luke. Sie ist verdammt schwer, aber er hat Kraft genug.

Sie schlägt die Augen auf. Sie braucht eine Zeitlang, um zu begreifen, dass sie für eine Weile das Bewusstsein verloren hatte. Aber es kann nicht lange gewesen sein. Einige Sekunden. Sie hört, wie Lars-Gunnar etwas Schweres über die Luke zieht.

Weit offene Augen, aber sie sieht nichts. Kompakte Dunkelheit. Sie hört oben Schritte und schleifende Geräusche. Auf die Knie. Der rechte Arm hängt hilflos nach unten. Instinktiv greift sie sich mit der linken Hand an die Schulter und renkt den Arm ein. Es knackt. Ein Feuerstrahl aus Schmerzen jagt von der Schulter in Arm und Rücken. Alles tut weh. Nur ihr Gesicht nicht. Dort spürt sie gar nichts. Sie versucht, es zu betasten. Es ist wie betäubt. Und etwas hängt locker und feucht nach unten. Kann das ihre Lippe sein? Wenn sie schluckt, schmeckt alles nach Blut.

Runter auf alle viere. Lehmboden unter ihren Händen. Die Feuchtigkeit dringt an ihren Knien durch ihre Jeans. Es stinkt nach Rattenkacke.

Wenn sie hier stirbt, dann werden die Ratten sie auffressen.

Sie kriecht los. Tastet mit der Hand nach der Treppe. Überall klebrige Spinnweben, die an der suchenden Hand haften bleiben.

In der Ecke raschelt etwas. Die Treppe. Sie kniet auf dem Boden und legt die Hände auf eine Treppenstufe. Wie ein Hund auf den Hinterbeinen. Sie lauscht. Und wartet.

Lars-Gunnar hat die Kredenz zurückgezogen. Er wischt sich mit dem Handrücken die Stirn.

Teddys »Was?« ist verstummt. Lars-Gunnar schaut aus dem Fenster. Teddy wandert auf dem Hofplatz im Kreis. Lars-Gunnar kennt diesen Kreisgang. Wenn Teddy Angst hat oder traurig ist, kann er so herumlaufen. Dann kann eine halbe Stunde ihm Ruhe bringen. Er scheint dann nichts mehr zu hören. Als er das zum ersten Mal erlebt hat, war Lars-Gunnar so frustriert und hilflos, dass er ihn schließlich geschlagen hat. Dieser Schlag brennt noch heute in ihm. Er weiß noch, dass er seine Hand ansah, die, die geschlagen hatte, und dass er an seinen eigenen Vater denken musste. Und Teddys Zustand wurde davon ja nicht besser. Sondern schlimmer. Jetzt weiß er, dass man Geduld braucht. Und Zeit.

Wenn er doch nur Zeit hätte!

Er geht hinaus auf den Hofplatz. Versucht es, obwohl er weiß, dass es nichts hilft.

»Teddy!«

Aber Teddy hört nichts. Er läuft und läuft im Kreis.

Tausendmal hat Lars-Gunnar an diesen Augenblick gedacht. Aber in seiner Vorstellung hat Teddy dann friedlich geschlafen. Lars-Gunnar und er haben einen schönen Tag hinter sich. Waren vielleicht im Wald. Oder mit dem Schneemobil auf dem Fluss unterwegs. Lars-Gunnar hat eine Weile an Teddys Bett gesessen. Teddy ist eingeschlafen und dann...

Das hier ist zu viel. Schrecklicher könnte es überhaupt nicht sein. Er fährt sich mit der Hand über die Wange. Es fühlt sich an, als ob er weint.

Und er sieht Mildred vor sich. Seit damals war er auf dem Weg hierher. Das begreift er jetzt. Der erste Schlag. Dabei war er von Zorn auf sie erfüllt. Aber danach. Danach hat er gleichsam sein eigenes Leben in Scherben geschlagen. Hat es aufgehängt, damit alle Welt es sehen konnte.

Zum Auto. Da liegt der Stutzen. Er ist geladen. Das war er schon den ganzen Sommer. Er entsichert.

»Teddy«, sagt er mit belegter Stimme.

Er will doch noch Abschied nehmen. Das möchte er so gern.

»Teddy«, sagt er zu seinem großen Jungen.

Jetzt. Ehe er die Waffe nicht mehr halten kann. Er kann nicht hier sitzen, wenn sie kommen. Und zulassen, dass sie Teddy mitnehmen. Er hebt die Waffe an seine Schulter. Zielt. Schießt. Die erste Kugel in den Rücken. Teddy kippt vornüber. Den zweiten Schuss richtet er auf den Kopf.

Dann geht er ins Haus.

Am liebsten würde er die Luke im Boden öffnen und sie umbringen. Was ist sie? Nichts.

Aber er bringt es nicht mehr über sich, die Kredenz zu verrücken.

Er lässt sich schwer auf das Küchensofa fallen.

Dann steht er auf. Öffnet die Wanduhr und hält mit der Hand das Pendel an.

Setzt sich wieder.

Den Lauf in den Mund. Es war eine Qual, so weit er sich zurückerinnern kann. Es wird eine Erleichterung sein. Es wird endlich vorbei sein.

Unten in der Dunkelheit hört sie die Schüsse. Sie kommen von draußen. Zwei Stück. Dann wird die Haustür zugeknallt. Sie hört die Schritte über dem Küchenboden. Dann den letzten Schuss.

Etwas Altes erwacht in ihr. Etwas von früher.

Sie klettert die Treppe hoch, um zu entkommen. Schlägt mit dem Kopf gegen die Luke. Wäre fast wieder nach unten gestürzt, kann sich aber festhalten.

Die Luke lässt sich einfach nicht bewegen. Sie hämmert mit den Fäusten dagegen. Ihre Fingerknöchel werden zerfetzt. Ihre Nägel brechen ab.

Anna-Maria Mella fährt um halb vier an diesem Nachmittag auf Lars-Gunnar Vinsas Hofplatz. Sven-Erik sitzt neben ihr im Auto. Sie haben auf der ganzen Fahrt nach Poikkijärvi geschwiegen. Es macht keinen Spaß, einem alten Kollegen sagen zu müssen, dass man seine Waffe beschlagnahmen und ausprobieren will.

Anna-Maria fährt wie immer ein bisschen zu schnell, und fast hätte sie den Körper überfahren, der dort im Kies liegt.

Sven-Erik stößt einen Fluch aus. Anna-Maria springt auf die Bremse, und sie steigen aus. Sven-Erik liegt schon auf den Knien und tastet den Hals ab. Ein schwarzer Fliegenschwarm hebt vom blutigen Hinterkopf ab. Lars-Erik schüttelt auf Anna-Marias stumme Frage hin den Kopf.

»Das ist Lars-Gunnars Junge«, sagt er.

Anna-Maria schaut zum Haus hinüber. Sie hat keine Dienstwaffe bei sich. Verdammt.

»Jetzt keinen Blödsinn machen, verdammt noch mal«, sagt Sven-Erik. »Ins Auto mit dir, dann holen wir Verstärkung.«

Es dauert eine Ewigkeit, bis die Kollegen kommen, findet Anna-Maria.

»Dreizehn Minuten«, sagt Sven-Erik, der immer wieder auf die Uhr schaut.

Dann treffen Fred Olsson und Tommy Rantakyrö in einem zivilen Dienstwagen ein. Zusammen mit vier Kollegen in kugelsicheren Westen und schwarzen Overalls.

Tommy Rantakyrö und Fred Olsson parken oben am Hang

und laufen geduckt zu Lars-Gunnars Hof weiter. Sven-Erik ist hinter Anna-Marias Wagen in Deckung gegangen.

Der zweite Streifenwagen fährt auf den Hof. Die Kollegen gehen dahinter in Deckung.

Sven-Erik Stålnacke bekommt ein Megafon in die Hand gedrückt.

»Hallo«, ruft er. »Lars-Gunnar. Wenn du im Haus bist, dann komm bitte raus, damit wir reden können!«

Keine Antwort.

Anna-Maria erwidert Sven-Eriks Blick und schüttelt den Kopf. Kein Grund zu warten.

Die vier in den kugelsicheren Westen gehen ins Haus. Zwei durch die Haustür, der eine zuerst, der andere dicht hinter ihm. Zwei klettern durch ein Fenster auf der Rückseite.

Es ist ganz dunkel, nur durch das eingeschlagene Fenster fällt ein wenig Licht. Die anderen warten. Eine Minute. Zwei.

Dann tritt einer der Kollegen vor die Tür und winkt. Keine Gefahr.

Lars-Gunnars Leichnam liegt vor dem Küchensofa auf dem Boden. Die Wand hinter dem Sofa ist mit seinem Blut besprizt.

Sven-Erik und Tommy Rantakyrö schieben die Kredenz weg, die mitten im Raum über der Luke steht.

»Da unten ist jemand«, ruft Tommy Rantakyrö.

»Komm rauf«, sagt er dann und streckt die Hand nach unten.

Aber wer immer dort unten ist, kommt nicht herauf. Am Ende klettert Tommy nach unten. Die anderen hören ihn.

»Shit! Und jetzt ganz ruhig. Kannst du auf die Beine kommen?«

Jetzt taucht er wieder in der Luke auf. Das geht langsam. Die anderen helfen ihr. Fassen sie unter den Armen. Sie jammert leise.

Es dauert den Bruchteil einer Sekunde, ehe Anna-Maria Rebecka Martinsson erkennt.

Rebeckas Gesicht ist zur Hälfte blauschwarz und geschwollen. Sie hat eine große Wunde auf der Stirn, und ihre Oberlippe hängt lose an einem Hautfetzen. »Wie eine Pizza mit allem«, wird Tommy Rantakyrö viel später sagen.

Anna-Maria erinnert sich vor allem an ihre Zähne. Die waren so fest zusammengebissen. Als ob der Kiefer verklemmt wäre.

»Rebecka«, sagt Anna-Maria. »Was…«

Aber Rebecka winkt mit einem Arm ab. Anna-Maria sieht, wie sie zu dem Leichnam auf dem Küchenboden hinüberschielt, ehe sie mit steifen Schritten aus der Tür geht.

Draußen ist der Himmel grau geworden. Die Wolken hängen düster und trächtig mit Regen über ihnen.

Auf dem Hof steht Fred Olsson.

Kein Wort kommt über seine Lippen, als er Rebecka entdeckt. Aber sein Mund formt das Ungesagte, und seine Augen werden ganz groß.

Anna-Maria sieht Rebecka Martinsson an. Sie steht stocksteif vor Teddys Leichnam. Etwas in ihren Augen sagt den anderen, dass sie sie nicht anrühren dürfen. Sie hält sich in ihrer eigenen Welt auf.

»Wo, zum Teufel, bleibt der Krankenwagen?«, fragt Anna-Maria.

»Ist unterwegs«, antwortet irgendwer.

Anna-Maria schaut nach oben. Jetzt setzt der Regen ein. Sie müssen den Leichnam auf dem Boden zudecken. Mit einer Plane oder so etwas.

Rebecka tritt einen Schritt zurück. Sie bewegt die Hand vor ihrem Gesicht, als müsse sie dort etwas vertreiben.

Dann geht sie los. Zuerst schwankt sie auf das Haus zu. Dann macht sie taumelnd kehrt und steuert stattdessen den Fluss an. Sie könnte genauso gut mit verbundenen Augen gehen, sie scheint nicht zu wissen, wo sie ist oder wohin sie geht.

Dann prasselt der Regen richtig los. Anna-Maria spürt die Herbstkühle wie einen kalten Luftschwall. Die Kälte schwappt über den Hofplatz. Mit dichtem, kaltem Regen. Tausend Nadeln aus Eis. Anna-Maria zieht den Reißverschluss ihrer blauen Jacke hoch. Jetzt muss sie sofort eine Plane für den Leichnam besorgen.

»Pass auf sie auf«, ruft sie Tommy Rantakyrö zu und zeigt auf die davontaumelnde Rebecka Martinsson. »Lass sie nicht an die Waffen im Haus heran, und auch nicht an eure eigenen. Und lass sie nicht zum Fluss hinuntergehen.«

Rebecka Martinsson überquert den Hofplatz. Im Kies liegt ein toter, toter, toter großer Junge. Eben saß er noch mit einem Keks in der Hand im Keller und fütterte eine Maus.

Es weht. Der Wind dröhnt in ihren Gehörgängen.

Der Himmel füllt sich mit Kratzspuren, mit tiefen Rissen, die ihrerseits von schwarzer Tinte gefüllt werden. Regnet es? Hat es angefangen zu regnen? Sie hebt fragend ihre Hände gen Himmel, um zu sehen, ob die nass werden. Ihre Ärmel rutschen zurück, entblößen die schmalen Handgelenke, die Hände sind wie nackte Birken. Ihr Schal fällt ins Gras.

Tommy Rantakyrö rennt mit Rebecka Martinsson um die Wette. »Hör mal«, sagt er. »Nicht zum Fluss. Gleich kommt der Krankenwagen und...«

Sie achtet nicht auf ihn. Stolpert weiter zum Ufer hinunter. Jetzt findet er die Lage unangenehm. Die Frau ist unangenehm. Weit aufgerissene Augen in diesem leeren Gesicht. Er will nicht mit ihr allein sein.

»Tut mir leid«, sagt er und packt ihren Arm. »Ich kann nicht... du darfst da einfach nicht hingehen.«

Jetzt birst die Erde wie eine verfaulte Frucht. Jetzt nimmt jemand ihren Arm. Es ist Pastor Vesa Larsson. Er hat kein Gesicht mehr. Ein brauner Hundekopf sitzt auf seinen Schultern. Die schwarzen Hundeaugen sehen sie anklagend an. Er hatte Kinder. Und Hunde, die nicht weinen können.

»Was willst du von mir?«, schreit sie.

Und da steht Pastor Thomas Söderberg. Er zieht tote Säuglinge aus dem Brunnen. Bückt sich und hebt einen nach dem anderen auf. Hält sie mit dem Kopf nach unten, an der Ferse oder dem kleinen Fußgelenk. Sie sind nackt und weiß. Ihre Haut ist aufgedunsen und wässrig. Er wirft sie auf einen großen Haufen. Der wächst und wächst vor seinen Füßen.

Als sie herumfährt, steht sie Auge in Auge mit ihrer Mutter. Die so rein ist und so fein.

»Rühr mich bloß nicht an«, sagt sie zu Rebecka. »Hast du gehört? Weißt du überhaupt, was du getan hast?«

Anna-Maria Mella hat eine Matte gefunden. Damit will sie Lars-Gunnars Jungen zudecken. Es ist nicht so leicht zu erraten, was der Technik am liebsten wäre. Sie muss außerdem Sperren aufstellen lassen, ehe der ganze Ort hier zusammenströmt. Und die Presse. Verdammt, warum muss es denn jetzt auch noch regnen! Zu allem Überfluss, während sie nach Sperren ruft und mit der Matte über den Hof läuft, sehnt sie sich nach Robert. Nach dem Abend, wenn sie in seinen Armen weinen kann. Weil alles so unbeschreiblich schrecklich und sinnlos ist.

Tommy Rantakyrö ruft, und sie dreht sich um.

»Ich kann sie nicht halten«, ruft er.

Er ringt auf der Wiese mit Rebecka Martinsson. Sie fuchtelt mit den Armen und schlägt wild um sich. Reißt sich los und rennt zum Fluss hinunter.

Sven-Erik Stålnacke und Fred Olsson stürzen hinterher. Anna-Maria kann erst reagieren, als Sven-Erik sie fast eingeholt hat. Fred Olsson kommt einen Schritt hinter ihm. Sie fangen Rebecka ein. Sie windet sich in Sven-Eriks Armen wie eine Schlange.

»Aber, aber«, sagt Sven-Erik mit lauter Stimme. »Aber, aber.«

Tommy Rantakyrö hält sich die Hand unter die Nase. Ein Blutfaden sickert zwischen seinen Fingern hindurch. Anna-Maria hat immer Papier in der Tasche. Immer muss bei Gustav etwas abgewischt werden. Eis, Banane, Rotz. Sie reicht Tommy ein Taschentuch.

»Leg sie auf den Boden«, ruft Fred Olsson. »Wir müssen sie fesseln.«

»Hier wird nicht gefesselt«, wehrt Sven-Erik wütend ab. »Kommt der Krankenwagen nicht endlich?«

Diese Frage gilt Anna-Maria. Anna-Maria macht eine Kopfbewegung, die bedeutet, dass sie es nicht weiß. Jetzt halten Sven-Erik und Fred Rebecka Martinsson gemeinsam fest. Sie liegt zwischen ihnen auf den Knien und wirft sich von einer Seite auf die andere.

Und in diesem Moment trifft endlich der Krankenwagen ein. Dicht gefolgt von einer weiteren Streife. Blaulicht und Sirenen durch den harten, grauen Regen. Ein fürchterlicher Radau.

Und durch alles hört Anna-Maria Rebecka Martinsson schreien.

Rebecka Martinsson schreit. Sie schreit wie eine Verrückte. Sie kann nicht damit aufhören.

GELBBEIN

ER IST SCHWARZ wie der Satan. Kommt durch ein Meer aus verblühtem Mohn. Die wolligen weißen Samenkapseln stieben wie Schnee unter der Herbstsonne auf. Dann bleibt er stehen. Hundert Meter von ihr entfernt.

Seine Brust ist breit. Und sein Kopf auch. Lange, grobe schwarze Haare am Hals. Schön ist er nicht. Aber groß. Genau wie sie selbst. Er steht ganz still da, als sie näher kommt. Sie hört ihn seit gestern. Sie hat gelockt und gerufen. Hat für ihn gesungen. Hat in der Dunkelheit erzählt, dass sie ganz allein ist. Und er ist gekommen. Jetzt ist er endlich gekommen.

Das Glück lässt ihre Pfoten brennen. Sie läuft auf ihn zu. Sie macht ihm vorbehaltlos den Hof. Sie zieht die Ohren zusammen und geht in Werbungsstellung. Krümmt sich. Ihr langer Rücken wie ein geschmeidiges S. Sein Schwanz peitscht langsam und fegend hin und her.

Nase an Nase. Nase an Genitalien. Nase an Schwanz. Und dann wieder Nase an Nase. Die Brust hervor, den Nacken gestreckt. Das alles ist unerträglich feierlich. Gelbbein legt ihm alles zu Füßen, was sie nur hat. Wenn du mich willst, dann kannst du mich haben, sagt sie deutlich.

Und dann gibt er ihr das Zeichen. Legt eine Vorderpfote über ihre Schulter. Dann macht er einen verspielten Sprung vorwärts.

Und dann kann sie sich nicht mehr zurückhalten. Die Spielfreude, die sie vergessen hatte, ist mit aller Macht wieder da. Sie macht einen Sprung von ihm weg. Rennt los, dass die Erde nur so hinter ihr aufspritzt. Beschleunigt, macht kehrt, stürzt zurück und fliegt mit einem langen Sprung über ihn hinweg. Dreht sich um. Senkt den Kopf und bleckt die Zähne. Und dann rennt sie wieder weg.

Er setzt ihr nach, und sie schlagen gemeinsam einen Purzelbaum, als er sie eingeholt hat.

Sie sind außer sich vor Freude. Spielen wie verrückt. Liegen danach keuchend übereinander.

Sie reckt träge den Hals und leckt seinen Kiefer.

Die Sonne sinkt zwischen den Tannen. Die Beine sind müde und zufrieden.

Alles ist jetzt.

Danksagung

Rebecka Martinsson kommt wieder auf die Beine; ich glaube an dieses kleine Mädchen in den roten Gummistiefeln. Und nicht vergessen: In meiner Geschichte bin ich Gott. Die Personen können ab und zu ihren freien Willen haben, aber ich habe sie erfunden. Auch die meisten Orte im Buch sind erfunden. Es gibt zwar am Torneälv ein Poikkijärvi, aber damit enden auch alle Ähnlichkeiten, es gibt keinen Kiesweg, keine Kneipe, keinen Pfarrhof.

Viele haben mir geholfen, und bei einigen möchte ich mich hier bedanken bei der Juristin Karina Lundström, die innerhalb der Polizeibehörden interessante Personen aufspürt. Bei Oberarzt Jan Lindberg, der mir bei meinen Toten geholfen hat. Bei der Doktorandin Catharina Durling und der Assessorin Viktoria Edelman, die immer im Gesetzbuch nachschlagen, wenn ich keine Lust habe oder etwas nicht begreife. Bei Hundeführer Peter Holmström, der von der Supertöle Clinton erzählt hat.

Die Fehler in meinem Buch sind meine. Ich vergesse zu fragen, verstehe etwas falsch und entscheide mich wider besseres Wissen.

Dank auch an Verleger Gunnar Nirstedt für kluge Bemerkungen. Lisa Berg und Hans-Olov Öberg, die gelesen und gedruckt haben. Mama und Eva Jensen, die immer wieder auf den Repeatknopf drücken und sagen: Große Klasse, wirklich! Papa, der für Landkarten sorgt und alle möglichen Fragen beantworten kann und der mit siebzehn Jahren beim Eisnetzauslegen Wölfe gesehen hat.

Und dann noch: Per, genau, für alles.

Åsa Larsson

Sonnensturm

Roman
Gebunden · 352 Seiten

Im schwedischen Kiruna sind die Winter dunkel und klirrend kalt. Eines düsteren Tages beleuchtet das Polarlicht eine gespenstische Szenerie: Viktor Strandgård liegt tot in der Kirche. Nicht das erste Mal. Als Jugendlicher war er nach einem Unfall scheintot, hatte Kontakt mit Gott und Engeln. Dieses Erlebnis hat ihn zum umschwärmten Star einer einflussreichen Sektengemeinde gemacht. Jetzt wurde er brutal erstochen, und zwei furchtlose Frauen sind entschlossen, Licht in das Dunkel zu bringen. Rebecka Martinsson, eigentlich Steueranwältin in Stockholm, eilt in ihren Heimatort zurück, um Viktors Schwester beizustehen. Denn Sanna ist inzwischen Hauptverdächtige, und auch Rebecka wird von der Vergangenheit eingeholt. Die hochschwangere Polizeiinspektorin Anna-Maria Mella nimmt die Ermittlungen auf. Aber die Kirchenmitglieder sind so schweigsam wie die Kirchenmauern. Ist die brüderliche Liebe in Hass umgeschlagen? Oder ist der Täter außerhalb der Kirche zu suchen? Unerbittlich, witzig und höchst raffiniert schildert Åsa Larsson die Suche der beiden Frauen nach der Wahrheit und hält die Spannung mit funkelnden Dialogen und psychologischem Tiefsinn bis zum fulminanten Schluss.

»Endlich haben die norwegischen Krimiköniginnen Fossum und Holt eine ebenbürtige schwedische Konkurrentin. Klar, Tursten ist gut. Aber dieser Roman ist besser. Er ist einfach großartig. Hervorragend geschrieben, ausgesprochen spannend, einzigartig komponiert.«
Värmlands Folkblad

C. Bertelsmann